l'amour d'une reine

DAVID LOCKIE

l'amour
d'une reine

traduit de l'anglais par Marianne Véron

Éditions J'ai Lu

*Ce livre a été inspiré par le génie de Virgile
et est dédié à sa mémoire.*

Je tiens à remercier mes chers amis Raoul et Jeannine
Caccia de l'aide précieuse qu'ils m'ont apportée pendant
la préparation de la version française de mon roman.

D. LOCKIE

Ce roman a paru sous le titre original :

DIDO, A LOVE STORY

Principaux dieux et déesses

Noms grecs	Noms latins	Noms phéniciens
ZEUS	(Jupiter)	–
(Héra)	JUNON ("Reine du Ciel")	ASHERAT
HERMÈS	(Mercure)	–
APHRODITE	(Vénus)	ASTARTÉ
POSÉIDON	(Neptune)	–
DÉMÉTER	(Cérès)	–
APOLLON	(Phébus)	–
DIONYSOS	(Bacchus)	–
HÉCATE	–	–
(Athéna)	MINERVE	–
(Héraclès)	Hercule	MELKART

Les noms utilisés dans le roman sont donnés ici en capitales. Les noms entre parenthèses ne sont indiqués que pour établir la concordance.

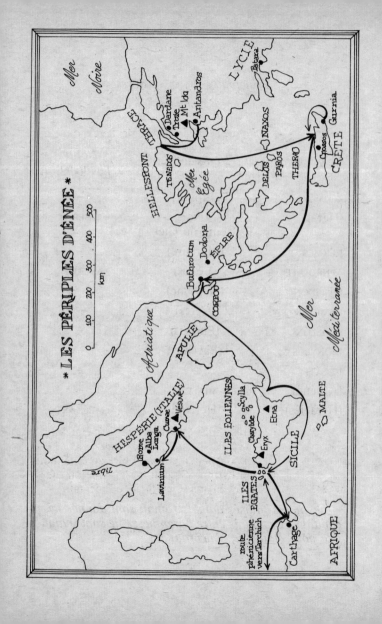

* LES PÉRIPLES D'ÉNÉE *

Principaux personnages

Le narrateur est ASCAGNE, fils d'Énée, le héros troyen que les Romains considéraient comme le fondateur de leur cité.

ÉNÉE	Héros de l'*Énéide*, de Virgile. Père d'Ascagne.
ANNA	Sœur de Didon.
DIDON	Reine et fondatrice de Carthage.
CRÉÜSE	Epouse troyenne d'Énée. Mère d'Ascagne, fille de Priam, le roi des Troyens.
HECTOR	Le plus grand de tous les héros troyens. Frère de Créüse et époux d'Andromaque. Tué par Achille.
ASTYANAX	Fils d'Hector.
ANDROMAQUE	Veuve d'Hector et mère d'Astyanax. Par la suite, épouse d'Hélénos.
CAIETA	Ancienne nourrice d'Énée et nourrice d'Ascagne.
ANCHISE	Père d'Énée et grand-père d'Ascagne.
PANTHOS	Prêtre d'Apollon à Troie.
ILIONÉE	Soldat troyen qui accompagne Énée dans ses périlleux voyages.
ACHATE	Autre compagnon troyen d'Énée et son meilleur ami.
PALINURE	Timonier du navire d'Énée.
ANIOS	Roi de Délos et prêtre de l'oracle d'Apollon.
PYRRHUS	Fils d'Achille. Meurtrier de Priam et d'Astyanax. Par la suite, roi d'Epire.
HÉLÉNOS	Prêtre d'Apollon et roi d'Épire après la mort de Pyrrhus. Second mari d'Andromaque.
ACESTE	Roi des Elymiens en Sicile occidentale.
SYCHÉE	Epoux de Didon.
PYGMALION	Frère de Didon.
IARBAS	Roi des Numides, en Afrique du Nord.
IMILCE	Servante d'Anna.

« *L'amour tel que le concevaient les anciens n'était-il pas une folie, une malédiction, une maladie envoyée par les dieux?* »

Gustave FLAUBERT

Note de l'auteur. L'hymne à Asherat de la Mer qu'enseigne Anna à Ascagne dans le chapitre 9 est inspiré de l'hymne à Ishtar, déesse de la fécondité, que cite N.K. Sandars dans l'introduction à sa traduction de *l'Épopée de Gilgamesh* (*The Epic of Gilgamesh,* Penguin Books, 1972).

1

Prologue

Voici trois jours que j'ai quitté Lavinium en direction d'Albe-la-Longue, la nouvelle capitale que j'ai fondée pour mon peuple, dans les collines, en obéissance au Tout-Puissant Zeus. Elle se dresse au sommet d'une haute falaise, et au-dessous s'étend un lac immobile et serein, d'une insondable profondeur. En hiver assurément le site sera froid et balayé par les vents – mais pas davantage sans doute que Troie, ma patrie, réduite à l'état de ruines mais naguère la fierté de tout l'Hellespont. Et d'ailleurs qui suis-je, moi, fils du pieux Enée, pour défier l'impénétrable sagesse des dieux?

Le présage était clair – c'est tout au moins ce qu'affirma mon père quand il fonda Lavinium, dominant ses pressentiments, car il jugeait l'emplacement mal choisi. Mais c'est là qu'il vit la truie blanche avec ses trente petits, ainsi que l'avait prédit l'augure; ce devait être là, et non au bord du Tibre, que nous étions destinés à fonder notre cité, nous les réfugiés de Troie, en lui donnant le nom de la princesse latine que mon père avait reçu l'ordre d'épouser. Trente ans allaient passer; et puis moi, Iule, j'allais devoir fonder une nouvelle capitale à l'intérieur des terres, parmi les collines.

Trois ans plus tard, mon père mourut. Mais nul ne put retrouver son corps après la bataille, et sa mort n'a donc pas eu pour moi de signification. Son image héroïque n'a cessé de hanter mes rêves, tantôt pour me retenir, tantôt pour m'encourager, et partout où je vais son invisible présence semble penchée telle une ombre au-dessus de moi. Etre fils d'un héros, c'est être son prisonnier même après sa mort.

Il n'y a pas de gloire à avoir attendu trente années avant de fonder Albe-la-Longue. Trop longtemps j'ai dû patiemment attendre mon heure, n'étant guère plus qu'un roi sans trône, à la tête d'une poignée de Troyens et d'une barbare tribu de bergers. Les Latins respectaient mon père; il était un héros, et l'époux prédestiné de Lavinia; mais aussi longtemps qu'elle vécut, ils n'accordèrent que bien peu de respect au fils d'Enée. Maintenant qu'elle est morte, enfin, mon heure est venue. Mais je vieillis. Je sais que mes descendants construiront une ville, et que cette ville s'appellera Rome; je sais que Rome deviendra le plus puissant empire que le monde ait jamais connu; je sais qu'une ère de justice et de paix s'étendra sur la terre. Mais je ne suis qu'un mortel, un instrument des dieux. Mes yeux sont trop faibles pour discerner l'éclat de ce lointain âge d'or. J'ai vu trop de visions, rêvé trop de rêves. J'ai été consciencieux, pieux, obéissant, frustré et déçu. Telle que je la vis, mon indépendance nouvellement acquise n'a guère de saveur; elle m'est venue trop tard.

Telles étaient mes pensées, voici trois jours, lorsque, quittant la plaine du rivage, je dirigeai mon cheval vers l'intérieur des terres pour suivre le chemin qui, dans la forêt, longeait le fleuve sacré

10

Numicus, où mon père livra sa dernière bataille. Je voyage habituellement avec une escorte; cette fois, j'allais seul. Soudain j'entendis, porté jusqu'à moi par une brise d'automne, un lointain roucoulement de pigeons. Il provenait d'un bosquet de chênes verts coiffant le sommet arrondi d'une colline tapissée d'herbe, et je songeai aussitôt à Anna, la sœur de Didon, et aux colombes qui, à Carthage, voletaient autour du temple d'Asherat. A la mort de sa sœur, Anna avait fui Carthage et, après de nombreuses aventures, avait échoué en Italie. Mon père l'avait bien accueillie, mais elle s'était efforcée de l'éviter, quoique à mon avis elle l'aimât encore. Il s'était écoulé de nombreuses années depuis que je ne l'avais vue. J'avais appris qu'elle était devenue prêtresse de Junon dans un sanctuaire situé sur un promontoire, loin au sud de Lavinium. Je m'étais parfois demandé si elle était morte. Maintenant, dans une brusque vision, je sus qu'elle vivait encore, que les roucoulements provenaient de ses colombes, et qu'elle-même m'attendait dans ce bosquet. Le désir de la voir m'envahit soudain. Talonnant vivement les flancs de ma monture, je la lançai au galop à l'assaut de la colline verdoyante. En bordure du bosquet, je mis pied à terre, attachai mon cheval, et écoutai. Aucun son ne provenait du petit bois; le vent était tombé, et le soleil avait disparu. Je n'avais jamais entendu dire que le bosquet fût sacré mais, tandis que je m'engageais sous les arbres, il me sembla ressentir une invisible présence qui m'observait, et je me souvins avec un frisson d'angoisse qu'Asherat avait longtemps été notre ennemie. Dans la pénombre j'apercevais la lueur blême du gui; murmurant les paroles propitiatoires que mon père m'avait enseignées, je m'emparai d'une branche et la brisai. Je sentis aussitôt son flux magique circuler dans mes veines, et la peur instinctive me quitta. Devant moi s'étendait une clairière. A chaque pas il me semblait curieusement revenir en un lieu infiniment familier, et qui m'attendait. Anna doit être là, me dis-je, et j'accélérai le pas, saisi d'une excitation enfantine que je n'aurais guère su expliquer.

La clairière était déserte; mais à l'autre extrémité, en partie dissimulée par un abondant feuillage, j'aperçus une grotte qu'une nymphe ou un satyre aurait pu habiter, et tout à côté une source qui ruisselait parmi les pierres avant de former un petit bassin. Et cette pierre plate à l'entrée de la grotte ne pouvait-elle constituer une sorte d'autel primitif? Je m'en approchai et vis alors une femme sortir de la caverne. J'observai qu'elle boitait et je sus que c'était Anna. Je l'appelai par son nom. Elle se retourna, et je compris qu'elle était aveugle. « Anna », répétai-je en m'avançant vers elle. Elle demeurait immobile, le visage empreint d'un sourire grave.

– Je savais que tu viendrais, Ascagne, me dit-elle.

Je m'arrêtai.

– C'est là mon ancien nom troyen. Je m'appelle désormais Iule.

– Pour moi, tu seras toujours Ascagne, répondit-elle d'une voix sereine.

Oui, j'avais alors été Ascagne, mais maintenant que je me trouvais auprès d'elle, j'hésitais. Pouvait-elle être Anna, cette vieille femme au visage émacié et aux cheveux en désordre? Je regardai ses bras maigres. Elle devina ma pensée.

– Voici l'endroit où tu me blessas avec une flèche parce que Didon refusait de t'emmener chasser avec elle.

Elle leva l'avant-bras et me montra la cicatrice

marbrée; puis elle tendit la main et me toucha.

– Embrasse-moi, Ascagne, en souvenir de Didon.

Je n'hésitai pas davantage et la serrai comme une sœur entre mes bras.

– Mais, Anna, repris-je, que fais-tu ici? Comment savais-tu que je viendrais? Comment m'as-tu reconnu? Ma voix...

– Oui, ta voix a changé, Ascagne, répondit-elle en souriant, et je suis devenue aveugle, comme tu as pu le remarquer. Mais la déesse que je sers, que nous appelons Asherat et que vous appelez Junon, ne m'a pas abandonnée. Elle m'a désigné ce bosquet en songe, et m'a dit que je t'y rencontrerais, et que tu élèverais là un autel en son honneur. Ce fut un bien long voyage pour une vieille femme, mais Imilce a guidé mes pas. Elle est partie, maintenant.

– Imilce, répétai-je. Je me souviens d'elle.

– Oui, Imilce était ma servante à Carthage; mais il y a de cela bien longtemps.

– Mais alors tu es seule! m'écriai-je. Seule et aveugle! Il faut que tu viennes avec moi...

– Dans ta nouvelle capitale, Albe-la-Longue...

Son corps frêle fut soudain secoué de sanglots, et des larmes se mirent à couler sur son visage. Je la pris dans mes bras, et tentai de la consoler.

– Que se passe-t-il, Anna? Laisse-moi t'emmener. Tu voyageras dans un chariot, et j'irai à cheval à tes côtés.

– Non, Ascagne, non. Je ne viendrai pas.

Elle prit à tâtons le bord de sa robe et s'essuya les yeux, puis elle articula avec peine :

– Carthage était la nouvelle capitale de Didon. Dans notre langue, c'est Karthadasht. Ne t'en souviens-tu pas?

Je gardai le silence, et elle poursuivit :

– Ton père n'a jamais appris la langue punique, et toi tu l'as sans doute oubliée. Didon te parlait parfois en punique... mais à ton père elle s'adressait toujours en grec. Je me souviens qu'un jour il voulut dire « je t'aime » en punique, mais que les mots lui firent défaut. C'était là un mauvais présage, tous deux le savaient; mais Didon était tellement heureuse qu'elle se contenta d'en rire et de l'embrasser.

— Didon n'avait peur de rien, observai-je. (J'attendis un moment, puis demandai doucement :) Anna, est-ce à cause d'elle que tu es venue?

Elle leva son visage vers le mien.

— Oui, Ascagne. Il faut apporter la paix à son âme avant de mourir.

J'eus soudain peur.

— Tu es sa sœur. Et tu es prêtresse. Tu n'as pas besoin de moi pour exercer tes dons magiques, déclarai-je rudement.

— Il me faut ton aide, Ascagne, insista Anna.

— Pourquoi t'aiderais-je? Ta sœur était une sorcière, une reine démoniaque; elle ensorcela mon père, elle nous ensorcela tous. Et quand le Tout-Puissant Zeus rompit le charme et rendit à mon père la liberté d'accomplir son destin, elle jeta l'anathème sur lui, sur moi, et sur toute notre lignée royale. Seuls les dieux nous protégèrent de sa fureur.

Je tremblais de colère.

— Qui t'a dit qu'elle avait fait cela? s'enquit Anna d'une voix lente.

— Tu te trouvais avec elle, répondis-je. N'est-ce pas vrai?

— Si, c'est vrai, admit Anna. Les dieux rendent fous ceux qu'ils veulent détruire.

Elle se détourna afin de cacher ses larmes. Je sentais faiblir ma résolution :

— Elle ne peut plus atteindre mon père, désormais, dis-je. Mais moi, et mes fils?

– Elle ne peut plus atteindre personne, même si elle le voulait. N'as-tu pas entendu les colombes t'appeler, Ascagne?

– Les colombes? répétai-je, surpris. C'est leur roucoulement qui m'a amené jusqu'ici. Où sont-elles?

– Elles sont parties. C'est Asherat qui les a envoyées pour nous réunir; mais elles nous sont venues de Didon, je l'ai senti. Elles m'ont parlé.

Elle se raidit soudain et posa un doigt sur ses lèvres.

– L'une d'elles revient, chuchota-t-elle. Ecoute.

Par une trouée entre les arbres, j'aperçus un frémissement d'ailes blanches tandis que l'oiseau venait vers nous pour se poser sur le doigt tendu d'Anna. Elle adressa à l'oiseau des sons doux et filés, puis l'approcha de sa joue pour entendre sa réponse, hochant la tête tout en l'écoutant. L'oiseau posa sur moi un regard qui me parut interrogateur.

– Il n'a pas l'habitude des hommes, murmura Anna.

Elle tint un instant l'oiseau contre sa poitrine et tout à coup, alors que je la regardais, je vis Didon dans la cour du temple d'Asherat, à Carthage – Didon en robe blanche fluide, avec une ceinture dorée autour de sa taille fine. Elle caressait une colombe qui était venue se nicher dans son sein, tandis que mon père la contemplait avec adoration. L'instant d'après, l'apparition s'évanouit. Anna se trouvait à nouveau devant moi; mais l'oiseau avait disparu.

– Tu l'as vue? s'enquit Anna, calmement.

– Oui, répondis-je d'une voix tremblante.

– L'aideras-tu, Ascagne?

Je parvins à grand-peine à prononcer:

– Je ferais n'importe quoi pour elle.

– N'importe quoi, Ascagne? Et la lignée royale

d'Enée? Ne mets pas en danger son glorieux avenir, ni ta nouvelle capitale.

Elle dut sentir la crainte dans mes yeux, car elle reprit :

– Mais Didon n'a point besoin d'un si grand sacrifice pour apporter la paix à son spectre tourmenté.

– Que lui faut-il donc? m'enquis-je.

– Quelqu'un qui dise son histoire en son nom, avec passion mais aussi avec vérité. Tu l'as appelée sorcière, et reine démoniaque. Est-ce là ce que tu penses vraiment?

– Non, répondis-je. Elle est la seule femme que j'aie jamais aimée.

Toi qui écoutes, toi qui peut-être percevras les échos de mon histoire à travers les âges, rappelle-toi ceci. J'étais alors un enfant, mais ce ne sont pas seulement les souvenirs d'un vieil homme. Hermès, le messager ailé de Zeus, m'a transporté dans le passé. Je me suis tenu à nouveau sur le seuil de ma vie, et j'ai revu ce que j'avais vu alors. Je ne vis pas ce qu'avait vu mon père, ni ne ressentis ce qu'il avait ressenti. Mon histoire n'en est pas moins vraie, mais diffère beaucoup de la sienne. Il faut me suivre dans ce monde évanoui que j'ai revisité, un monde parfois innocent ou pareil à un songe; il faut écouter les voix que j'ai entendues; il faut voir Didon telle que je l'ai vue, dans toute sa beauté.

2

Je naquis pendant le siège de Troie. Mon père, Enée, n'était pas lui-même un Troyen. Il venait de

Dardanos, une ville voisine, où il régnait au nom de son vieux père Anchise. Au début, mon père s'efforça de rester à l'écart de la guerre, mais ces brigands de Grecs ne respectaient guère sa neutralité, car ils étaient toujours à court de vivres. Sans avertissement, Achille envahit son territoire, vola son bétail, tua ses bergers, et saccagea la ville dans laquelle mon père avait trouvé refuge. Pris d'une grande colère, mon père s'allia aux Troyens, qui lui firent bon accueil, ainsi qu'à Anchise, dans leurs murs. Le roi Priam lui donna sa fille Créüse en mariage. Un an plus tard je naissais. Je fus leur unique enfant.

Je ne me souviens guère de ma petite enfance, avant la chute de Troie. Je me rappelle que mon père quittait le palais, chaque matin, en armure, pour mener ses hommes au combat – noble silhouette aux épaules herculéennes. Je me souviens de l'avoir vu ramener un jour sur une civière, après que Diomède, le seul Grec dont il pût parler sans haine, lui eut cassé l'os de la cuisse avec une grosse pierre. Je revois ma mère s'élancer en larmes à sa rencontre; il lui baisa la main en disant qu'avec des soins si doux il guérirait bientôt et reprendrait le combat. Ce n'était pas la réponse qu'elle avait espérée.

Nous autres, Troyens, sommes avant tout des cavaliers. Mon premier jouet fut un cheval de bois à roulettes, muni d'une bride – un cadeau de mon père. On adjoignit par la suite au char un cheval, et le même jour une servante amena mon cousin Astyanax pour jouer avec moi. Bien que je fusse un peu plus âgé que lui, je me sentais embarrassé et troublé parce qu'il était le fils du grand Hector, notre chef, qui avait reçu la mort des mains d'Achille. J'avais presque honte que mon père fût encore en vie.

Astyanax et moi nous regardâmes sans mot dire. Puis je lui montrai mon cheval et mon char.

– C'est mon père qui me les a donnés. Il commande l'armée, à présent, et il est l'homme le plus brave de Troie, annonçai-je fièrement.

– Je le sais, répondit Astyanax.

Il contempla un moment le char et le cheval avec une sorte d'horreur dans les yeux. Puis il s'allongea par terre, ses pieds chaussés de sandales tournés vers moi.

– J'ai imaginé un jeu, déclara-t-il. Attache les lanières de mes sandales à l'arrière du char.

Etonné, je m'exécutai.

– Maintenant, attelle le cheval au char.

Je lui obéis.

– Maintenant, prends le cheval par la bride. Quoi qu'il arrive, promets-moi de ne pas arrêter. Tu me le promets, Ascagne?

– Je te le promets, répondis-je.

– Et me promets-tu de faire tout ce que je te dirai? Sinon, tout le jeu serait gâché.

– Oui, répondis-je encore, perplexe, mais bien décidé à ne pas le décevoir.

Astyanax demeura un moment immobile, avec un étrange sourire sur le visage. Puis il se souleva sur un coude, et me dévisagea avec une sorte de fureur.

– Cours, Ascagne, cours! hurla-t-il de toutes ses forces. Et tire, tire, tire!

Je me mis à courir en tirant derrière moi le cheval et le char. Les roues grinçaient et crissaient en parcourant le sol dallé de la cour.

– Tourne autour de la cour! criait la voix derrière moi. Prends les virages à toute vitesse!

Je me retournai; Astyanax était traîné derrière le char, face contre terre, ses longs cheveux épars. Il releva la tête.

18

– Plus vite, plus vite! Les Grecs vont nous rattraper!

Pris de panique au mot « Grecs », je me mis à courir comme un possédé. A chaque tournant, je sentais le corps d'Astyanax se déporter et heurter un pilier ou un mur. Je n'osais pas regarder en arrière, je n'osais pas m'arrêter. Je courus jusqu'au moment où mes poumons semblèrent sur le point d'éclater, et où mes jambes me parurent raides comme du bronze. J'entendis soudain hurler une voix de femme :

– Arrête, Ascagne, arrête!

Haletant et frémissant, je m'immobilisai, essuyai la sueur qui coulait dans mes yeux et levai la tête. C'était Andromaque, la veuve d'Hector, en compagnie de ma mère. Elle était d'une pâleur mortelle.

– Que faites-vous là? Croyez-vous que ce soit un jeu? s'enquit-elle d'une voix tremblante.

Elle s'élança vers Astyanax qui gisait sur les dalles, le visage et les bras meurtris, ensanglantés.

– Qui a inventé ce... jeu? murmura-t-elle. Toi ou Ascagne?

– Moi, répondit Astyanax faiblement.

– Pourquoi? voulut savoir Andromaque.

Il la regarda d'un œil morne, sans répondre.

– Pourquoi? insista-t-elle.

– Parce qu'Achille l'a fait à mon père, répondit Astyanax d'une voix lente. Et je voulais... partager cela avec lui.

Ses yeux se fermèrent. Andromaque le pressa contre elle en pleurant. Ma mère me prit par la main et m'entraîna dans la maison. Plus jamais je ne revis Astyanax. Quand ils prirent Troie, les Grecs le précipitèrent du haut des murailles parce qu'il était le fils d'Hector et qu'ils n'osaient pas le laisser en vie.

A l'exception du dernier jour où je la vis, je ne garde de ma mère qu'un souvenir confus. Elle était affectueuse, mais lointaine. Je me souviens de ne l'avoir vue sourire qu'une seule fois. Elle avait le visage pâle et émacié. C'est seulement plus tard, quand mon père me parla de la terrible famine, que je compris pourquoi. Elle aimait profondément mon père et, chaque fois qu'il quittait le palais pour rejoindre la bataille qui faisait rage sous les murs, elle l'accompagnait en silence jusqu'à la porte et, là, le suivait des yeux avec une expression d'angoisse, tandis qu'il s'éloignait dans la ruelle. Elle répondait gravement à mes questions d'enfant, et je la surprenais parfois à m'observer avec une grande tendresse; mais, même quand elle me caressait, elle parlait rarement. Plusieurs fois je lui demandai innocemment si elle voudrait bien me conduire jusqu'à la muraille pour que je voie les combats; elle se contentait de secouer la tête. Le silence de ma mère renforçait mon sentiment de solitude; il me semblait vivre en compagnie d'une ombre lugubre. Ce fut sans aucun doute auprès de Caieta, la vieille nourrice de mon père, que j'appris à parler.

Caieta est la seule servante dont ma mémoire ait conservé le nom. Il ne me reste plus que des visages, des visages de femmes, car à cette époque tous les hommes de la maison avaient déjà été tués.

Mon père, sauf quand il fut blessé, ne rentrait que pour manger et dormir. Et à part lui, je ne me souviens que d'un seul autre homme, jadis ardent, vigoureux et aimé d'Aphrodite pour sa jeunesse et sa beauté, mais désormais vieux et infirme, boitillant à travers le palais en maudissant son inutilité – mon grand-père, Anchise. Qui aurait pu prédire que, tout infirme et affaibli qu'il était, il allait jouer un rôle si vital dans notre destinée?

Notre palais se dressait à quelque distance des murailles de la ville, en partie caché par un écran d'arbres; mais non point si éloigné qu'on échappât au vacarme des combats. Le heurt des armes, le grincement des machines de guerre, les clameurs de la bataille, les cris et les gémissements des blessés et des mourants, l'éclat des trompettes, les hennissements furieux des chevaux – nous qui ne prenions nulle part à la bataille, nous considérions tous ces bruits comme l'accompagnement normal de notre vie quotidienne. Et puis un jour je m'éveillai à l'aube dans un silence total.

Il m'était interdit de monter sur le toit, et j'allai donc à la recherche de mon père. Il était parti. Je trouvai ma mère dans la cour.

– Pourquoi ne se bat-on plus? Y a-t-il une trêve?

Elle secoua la tête.

– Non, il n'y a pas de trêve. Je ne comprends pas; il faut attendre que ton père revienne et nous explique.

Elle paraissait angoissée, comme toujours, mais s'efforçait de me sourire.

– Ne t'inquiète pas, déclarai-je, répétant docilement ce que m'avait dit Caieta, je suis sûr que les dieux nous protégeront.

– Il arrive que les dieux soient impuissants, observa lentement ma mère, ou bien qu'ils soient...

Elle s'interrompit.

– Qu'ils soient quoi, mère?

– Parfois, expliqua-t-elle gravement, ils sont sans pitié.

– Mais si les combats ont cessé, insistai-je, peut-être les dieux nous sont-ils favorables, et tu devrais alors être heureuse, et non plus triste.

– Peut-être as-tu raison, Ascagne, répondit-elle en me caressant la tête, mais le bonheur est une chose dont j'ai appris à me méfier. Ton père est trop confiant. Il fait confiance aux dieux, à sa mère, il ferait même confiance aux Grecs.

Elle frémit. J'étais étonné.

– Mais qui est sa mère? Je ne l'ai jamais vue.

– Ton père croit que c'est la déesse Aphrodite. Elle lui apparaît quelquefois, et par deux fois elle l'a sauvé d'une mort certaine.

J'absorbai la nouvelle.

– T'est-elle déjà apparue? m'enquis-je.

– Non, répondit tristement ma mère. Je ne suis qu'une mortelle ordinaire, et ne l'ai jamais vue. Ton grand-père non plus ne l'a pas vue depuis... très longtemps.

Elle se tut un moment.

– Je ne sais que croire, ou qu'espérer, si ce n'est que la guerre prenne fin, peu importe comment.

Le portail qui séparait notre porche de la rue s'ouvrit violemment, on entendit un bruit de pas précipités, et mon père apparut devant nous. Il était dans un état d'intense excitation. Ma mère chercha mon regard et posa un doigt sur ses lèvres.

Mon père la prit dans ses bras et l'embrassa fougueusement. Puis il me souleva de toute sa force et me serra contre lui.

– Les Grecs sont partis, s'écria-t-il.

Ma mère porta les mains à sa gorge.

– Enée... c'est impossible. Ce ne peut pas être vrai, après tant d'années.

– C'est parfaitement vrai, ma bien-aimée. Leur camp est désert. J'y suis allé moi-même. Il n'y reste plus un seul homme.

– Mais pourquoi partir si soudainement? demanda ma mère, incrédule. Quand sont-ils partis? Pourquoi?

Mon père haussa les épaules.

– Ils ont dû perdre tout espoir de s'emparer de

Troie, maintenant qu'Achille est mort. Ils auront pris la mer pendant la nuit, et retournent sans aucun doute en Grèce. Il ne reste pas un seul navire grec sur les rives, pas une seule voile en vue. Viens sur le toit, et regarde toi-même. Il faut qu'Ascagne vienne aussi.

– Non, protesta ma mère. Il est trop jeune. Il pourrait tomber.

– Les Grecs sont partis, répéta mon père. Je veux qu'il voie cela de ses propres yeux. Ne comprends-tu donc pas, Créüse? La guerre est finie. C'est un jour dont il devra se souvenir toute sa vie.

M'agrippant à leurs mains protectrices, celle de mon père, massive et noueuse, et celle de ma mère, fine et blanche, je montai donc sur le toit puis escaladai l'échelle qui menait à la tour de guet. Mon père me hissa debout sur ses épaules. Loin au-dessous de nous s'étendait la cour rectangulaire du palais, bordée d'un côté par un mur et une rangée de cyprès. Auprès de la fontaine centrale, Caieta, la tête rejetée en arrière et s'abritant les yeux de sa main, nous regardait. Je voulus agiter le bras, mais ma mère me retint par crainte de me voir perdre l'équilibre. Mon père cria à Caieta l'heureuse nouvelle, et elle courut la répandre parmi les serviteurs.

– Ne regarde pas en bas, Ascagne, déclara mon père. Regarde au delà des murs de la ville, et dis-moi ce que tu vois.

C'était la première fois de ma vie que je regardais au delà des murs de Troie. Pendant un instant, je demeurai fasciné et stupéfait.

– Je vois la plaine, en bas, et le fleuve Scamandre, le mont Ida, la mer, avec une île, et aussi un camp, énumérai-je longuement sans reprendre mon souffle, répétant tous les noms que j'avais entendus et pu retenir.

23

Mon père se mit à rire :

– Bien. Le camp est-il vide ?

– Non, je vois des gens qui s'y promènent, et beaucoup d'autres qui s'y rendent. Je crois même qu'il y a des femmes parmi eux. Est-ce que ce sont des Troyens ?

– Oui, répondit mon père. Ils sont allés voir le camp grec, maintenant qu'il est vide. Regarde, toutes les portes de Troie sont ouvertes.

– Alors nous sommes en sécurité, désormais ? m'écriai-je, follement excité. Et je pourrai sortir de la maison avec Caieta, et même hors des murs, pour aller jouer et nager dans la mer ?

Mon père eut un rire heureux.

– Oui, tu es en sécurité, maintenant. En sécurité, et libre. Demain je t'emmènerai promener sur mon cheval, et bientôt je t'apprendrai à combattre avec l'épée et la lance.

Il me déposa à terre, et se tourna vers ma mère.

– Eh bien, qu'y a-t-il, Créüse ?

– Les Grecs sont partis, répliqua-t-elle amèrement, mais tu ne penses à rien d'autre qu'à la guerre.

Mon père s'empourpra.

– Ascagne n'est plus un nourrisson. Il est temps qu'il apprenne à se conduire en homme.

– Et puis je veux aussi aller en bateau dans cette île, interrompis-je. Je veux aller en bateau plus loin que l'horizon.

– Tu iras, tu iras, répondit joyeusement mon père. Tenedos n'est pas bien loin, comme tu peux voir, et une île conduit à une autre.

Il souriait à ma mère, mais elle ne paraissait pas l'écouter.

– Enée, suggéra-t-elle soudain, suppose que les Grecs soient seulement allés jusqu'à Tenedos, et qu'ils s'y cachent hors de notre vue ?

Mon père la dévisagea avec étonnement.

– Pourquoi feraient-ils une chose pareille? Nous nous en apercevrions rapidement. D'ailleurs, la majeure partie de Tenedos est hérissée de roches inhospitalières, ils ne pourraient y rester bien longtemps. Où ancreraient-ils leurs navires?

– Ils pourraient nourrir le projet de revenir nous attaquer par surprise.

Mon père secoua la tête.

– Ils ne pourront pas y parvenir. Souviens-toi que ces murs sont l'œuvre de Poséidon, le dieu de la mer : ils sont imprenables.

– Mais les dieux sont-ils de notre côté?

– Oui, répondit fermement mon père, et les Grecs ont fini par le comprendre. Ils ont échoué – échoué misérablement – et ils le savent. C'est pourquoi ils ont pris la mer en grand secret, pendant la nuit. Ils ne reviendront plus; ils sont partis pour toujours. Cela signifie la paix pour le reste de notre vie.

Il s'exprimait avec une calme autorité d'où émanait une totale conviction.

– Oh! s'exclama ma mère avec ferveur. Je suis heureuse, je suis enfin heureuse.

Elle passa les bras autour du cou de mon père et l'embrassa avec une sorte de tendresse maternelle.

– Allons dans notre chambre, chuchota-t-elle.

– Je devrais aller d'abord à la citadelle. Il y a beaucoup à faire.

– Pas maintenant, insista-t-elle doucement. Tu iras plus tard.

Il la contempla sans rien dire, et je compris qu'il était brusquement affamé de son corps.

– Oui, j'irai plus tard, décida-t-il. Viens, Ascagne, retourne jouer dans la cour.

Nous redescendîmes du toit, mon père ouvrant le chemin avec impatience. Il s'arrêta un instant devant la chambre où reposait mon grand-père.

– J'aurais dû lui dire tout de suite, fit-il d'une voix incertaine.

Ma mère lui prit la main et la pressa contre sa poitrine.

– Si tu l'éveilles maintenant, tu ne feras que lui embrouiller l'esprit, à ce pauvre vieillard, chuchota-t-elle. Tu sais bien qu'il dort toujours tard.

Ce fut l'après-midi de ce même jour que je vis l'immense cheval de bois que les Grecs avaient inexplicablement laissé derrière eux. Ma mère était allée avec Andromaque accomplir le Rite des Morts devant le monticule funéraire où était ensevelie la dépouille d'Hector – Hector le gardien de Troie, et qu'elles chérissaient davantage encore, maintenant que les autres l'avaient oublié dans la liesse générale. Toutes les servantes avaient quitté le palais pour se joindre aux réjouissances. Ma mère avait permis à Caieta de m'emmener avec elle; seul mon grand-père restait à la maison.

Je sautais d'un pied sur l'autre, dans mon excitation, à l'idée de sortir du palais.

– Voyons, Ascagne, tu vas te métamorphoser en cigogne, si tu continues ainsi, me disait Caieta en riant.

– Allons-y, allons-y, réclamais-je, impatienté par sa lenteur, et la tirant par le bras pour franchir plus vite le portail.

Une fois dans la rue, je m'aperçus que j'avais oublié quelque chose.

– Je devrais peut-être emmener mon cheval. Il va être tout seul.

– Je pense qu'il vaut mieux le laisser à la maison, répondit Caieta. Il pourrait avoir peur de la foule. Et d'ailleurs, nous allons voir un autre cheval – beaucoup plus grand – que les Grecs ont laissé.

– Tu veux dire un vrai, ou bien un jouet? demandai-je aussitôt.

– Eh bien, répondit Caieta, sans doute pourrait-on dire un jouet, mais il paraît qu'il est énorme – bien plus grand qu'un vrai cheval.

Je battis des mains avec enthousiasme.

– Mon père n'en a pas parlé. Je me demande pourquoi les Grecs ne l'ont pas emporté? Il était peut-être trop gros. Ou bien crois-tu plutôt qu'ils nous l'aient laissé en cadeau, ou même pour l'un des dieux?

– Peut-être l'ont-ils laissé pour Poséidon, dans l'espoir de retourner chez eux sans encombre, suggéra Caieta toute songeuse. Mais s'il s'agit d'un cadeau pour nous, j'espère que le roi Priam s'en défiera car ce ne peut être qu'un cadeau empoisonné. N'aie jamais aucune confiance en les Grecs, Ascagne. Ils sont cruels et fourbes.

– Je suis sûr que mon père saura quoi faire de ce cheval, affirmai-je en voyant qu'elle semblait se troubler, et cela ne peut assurément nous faire aucun mal de le regarder. Où se trouve-t-il à présent?

– Je crois que les soldats l'ont tiré jusqu'à la muraille, dit-elle. Nous le verrons bientôt. Que les dieux nous préservent! Mais qu'est-ce donc?

Un vacarme assourdissant emplit soudain l'air, le sol trembla sous nos pieds cependant qu'un nuage de poussière s'élevait dans le ciel, derrière les hautes constructions situées à notre gauche. Caieta me serra très fort la main et se mit à lancer des regards affolés en tous sens.

– Tiens-toi tranquille, Ascagne. Ce pourrait être un tremblement de terre.

De loin, nous entendîmes des acclamations.

– Je n'y comprends plus rien, marmonna Caieta en parcourant des yeux l'allée déserte. Nous ferions

27

peut-être mieux de rentrer chez nous, ajouta-t-elle, indécise.

– Non, non, m'écriai-je. Je veux voir le cheval. Regarde, voici un homme qui s'approche. Demande-lui ce qui se passe.

– Quel était ce bruit? Où sont les gens? s'enquit Caieta avec autorité.

Mais l'homme poursuivit son chemin en titubant et sans répondre, marmonnant pour lui-même des propos incohérents, le visage empourpré et les cheveux en bataille.

– Pourquoi ne répond-il pas? Est-il fou? demandai-je, car j'avais entendu dire que ma mère avait une sœur folle du nom de Cassandre, et dont les divagations délirantes ne retenaient plus l'attention de personne.

Caieta me serra la main plus fort.

– Non, il n'est pas fou, répondit-elle lentement. Il est ivre.

Elle semblait trouver rassurante son ivresse, et elle hâta le pas en direction du nuage de poussière. En approchant, nous distinguâmes des hurlements intermittents, suivis de rafales d'applaudissements et d'acclamations. Je me libérai de la main de Caieta et me mis à courir. Puis soudain, au détour d'une ruelle, je découvris Troie tout entière devant mes yeux.

La grande place était envahie par une multitude de gens qui chantaient, criaient, dansaient. Beaucoup portaient dans les cheveux des guirlandes de fleurs. Les femmes arboraient leurs plus belles robes et leurs plus riches bijoux. Quant aux hommes, presque tous étaient nu-tête et sans leurs armes. Les uns mangeaient, d'autres buvaient du vin à leurs outres en cuir. Ivres ou non, tous ressentaient la même excitation débridée. Hommes et femmes, jeunes et vieux, tous s'étreignaient joyeusement. Certains faisaient l'amour, roulant à terre dans un abandon passionné, les femmes déchiraient leurs robes et révélaient leurs seins nus. Des marches menant au temple d'Aphrodite, où s'était rassemblé un groupe de musiciens, provenaient le rythme obsédant des tambourins, la résonance fiévreuse des psaltérions, et le cri déchirant des flûtes. Les danseurs, au-dessous, entraient en transe; la sueur inondait leur visage, leurs yeux luisaient, et leurs lèvres écumaient tandis que leur corps oscillait au rythme entêtant de la musique. Et là, au milieu de la place, entouré d'une foule d'admirateurs mais les dominant tous, se dressait le monstrueux cheval de bois qu'avaient abandonné les Grecs, avec sa longue queue flottante, ses sabots d'airain, sa crinière d'or et de pourpre, et ses yeux fixes, rouges comme le sang.

Terrifié, je cherchai Caieta du regard. A mon vif soulagement, elle se tenait juste derrière moi, mais elle regardait dans une autre direction et semblait à peine remarquer ma présence.

– Dieux du Ciel, murmura-t-elle, haletante. Troie tout entière est donc devenue folle? Ils ont sorti la porte Scée de ses gonds et démoli le mur.

Elle tendit le doigt, et je remarquai pour la première fois un grand trou béant dans le mur, à l'extrémité de la place. Une grande porte, hérissée de clous et de pointes, gisait à terre comme un monstre blessé, au milieu de tas de gravats.

– Ils doivent être fous, répéta Caieta d'une voix plus forte.

– Non, pas du tout, répliqua d'une voix épaisse un soldat près de nous, c'est le roi en personne qui nous a ordonné d'amener le cheval dans la ville, même s'il fallait pour cela briser la porte et faire un trou dans les murs. C'est un cheval sacré, paraît-il – consacré à Poséidon qui a construit ces murs. En l'amenant jusque dans Troie, nous l'honorons, d'après le roi Priam, et en plus nous jouons un mauvais tour aux Grecs.

Il rit.

– Quant à la porte, elle sera remise en place au coucher du soleil – s'il en reste parmi nous qui ne soient pas ivres.

Il but une longue goulée de vin à l'outre qui pendait à sa ceinture.

– Que dit le prince Enée, au sujet du cheval? voulut savoir Caieta.

– Peu importe ce qu'en dit le prince Enée, répliqua brusquement le soldat. Maintenant que la guerre est finie, seul compte ce que dit le roi.

Il aperçut alors une jolie femme qui lui lançait des œillades et se fraya un chemin dans la foule à coups d'épaules puis disparut.

Caieta leva les yeux vers le grand cheval immobile qui se dressait au milieu de la foule grouillante, et frissonna.

– Le roi peut dire ce qu'il veut, ce cheval n'annonce rien de bon, marmonna-t-elle.

Elle jeta un dernier regard vers le mur endommagé et la porte démontée, hocha la tête, et me prit par le bras.

– Viens, Ascagne, ce n'est pas un endroit pour toi, déclara-t-elle fermement.

Je me sentais pris de nausée et de frayeur et me laissai entraîner sans protester.

En quittant la grande place et cette multitude délirante, il me sembla que le cheval me suivait de ses regards injectés de sang.

Dès notre retour à la maison, Caieta me décréta

30

fiévreux et me mit au lit. Dans ces cas-là, je dormais dans la chambre de mes parents, à la requête de ma mère. Bien qu'il fît encore jour, je m'endormis instantanément.

Une voix m'éveilla, qui semblait toute proche. On avait tiré un épais rideau devant la fenêtre, et la pièce baignait dans l'obscurité. Au bout d'un moment, je reconnus qu'il s'agissait de la voix de mon père, et qu'elle provenait du grand lit. Le souffle régulier de ma mère m'indiqua qu'elle dormait profondément. Je m'aperçus alors que mon père parlait à quelqu'un que je ne pouvais pas voir et que je ne connaissais pas. Le cœur battant, je me dressai dans l'obscurité.

– C'est enfin toi, dit mon père. Comme je suis heureux de te voir!

Il y eut un silence.

– Mais d'où viens-tu? ajouta-t-il avec une sorte de supplication anxieuse. Pourquoi ton corps est-il couvert de blessures, de sang et de poussière?

Il y eut un nouveau silence, puis mon père poussa un terrible gémissement.

– Non, non, c'est impossible!

Il se redressa d'un bond, sauta à bas du lit et alluma la lampe d'une main tremblante. Ma mère s'éveilla aussitôt.

– Qu'y a-t-il, mon amour? s'inquiéta-t-elle.

– C'était Hector! cria-t-il. J'ai vu son spectre. J'ai vu ses blessures. Il m'a dit... Oh, dieux! Ce n'est pas possible!

Il s'élança hors de la chambre et courut dans l'escalier pour atteindre le toit.

– Mère, je t'en prie, reste! m'écriai-je aussitôt.

Elle s'approcha sans parler de mon lit, s'assit auprès de moi et me serra dans ses bras. Soudain son corps se raidit. Nous entendîmes au loin éclater des cris sauvages, et pour la première fois je pris conscience d'un grondement régulier à l'arrière-plan. Je voulus demander à ma mère ce que c'était, mais elle m'interrompit.

– Habille-toi immédiatement, pendant que moi j'alerte la maisonnée, dit-elle. Quand tu seras prêt, descends dans la cour.

Avant que j'aie pu la questionner davantage, elle était sortie. J'entrepris aussitôt de me vêtir, tremblant d'appréhension.

Caieta se précipita dans la pièce avec mon manteau et quelques-uns de mes petits soldats à la main.

– Viens vite, Ascagne. Nous sommes en grand danger, dit-elle.

Elle commençait tout juste à me guider dans l'escalier quand mon père arriva, dévalant les marches tout en ceignant son épée. Ses yeux brillaient d'une fureur désespérée.

– Les Grecs sont dans la ville, gronda-t-il.

Et il disparut dans la nuit.

Lorsque nous arrivâmes dans la cour, la vérité ne pouvait plus être cachée, même à un enfant ignorant. A l'ouest, le ciel était embrasé. De la porte Scée nous parvenaient des cris, des hurlements, et le fracas des armes. Un petit groupe de servantes tapies dans l'ombre de la cour, là où la lune ne pouvait les atteindre, gémissaient. Caieta sanglotait auprès de moi comme si son cœur allait éclater. Je cherchai ma mère des yeux.

Et je la vis. Elle descendait lentement l'escalier, portant une lampe de sa main gauche; de l'autre, elle soutenait mon grand-père, qui descendait en boitillant.

Comme elle atteignait la dernière marche, on

frappa violemment à la porte d'entrée et une voix d'homme cria le nom de mon père.

— Qui est là? interrogea vivement ma mère.

— Panthos, prêtre d'Apollon, répondit la voix. Où est le prince Enée?

— Il est parti, répliqua ma mère. Que lui veux-tu?

Sa voix tremblait un peu. Il y eut un moment de silence, puis les coups redoublèrent.

— Il faut alors que je voie le roi Anchise, cria la voix. Faites-moi entrer. Vite, vite!

Ma mère hésitait, redoutant un piège, mais mon grand-père intervint.

— Enée n'est pas le seul homme de la maison, Créüse. Me voici, et voici Ascagne. Ouvre la porte, Ascagne.

Je m'aperçus que je serrais mes petits soldats dans mes mains. Je les avais chéris; à présent, ils ne signifiaient plus rien. Je les laissai tomber à terre et allai ouvrir le portail.

Je vis devant moi un vieillard barbu, la tête ceinte du bandeau des prêtres, et qui portait dans ses bras un objet hâtivement enveloppé.

Il passa devant moi sans un mot, s'approcha de mon grand-père debout dans la clarté lunaire, et se jeta à ses pieds.

— Mon Roi, dit-il en haletant, je viens avertir ton fils que Troie est perdue. Les Grecs sont dans la ville. Les dieux nous ont abandonnés.

— Pas si vite, pas si vite, s'écria mon grand-père. Comment les Grecs sont-ils entrés? N'y avait-il donc pas de sentinelles? Qui tient la citadelle?

Il fit signe à l'homme de se relever.

— La citadelle est cernée, mon Roi, répondit Panthos plus calmement. Moi seul ai pu m'échapper.

— T'échapper? répéta mon grand-père, furieux. Quel langage est-ce là? N'as-tu donc pas d'épée, tout prêtre que tu es? Est-ce ainsi que les Troyens défendent leur ville?

Le prêtre fit un geste de désespoir.

– Tu ne comprends pas! cria-t-il. C'était le cheval. Le cheval de bois!

Après un silence incrédule, il poursuivit :

– Les dieux nous ont aveuglés, à l'exception d'un petit nombre dont les avertissements ne furent pas écoutés. Nous croyions le cheval consacré à Poséidon. Il ne l'était pas : il s'agissait d'une machine de guerre conçue pour la destruction de Troie. Les Grecs se sont embarqués pour nous faire croire qu'ils avaient perdu tout espoir et s'en allaient à jamais, mais ils n'ont pas dépassé l'île de Tenedos. Là, ils attendirent cachés, pour savoir ce que nous ferions du cheval qu'ils avaient laissé sur la rive. Nous avons cru qu'ils l'abandonnaient à regret parce qu'il était trop grand pour leurs navires. Nous avons cru qu'ils avaient vraiment voulu nous le cacher. Nous avons cru leur porter malheur en emportant dans Troie leur offrande à Poséidon. Sots que nous étions, nous sommes tombés dans le piège que les Grecs nous avaient tendu. Ils avaient prévu que nous le transporterions dans Troie, et l'avaient construit si grand que nous ne pouvions le faire passer par aucune porte sans démolir une partie du mur. Cachés dans le ventre creux du cheval, hors de vue et d'atteinte, se tenaient neuf hommes armés, attendant sans bruit que la nuit fût tombée et la ville endormie. Oui, même les sentinelles à leur poste étaient hébétées d'ivresse, alors que le mur n'était qu'à moitié réparé. Moi seul demeurais éveillé, après un rêve de mauvais augure. Soudain, comme je quittais des yeux le sanctuaire d'Apollon dans la citadelle, je vis avec stupéfaction des centaines de Grecs débarquer sans bruit sur le

rivage. Plein d'appréhension, je tournai instinctivement mes yeux vers le cheval de bois dressé au
milieu de la place déserte, et, tandis que je le
regardais, son ventre monstrueux parut s'ouvrir,
une corde en sortit, et l'un après l'autre les Grecs se
laissèrent glisser à terre... Neuf hommes, pas davantage (il émit un sanglot) mais c'était assez pour
massacrer les sentinelles postées sur les remparts
et ouvrir la porte Scée. Je donnai aussitôt l'alarme,
mais il était trop tard. Les Grecs s'engouffrèrent par
la porte avant que j'aie pu réveiller un seul homme.
Des fainéants saouls – voilà ce que sont les gardiens
de Troie, mon Roi. Troie est perdue, je te le dis;
Troie est perdue comme le prédisait Cassandre.
Hélas, pauvre Cassandre, réduite par Apollon à
prophétiser en vain!

Il se tut. Derrière moi, les servantes éclatèrent en
gémissements et en lamentations. Ma mère se tenait
immobile, se tordant les mains. Mon grand-père
leva les bras pour demander le silence, puis se
tourna vers Panthos.

– Je te crois, dit-il simplement. Mais si Troie est
perdue, pourquoi réclames-tu mon fils?

Panthos se pencha pour ramasser le paquet qu'il
avait déposé :

– Je lui ai apporté les dieux de la cité, les dieux
tutélaires de Troie. La Troie que nous connaissons
périt, sous nos yeux mêmes; mais une autre Troie
plus puissante s'élèvera vers l'occident, au delà des
mers. Et c'est ton propre fils qui en sera le fondateur. Je ne sais pas où, ni quand. Je sais seulement
que cela s'accomplira.

Il déballa sa précieuse charge et la tendit à mon
grand-père.

– Tu en assureras la garde, mon Roi, jusqu'au retour de ton fils. Il les emportera vers la nouvelle Troie.

– Jusqu'au retour d'Enée? répéta mon grand-père en écho. Et qui t'a dit qu'il reviendrait jamais? Il est parti mourir au combat, l'épée à la main, comme il convient à un héros.

– C'est Hector qui me l'a annoncé, répondit Panthos. Son spectre m'est apparu en songe.

Son désespoir s'était évanoui, il parlait à présent d'une voix calme et solennelle. Il s'inclina devant ma mère et mon grand-père, éleva la main pour nous bénir tous. Puis il fit demi-tour et disparut.

J'avais écouté Panthos avec tant d'ardeur que j'avais oublié les cris et les hurlements au loin, ainsi que le grondement du feu qui approchait. Un fracas de tonnerre retentit tout près et me ramena brutalement sur terre. Je me mis à pleurer. Ma mère me secoua par le bras.

– Cesse, Ascagne. Souviens-toi de ton père.

– Quand reviendra-t-il? sanglotai-je.

– Bientôt, bientôt, répondit-elle machinalement en me caressant les cheveux. Oh, dieux! qu'est-ce encore?

Une terrible clameur avait éclaté au sud, près du mur de la ville. On entendit un farouche craquement de bois, puis soudain une immense langue de feu jaillit dans le ciel.

– Le palais du roi brûle! hurla l'une des femmes.

Ma mère enfouit son visage dans ses mains.

– Ne pleure pas, ma chère Créüse, dit mon grand-père, ton père, lui, n'est pas un infirme. Malgré son grand âge, il sera mort en héros.

Il y eut un moment de silence, et il reprit d'une voix triste et grave :

– Voici la fin de Troie.

Ma mère releva la tête.

– Oui, c'est la fin, je le sais; il faut que les

servantes s'en aillent pendant qu'il en est encore temps. Rassemble-les, Caieta.

Elle parlait de nouveau calmement, et je la vois encore s'adressant au groupe de femmes – petite silhouette très droite dans la clarté lunaire.

– Quittez Troie avant qu'il ne soit trop tard. Prenez toute la nourriture que vous pourrez transporter, et dirigez-vous vers la porte dérobée qui s'ouvre au nord – les Grecs n'ont pas encore dû y parvenir. Suivez ensuite le sentier qui mène au bosquet où se trouve l'ancien temple de Déméter. Caieta le connaît. C'est là que nous nous retrouverons, si les dieux le permettent. Partez maintenant sans adieux ni sanglots, et que les dieux vous protègent toutes.

Caieta me serra dans ses bras sans rien dire. Puis elle ramassa son dérisoire petit baluchon et fit signe aux autres femmes de la suivre. Et l'une après l'autre, tête baissée et pleurant en silence, elles passèrent devant nous puis franchirent le portail.

Ma mère, mon grand-père infirme et moi-même nous retrouvâmes seuls. Soudain j'eus peur.

– Quand père reviendra-t-il? demandai-je plaintivement.

– Bientôt, bientôt, répondit ma mère en me prenant la main.

– Il faut maintenant dire la vérité à cet enfant, Créüse, intervint mon grand-père. Tout au fond de ton âme, tu sais qu'Enée combat au cœur de la bataille, et qu'il ne reviendra jamais. Même s'il vit encore, comment pourrait-il sortir de cet enfer?

Il fit un geste de son bâton. Tout l'ouest et le sud de la ville étaient embrasés. Nous entendions encore de temps à autre le fracas des armes, les cris triomphants des Grecs, les hurlements de leurs victimes, mais le grondement sinistre du feu approchait, étouffant peu à peu les bruits de la bataille. Tandis que mon grand-père parlait, une série de secousses énormes ébranla le sol et les dalles de la cour commencèrent à se fissurer, tandis que des pans de murs s'effondraient. Ma mère se hâta de nous entraîner sous l'abri du porche. Mon grand-père reprit avec un sourire forcé :

– Les murs mêmes de Troie s'effondrent, comme tu peux l'entendre. Poséidon les abat sans doute de ses propres mains. Qu'a fait Aphrodite pour nous aider, ou aucun autre dieu? Enée est sans doute mort, ou bien cerné par le feu. Comment pourrions-nous croire Panthos quand il prétend qu'une nouvelle Troie sera construite au delà des mers?

– Voilà pourtant Enée, s'écria ma mère, comme l'a prédit Panthos!

Et l'instant d'après mon père fit irruption, sans son casque, le visage et les bras éclaboussés de sang. Il s'affala contre le mur pour reprendre son souffle. Ma mère s'élança pour chercher du vin et il le but d'un trait, les yeux fixés droit devant lui.

– Es-tu blessé? murmura-t-elle.

Il secoua la tête.

– C'est du sang grec, répondit-il. Quelle horreur!... J'ai vu de telles atrocités, poursuivit-il en s'essuyant le visage d'un revers de main. J'ai vu les Grecs massacrer et violer dans les rues. Je les ai vus traîner Cassandre par les cheveux. J'ai vu Priam... Oh, dieux! Pardonne-moi, Créüse.

Il enfouit son visage dans ses mains.

– Dis-moi tout, exigea aussitôt ma mère.

– J'ai vu égorger ton père devant l'autel du palais, cria mon père. Et je ne pouvais rien pour lui, rien, comprends-tu?

Il se redressa péniblement.

– Il faut que je retourne là-bas, reprit-il. Il aurait

mieux valu que je meure plutôt que de voir ces choses et vivre encore.

Il entreprit de nouer son bouclier à son bras gauche.

– Nous t'accompagnerons, annonça ma mère.

Mon père la dévisagea.

– C'est impossible. Ils vous tueraient. Je suis venu vous dire de fuir pendant qu'il en est encore temps – avec les servantes. Comment pourrais-je quitter Troie quand je suis encore en état de me battre?

– Nous préférons mourir avec toi plutôt que vivre sans toi, décréta ma mère. As-tu songé à ce que nous feront les Grecs, s'ils nous prennent?

Mon père gémit et se cacha le visage dans les mains. J'entendis alors la voix de mon grand-père :

– Tu ne sais pas quoi faire, mon fils. Je vais te le dire. Panthos est venu, il t'a apporté les effigies des dieux de la cité. Il nous a dit qu'Hector le lui avait ordonné, afin que tu ailles fonder une nouvelle Troie au delà des mers.

– Il m'a apporté les dieux de la cité, répéta mon père. Montre-les-moi.

Il prit des mains de mon grand-père le paquet et le défit avec soin.

– C'est donc bien vrai, prononça-t-il enfin d'une voix tremblante, ce sont les dieux qu'Hector prenait dans le sanctuaire et me tendait quand je me suis éveillé de mon rêve.

Il se tut un instant.

– Il m'enjoignait de quitter Troie et de les emporter. Maintenant je comprends.

Il se tourna vers nous d'un air d'autorité.

– Où sont les servantes, Créüse?

– Elles sont parties. Je les ai envoyées au temple de Déméter.

– Eh bien, rejoignons-les là-bas. Le nord de la

ville devrait être encore dégagé. Je te prendrai sur les épaules, père. Tu porteras les dieux et leurs urnes sacrées. Ascagne me tiendra la main gauche, afin de laisser libres mon bras droit et mon épée. Créüse marchera derrière nous. S'il nous arrivait d'être séparés, retrouvons-nous sous le cyprès solitaire, près des murs du temple. En route, maintenant.

Mon grand-père secoua la tête.

– Pas moi, déclara-t-il.

– Penses-tu que je partirais sans toi? s'écria mon père. Je désobéirais à Hector plutôt que de t'abandonner.

– Je suis trop vieux pour quitter Troie, expliqua mon grand-père d'une voix lente. Pars, Enée, avec ton fils et ton épouse, et sois sûr que ma bénédiction t'accompagne. Tu es jeune et fort, mais je n'ai plus ni force ni foi pour affronter les incertitudes de l'avenir. Mon univers est en ruine et je n'ai plus rien à espérer. Pourquoi les dieux, ou même toi, devraient-ils se soucier d'un vieillard infirme et inutile dont la vie est presque finie? C'est ici ma maison; j'y resterai; et j'y mourrai.

Mon père tendit des mains implorantes vers le ciel.

– O dieu tout-puissant, pria-t-il, si tu as le désir que ton serviteur Anchise quitte cette cité, envoie-nous un signe.

Haletants, nous attendîmes. Soudain ma mère poussa un cri.

– Regardez! Une étoile filante.

Au-dessus de la ville, nous vîmes une étoile traverser le ciel très haut en direction du mont Ida. Puis elle s'évanouit.

Je regardai mon grand-père, appuyé sur son bâton; son visage resplendissait d'une sereine espérance.

– Donne-moi les dieux, Enée, dit-il d'une voix calme.

Mon père les lui tendit sans mot dire. Je voyais qu'il ressentait une profonde émotion.

– Et maintenant, mon fils, déclara mon grand-père d'une voix assurée, je suis prêt.

Mon père se courba, le souleva sur ses fortes épaules et me prit par la main. Il lança un regard à ma mère.

– Quel est ce gros paquet que tu portes, ma chérie?

– De la nourriture, répondit-elle doucement. Vous aurez faim, Ascagne et toi.

– N'est-ce pas trop lourd pour toi?

Ma mère secoua la tête. Il lui offrit un sourire d'amour et de gratitude.

– Comment pourrais-je vivre sans toi? murmura-t-il.

Nous descendîmes les marches qui menaient au portail et sortîmes dans la rue sans jeter le moindre regard en arrière. Un instant plus tard le palais était hors de vue et nous nous faufilions rapidement dans d'étroites ruelles où se pressaient nos ombres. Il me fallait courir pour ne pas me laisser distancer par les longues enjambées de mon père. Je le sentais sur le qui-vive et tendu d'anxiété. Nous changions de direction à une vitesse inimaginable; à chaque instant nous nous arrêtions pour écouter.

– Ta mère nous suit-elle bien? me chuchotait-il.

Une fois nous dûmes attendre plusieurs minutes avant qu'elle réapparût derrière nous, au coin d'une rue éclairée par la lune. Je sentais mon père devenir à chaque instant plus inquiet et me rendais compte que, malgré toute son angoisse pour ma mère, il craignait essentiellement pour mon grand-père et moi-même.

Je remarquais que nous nous éloignions de l'incendie et que jusqu'à présent nous n'avions perçu aucune présence grecque. En évitant les artères principales, nous évitions aussi le flot des Troyens épouvantés qui cherchaient à fuir la ville. Mais à mesure que nous approchions de la poterne, il nous devenait impossible d'y échapper plus longtemps. Nous nous trouvâmes pris dans une foule dense qui cherchait à franchir l'étroite porte à tout prix. Mon père me protégeait de son bras gauche du mieux qu'il pouvait.

Soudain s'éleva un terrible cri sur notre gauche : « Les Grecs arrivent! », et en un instant ce fut une panique indescriptible.

Mon père se mit à courir, me traînant à ses côtés, se forçant un chemin parmi des groupes saisis d'hystérie, jusqu'au moment où nous atteignîmes un passage en retrait, loin de la poterne. Je l'entendis haleter avant de reprendre son souffle, cependant que nous guettions le moindre bruit dans l'obscurité.

– C'était une fausse alerte, père, déclara-t-il finalement en essuyant la sueur de son visage, et je me suis perdu. Mais Créüse ne s'affole jamais comme je le fais. Elle a dû atteindre déjà le temple, à présent. Allons-y.

Il me reprit la main et nous repartîmes en titubant d'épuisement. Après ce qui nous parut un temps interminable, nous nous retrouvâmes devant la poterne. La foule avait disparu et la lune s'était levée. Il semblait que nous fussions seuls.

Nous parvînmes enfin au bosquet où se dressait le temple en ruine. Des centaines de gens gisaient là sur l'herbe, disséminés, les uns pleurant ou gémissant, les autres inertes ou endormis, à bout de forces. Ici et là vacillait la flamme d'une torche dans la nuit. Mon père en prit une et se fraya un chemin parmi les corps allongés, jusqu'au pied du cyprès isolé. Il n'y trouva personne.

– Créüse! appela-t-il en scrutant l'obscurité.

Nul ne lui répondit.

– Créüse! cria-t-il très fort, et il écouta intensément.

De tout près lui parvint un bruit de sanglots.

– Ce ne peut pas être Créüse, se murmura-t-il à lui-même. (Il hésita, puis déposa mon grand-père à terre et me lâcha la main.) Reste ici tandis que je cherche ta mère, m'ordonna-t-il.

Il disparut dans le bosquet en direction du temple, sans cesser de crier son nom.

Derrière moi craquèrent des brindilles. Je me retournai et vis approcher une silhouette de femme. Je m'élançai vers elle.

– Mère, est-ce toi? Oh, que je suis heureux de te retrouver!

– Non, Ascagne, je ne suis pas ta mère. Je suis Caieta. J'ai entendu ton père appeler.

– L'as-tu vue? me hâtai-je d'interroger, m'efforçant de dissimuler ma déception.

– Non, je ne l'ai pas vue, mais il ne manque personne d'autre. Ton père ne tardera pas à la retrouver. Etends-toi et essaie de dormir, ajouta-t-elle d'une voix apaisante. Tu es en sécurité, à présent.

Elle ôta son manteau et m'enveloppa dedans. Je dus m'endormir presque aussitôt car, quand je m'éveillai, le jour s'était levé et les oiseaux chantaient dans le bouquet d'arbres tout proche.

Je me redressai et regardai autour de moi. Caieta et mon grand-père dormaient profondément. Mon père avait disparu. Puis je l'aperçus qui s'approchait lentement sur le sentier, tête courbée, et je m'élançai à sa rencontre.

– Où est maman? criai-je.

Il me regarda sans parler, puis me prit dans ses bras.

– Elle ne viendra pas avec nous, Ascagne, dit-il doucement. Nous l'avons perdue pour toujours. Elle est... elle est morte.

Soudain il s'effondra. Avec un rugissement de souffrance, il se jeta à terre et commença de pleurer à grands sanglots qui secouaient tout son corps, cependant que je demeurais épouvanté par cette terrible peine que j'étais impuissant à soulager.

3

Nous ne découvrîmes jamais comment ma mère avait péri – si elle avait été piétinée par la foule, ou bien si elle s'était effondrée sous le poids de la lourde charge qu'elle transportait. Pendant longtemps mon père ne put se résoudre à parler d'elle sans s'accabler de reproches. C'est seulement bien plus tard qu'il m'expliqua comment, après nous avoir laissés près des ruines, il était retourné la chercher jusque dans Troie. En proie à une terreur indicible, il avait rebroussé chemin en criant son nom. Insouciant du danger, il était même retourné au palais, dévoré par les flammes et que les Grecs pillaient. Plus d'une fois il se trouva cerné par les Grecs, mais à chaque fois il parvint à décimer ses adversaires ou à leur échapper, car les dieux ne voulaient pas qu'il meure. Finalement, épuisé de chagrin et de fatigue, il était revenu à la poterne par laquelle nous étions partis.

Elle était toujours ouverte et sans surveillance mais, à l'extrémité de la place, il aperçut un groupe de femmes et d'enfants que les Grecs avaient rassemblés comme du bétail et qu'ils tenaient sous leurs armes. L'aube pointait; sachant pourtant qu'il risquait la mort, mon père entreprit de s'approcher lentement des captifs. Si seulement il pouvait apercevoir ma mère parmi eux, sa folle entreprise n'aurait pas été vaine et il mourrait heureux.

Soudain il reconnut sa silhouette, haute et étrangement lumineuse, venant au-devant de lui. Il tendit les bras vers elle avec un cri de joie, mais elle échappa à son étreinte et il comprit que ce n'était pas là son épouse, mais son ombre adorée.

– Parle-moi, tendre amour, implora-t-il.

L'ombre désigna la poterne, et mon père crut discerner un soupir faible comme la mort : « Adieu, Enée! » Puis l'ombre s'évanouit. Son dernier geste avait été pour sauver la vie de son époux; comme si elle avait su qu'elle appartenait uniquement à son passé et ne devait jamais plus le voir.

Abandonné à lui-même, mon père aurait peut-être succombé au terrible désespoir qui l'étreignit pendant les premiers jours suivant la mort de ma mère. Il invectivait les dieux, leur reprochant la perfidie et l'injustice qui avaient livré l'innocente Troie aux mains tachées de sang des Grecs. Il maudissait la cruauté dont ils avaient fait preuve en lui arrachant son épouse bien-aimée. Il les défiait de faire pire encore en lançant sur nous les Grecs pour nous massacrer tous. Il exprimait un souverain mépris pour les prophéties de Panthos qui osait affirmer qu'une nouvelle Troie remplacerait les ruines fumantes que nous avions quittées. Et pourtant je me rends compte à présent que sa foi dans les dieux ne l'abandonna jamais totalement. Quel que fût son désir de mourir, il ne cherchait plus la mort. Ses paroles étaient sacrilèges, mais pas ses actes. Il injuriait sa divine mère mais continuait à la prier. Il parlait avec mépris des dieux tutélaires de Troie – les dieux vaincus qui n'avaient pas su protéger la cité – mais il les chérissait néanmoins. A la vérité, ce n'était point tant sa foi dans les dieux qui était ébranlée que sa foi en lui-même. Sans relâche il se maudissait d'avoir eu la faiblesse d'accepter qu'on tirât le cheval de bois jusque dans les murs, d'avoir dormi cependant que les Grecs se répandaient dans la ville, de n'avoir pu sauver Priam et, ultime disgrâce, d'avoir abandonné son épouse dans un moment d'aveugle panique.

– Je ne mérite pas de vivre, gémissait-il.

Puis ses yeux se posaient sur son père infirme et sur moi, il soupirait profondément et retombait dans le silence.

Cependant, ce fut surtout la contrainte des circonstances ou, si l'on veut, la main du destin qui le força à l'action. Une foule de réfugiés, hommes, femmes et enfants, s'était rassemblée au temple car la nouvelle de sa présence s'était répandue comme un feu de broussailles. Tous le considéraient comme leur chef. Ils le suivraient, disaient-ils, jusqu'au bout du monde. Mon père ne pouvait esquiver la responsabilité que tous lui confiaient : il ne restait personne d'autre pour servir de berger à tous ces moutons affamés et épouvantés. Mais il était devenu si peu sûr de lui-même qu'il ne pouvait plus rien entreprendre sans consulter mon grand-père dont la paisible confiance dans les dieux demeurait inébranlée.

Il était hors de question de rester bien longtemps aussi près de Troie. La résistance des Troyens s'était complètement effondrée. Les Grecs sacrilèges pouvaient attaquer le temple à tout moment, et nous manquions désespérément de vivres. Vers la fin de l'après-midi suivant, après un maigre repas, nous prîmes la direction des montagnes où nous serions hors d'atteinte de nos ennemis et où nous rencontrerions des pâtres amis. Mon père ouvrait la route, silhouette hirsute et boiteuse, portant les dieux de Troie; et derrière lui s'étirait une horde épuisée de réfugiés qui transportaient leurs maigres trésors. Etant un roi, mon grand-père voyageait dans l'unique chariot, en compagnie des femmes enceintes et des plus jeunes enfants. Un officier troyen du nom d'Ilionée fermait la marche, portant dans ses bras sa vieille mère. Le lendemain matin, alors que nous approchions de notre destination, il s'aperçut qu'elle était morte. Nous l'enterrâmes au bord du chemin pierreux, avec force pleurs et lamentations.

— Sommes-nous nés pour cela? demanda amèrement Ilionée à mon père en désignant le corps recroquevillé.

Mon père fit un geste de désespoir, et ce fut mon grand-père qui répondit :

— Elle a accompli tout ce que les dieux souhaitaient lui voir accomplir en ce monde, déclara-t-il d'une voix douce. Ta destinée n'est pas la sienne, voilà tout.

Il regardait mon père tout en parlant, et il ajouta lentement :

— La seule chose qui compte, c'est que nous nous efforcions d'obéir à la volonté des dieux. Quiconque le fait pourra mourir heureux.

— Mais comment pouvons-nous le faire? s'écria mon père. Où est-elle, cette terre située vers l'ouest au delà des mers, dont Panthos t'a parlé? Vers où faut-il naviguer? Où sont les navires qui transporteront une telle masse de gens? Où sont nos marins, notre or, nos vivres?

– Nous demanderons à Apollon de nous guider, puisque c'est lui qui révèle l'avenir aux mortels et que Panthos était son prêtre, répondit mon grand-père. Tu es plongé dans les tourments et l'anxiété, mon fils, mais notre situation n'est pas aussi désespérée qu'il semble. La patience dans l'adversité vient plus aisément aux vieux qu'aux jeunes, c'est pourtant ce que les dieux exigeront de toi, dans les années à venir, plutôt que l'héroïsme dans la bataille.

Mon père le regarda puis courba la tête en silence.

Nous passâmes tout le reste du printemps sur les bas versants du mont Ida, près d'Antandros où les simples paysans nous accueillirent avec bienveillance et nous abritèrent des vents et des pluies. Mon père mit les hommes de notre compagnie au travail afin de construire les navires qui nous emporteraient; mais pour sa part, et sur le conseil de mon grand-père, il partit avec un compagnon pour consulter l'oracle d'Apollon à Patara, loin vers le sud, en Lycie. Là, il apprendrait quelle était notre ultime destination – tout au moins le croyait-il.

Il resta parti si longtemps que nombreux furent ceux qui le crurent mort et nous abandonnèrent. D'autres perdirent espoir et refusèrent de poursuivre le travail, jugeant absurde de construire des navires qui ne seraient jamais mis à la mer. Ilionée lui-même commença de faiblir, et seul mon grand-père restait serein tandis que l'été glissait vers l'automne et que mon père ne revenait toujours pas.

Enfin, par une matinée de pluie cinglante, il reparut à cheval dans notre camp forestier, avec son compagnon Achate. Il mit pied à terre sans un mot et pénétra dans la hutte de mon grand-père.

Une foule impatiente se rassembla autour d'Achate, le pressant et l'assaillant de questions. Mon père reparut enfin à la porte de la hutte.

– Mes amis, je ne perdrai pas de temps à vous saluer, commença-t-il solennellement. Vous avez suffisamment attendu et espéré la déclaration de l'oracle.

» – Vers où faudra-t-il naviguer ? Quelle est notre destination ? Telles étaient mes questions. Et voici la réponse que m'adressa le dieu, après de nombreux mois d'attente :

» – Vous vous dirigerez vers le soleil couchant jusqu'à un rivage où vous mangerez vos propres écuelles.

Des exclamations effarées et déconcertées fusèrent. Mon père éleva la main pour obtenir le silence.

– Que signifie cette réponse ? vous demandez-vous. Cela signifie-t-il que nous devions naviguer jusqu'à l'extrême limite de la terre ? Je ne saurais le dire. Cela signifie-t-il que nous devions subir de dures épreuves ? Sans nul doute. Cela signifie-t-il que nous devions mourir de faim dans un lointain désert ? Je ne puis le croire. Si tel devait être notre destin, comment pourrions-nous fonder la nouvelle Troie dont parlait Panthos ? Il est dangereux de faire confiance aux dieux, comme nous l'avons appris à nos dépens. Leur manière d'agir n'est pas la nôtre. Ils répondent par des énigmes et leur sagesse est insondable. Ils semblent parfois nous jouer des tours cruels, punissant les justes et épargnant les coupables. Cependant, n'est-il pas plus dangereux encore d'ignorer leurs conseils et de désobéir aux intentions divines ? Je ne puis interpréter l'oracle, mais je m'efforcerai de lui obéir, sachant que le temps me révélera sa signification cachée. Je ne vous demande pas d'unir votre sort au mien; le choix vous appartient. Maintenant que l'hiver approche, il est trop tard pour quitter ces rives; mais dès que pointera l'été, mon père, mon fils et moi entreprendrons notre voyage pour obéir aux ordres d'Apollon.

Pour la première fois, mon père s'était exprimé avec l'autorité d'un chef et je le révérai. Il ne possédait pas encore la foi confiante de mon grand-père – cela ne devait lui venir que bien plus tard. Cette pieuse soumission aux dieux représentait dans son cas un acte de rare courage, et tous ceux qui le suivaient le comprirent. Dès lors, leur admiration à son égard ne connut plus de bornes. « Le pieux Enée », « père Enée », ainsi exprimaient-ils leur amour pour lui, cependant que mon grand-père devenait « père Anchise ».

Au début de l'été suivant, nous partîmes au jour dit, après avoir offert des sacrifices aux dieux. Suivant un présage, nos vingt navires longèrent la côte en direction du nord-est, passant devant les ruines noircies de Troie, nues et déchiquetées au sommet de la colline; nous pleurâmes tous à l'idée que nous l'abandonnions à sa désolation. Là aussi s'étendait la plaine que nous connaissions si bien, où le Scamandre et la Simoïs se jetaient dans la mer, avec ses bosquets de tamaris, ses ormes et ses saules. Paisible et resplendissante, elle s'étalait au soleil du soir; il me paraissait incroyable que cette campagne déserte et pastorale eût connu des scènes de carnage et des actes d'héroïsme tels que jamais le monde n'en avait vus.

Peut-être mon père eut-il conscience des pensées qui m'agitaient, car il m'appela auprès de lui.

– Regarde, Ascagne, me dit-il en tendant le bras, voici le lieu où Hector lança l'attaque contre les navires grecs; et là, près des joncs qui bordent le rivage, je me battis avec Achille et survécus pour pouvoir en faire le récit. J'ai vu ce fleuve rougi du sang de tous les Troyens qu'il avait tués.

Sa voix trembla et il se tut, les yeux fixés droit devant lui.

— Pourquoi les dieux nous ont-ils abandonnés, murmura-t-il pour lui-même, et pourquoi m'ont-ils épargné? Hector et Deiphobos étaient de meilleurs hommes que moi.

Il me contempla et son visage s'adoucit.

— Peut-être était-ce à cause de toi, Ascagne, reprit-il. Peut-être es-tu destiné à de plus grandes choses que nous tous. Peut-être ma divine mère s'occupera-t-elle mieux de toi qu'elle ne s'est souciée de moi.

— Ne se soucie-t-elle pas de toi? demandai-je.

Mon père hésita.

— Je ne sais pas. Elle ne m'a plus parlé depuis la nuit où Troie est tombée. Elle m'avait ordonné de penser à ma famille, et non à Troie; et pourtant elle m'a laissé perdre mon épouse.

— Il y a de cela longtemps, hasardai-je, dans l'espoir de le consoler.

Mon père sourit tristement.

— Cela doit te paraître bien loin, mon fils, et tu as raison de le dire. Ce n'est pas le moment, pour nous autres fugitifs sans patrie, de rêver au passé. Tu en guériras plus vite que moi, avec tous mes souvenirs. Mais un jour, quand nous aurons atteint notre but et que je pourrai y penser sans souffrance, je te raconterai l'histoire de Troie et de Priam, et de tous ceux qui moururent en vain pour elle.

Il étendit les bras vers le rivage en un geste d'adieu. Le soleil sombra derrière Tenedos et une brise se leva. Très loin, l'étoile du soir brillait faiblement dans le ciel qui s'assombrissait.

Chaque soir, deux heures avant le coucher du soleil, nous abordions à quelque plage sablonneuse bien abritée des vents marins et où nous pouvions trouver de l'eau fraîche. Parfois des groupes partaient vers les bois, armés de lances et d'arcs, en quête de gibier; d'autres fois nous mangions le poisson que nous avions pêché dans la journée. Par mauvais temps, nous dormions à bord – chaque rameur au pied de son banc et mon père sur un lit placé au pied du mât, au-dessus de la cale où était enfermé notre trésor. Avant notre départ d'Antandros, de braves gens de la côte nous avaient offert de riches cadeaux et nous ne manquions plus d'or ni de vivres. Cependant, mon père ne voulait rien laisser au hasard. La nourriture et le vin dont nous disposions étaient rigoureusement rationnés, et jamais nous ne laissions baisser les réserves; quant au troc, lui seul pouvait l'autoriser, de même que lui seul décidait où nous jetions l'ancre. Quand s'élevaient des querelles au sujet des femmes, personne d'autre que lui ne pouvait y mettre fin. Bientôt, tous les hommes sans épouse eurent pris des concubines; même une femme vieillissante et dénuée de beauté valait mieux qu'aucune, car bien souvent elle aspirait d'autant plus à l'amour et se révélait davantage portée à raccommoder les vêtements de son compagnon ou à le soigner s'il tombait malade. De toutes les femmes de notre bateau, seule Caieta refusait tout commerce avec les hommes; c'était en partie dû à la dévotion qu'elle réservait à mon père et à moi-même, mais peut-être plus encore à son sens de la dignité et de la fierté.

Elle conservait jalousement sa position, se retournant sauvagement contre quiconque tentait de l'usurper. C'était elle qui préparait les repas de mon grand-père et de nous-mêmes, lavait et réparait nos vêtements, aidait mon grand-père à s'habiller, dressait le lit simple sur lequel il dormait, gardait un œil vigilant sur tout ce que je faisais et me soignait si j'étais malade. Elle tenait à moi comme à la prunelle de ses yeux. Son agréable visage campagnard, ses manières directes, sa possessivité un peu bourrue, tout cela me fut infiniment rassurant, jusqu'au moment où, grandissant, je commençai à ruer dans les brancards. Ce fut Andromaque qui secoua le joug de Caieta à mon égard, et Didon qui le rompit. Mais tout cela appartient au futur; j'allais longtemps demeurer l'enfant docile que Caieta voulait me voir être – même si j'appris rapidement à ramer, nager, pêcher, tenir la barre ou tendre une voile. Atys était le seul garçon de mon âge à bord de notre embarcation, mais notre amitié fut longue à mûrir. La jalousie de Caieta était telle qu'elle décourageait activement tout rapport entre nous; elle n'autorisait pas non plus Epytides à se charger de mon éducation, alors même que mon père lui en avait confié la responsabilité. Je ne devais dépendre que d'elle.

Ce furent le vent et les courants, et non pas la volonté de mon père, qui nous entraînèrent au nord, vers la Thrace. Pourtant, et malgré les avertissements de mon grand-père d'avoir à suivre l'oracle et naviguer vers l'ouest, il ne tenta nullement de changer notre course, car il répugnait à penser, puisque le vent et le courant nous y menaient, que la Thrace ne fût point notre destination. Le roi de Thrace avait été l'allié de Priam. Il s'agissait d'une terre hospitalière dont les dieux ressemblaient aux nôtres; mieux encore, la terre en était riche et point trop éloignée de Troie.

Notre périple fut calme, dépourvu de présages

néfastes, et comme nous approchions du rivage, de légers nuages cotonneux s'étirèrent dans le ciel au-dessus de nous comme un épi de blé qui s'ouvre. Nous décidâmes que c'était un heureux augure. Nous nous trompions.

Le roi Lycurgue nous reçut avec bienveillance et donna à mon père un territoire sur la côte pour y fonder une ville. Nous croyions nos malheurs terminés; seul mon grand-père restait insatisfait. Aucun signe des dieux ne manifestait la moindre contrariété de leur part, mais il ne pouvait pas croire que nous fussions destinés à nous établir là et n'accordait aucune confiance à l'amitié prodiguée par le roi. Priam avait envoyé en Thrace beaucoup d'or dès le début du siège de Troie, afin qu'il ne tombât pas aux mains des Grecs si Troie devait succomber; où étaient donc cet or, à présent, et le messager qui l'avait apporté? Priam avait par la suite récupéré son trésor, lui fut-il répondu : Polydoros, fils de Priam, était venu le chercher et l'avait remporté à Troie. La réponse, enjolivée de détails, semblait assez plausible. Cependant, la méfiance de mon grand-père persistait, en dépit de ces explications courtoises.

Enfin vint le jour où deux bœufs blancs furent attelés à la charrue sacrée pour tracer les contours des murs de notre cité. Mon père pria les dieux à voix haute, leur demandant de bénir notre projet, et devant nous tous il sacrifia à Zeus le Tout-Puissant, à sa mère et à Apollon. Puis il prit le soc dans ses mains, ordonna à l'attelage d'avancer et commença à tracer son sillon. Mon grand-père, qui suivait le développement de la cérémonie du haut d'un monticule tout proche, poussa soudain un cri.

– Arrête, Enée! Arrête avant qu'il ne soit trop tard!

Surpris et mortifié, mon père obéit. Il voulut

parler mais mon grand-père l'en empêcha. Je voyais bien qu'il se trouvait dans un état d'extrême agitation.

— Ce lieu est maudit, reprit-il avec véhémence. Je le sens.

Des exclamations d'horreur fusèrent.

— Comment le sais-tu ? s'enquit mon père, troublé.

Mon grand-père ne répondit pas.

— Tu peux emmener ces bœufs, dit-il à Ilionée, et toi, mon fils, cesse de tracer ce sillon et commence à creuser... ici même où je me tiens.

Il fit signe aux hommes les plus proches d'aller chercher les outils nécessaires et nous nous mîmes tous au travail pour dégager les broussailles. Puis mon père, aidé de plusieurs autres, commença à creuser la terre sableuse.

— Vous n'aurez pas à creuser bien profondément, annonça mon grand-père d'une voix sombre et, alors qu'il parlait encore, mon père poussa une exclamation et sortit de terre une chose qu'il brandit.

C'était un crâne fracassé.

— Oui, déclara mon grand-père, il s'agit là du crâne de Polydoros, le plus jeune fils de Priam, assassiné par Lycurgue afin de s'approprier l'or de Priam. J'ai senti geindre son esprit tandis que je me tenais sans le savoir sur sa tombe. Lycurgue t'a donné cette terre pour attirer sur nous le malheur.

Nous donnâmes à Polydoros une nouvelle sépulture et dressâmes un autel pour son ombre disparue, où nous déposâmes une branche de cyprès, l'arbre de la mort, tandis que les femmes nous entouraient, les cheveux défaits comme l'exige notre rite : nous offrîmes des libations, implorâmes son esprit de reposer désormais dans la tombe et criâmes son nom en signe d'adieu. Puis, d'un commun accord, nous nous hâtâmes de quitter cette terre de malédiction.

Mon père sombra dans un profond découragement en voyant ainsi s'effondrer misérablement tous ses espoirs. Près de trois ans s'étaient écoulés depuis la chute de Troie. Nous avions perdu tout l'automne et l'hiver en Thrace par suite de son mauvais jugement. Il avait eu tort de ne pas tenir compte de l'oracle : et pourtant, puisque même mon grand-père n'en avait pas compris la signification, comment aurait-il pu lui obéir ? Vers où devions-nous repartir ? Fallait-il regagner Antandros et recommencer tout le voyage depuis le début en dépit du mécontentement que cela créerait, ou bien fallait-il nous diriger vers l'ouest à partir de la Thrace, même si cela devait nous entraîner vers la Grèce ?

– Nous ne ferons ni l'un ni l'autre, répondit mon grand-père aux questions anxieuses de mon père. Nous allons nous diriger au sud, vers Délos, l'île sacrée qui se trouve au milieu de la mer. C'est là qu'Apollon naquit. Nous lui demanderons une nouvelle fois de nous guider, et l'ambiguïté de l'oracle s'en trouvera résolue.

Mon père le regarda avec un mélange d'admiration et de gratitude.

– Comme je voudrais posséder ta sagesse, père !

– La sagesse croît avec l'âge et grâce à la communion avec les dieux, répondit simplement mon grand-père. Le moment viendra où tu guideras les pas de ton fils comme je guide les tiens.

A l'idée que nous quittions la terre souillée de la Thrace pour celle, sacrée, de Délos, le courage de tous s'en trouva ravivé. Mon père ne tarda pas à reprendre confiance, les rameurs chantaient et tous vaquaient à leurs tâches avec bonne humeur. Même mon grand-père semblait avoir rajeuni, tandis qu'il me racontait la naissance d'Apollon et me parlait de l'île sacrée qu'il aimait tant.

– Voici l'histoire telle que la racontent les hommes, commença mon grand-père. Le Tout-Puissant Zeus s'éprit de Léto, dont certains disent qu'elle était issue des Titans, ces dieux anciens qu'il avait chassés de l'Olympe. D'autres prétendent qu'elle est une déesse phénicienne du nom de Lat, qui apporta de l'Orient le palmier et l'olivier. Mais quand Junon, reine de l'Olympe, apprit que Léto attendait un enfant, elle envoya le serpent Python la pourchasser à travers le monde. Afin de la sauver, le Tout-Puissant Zeus la métamorphosa en caille et le vent du sud, qui nous pousse à présent vers là-bas, la mena jusque sur l'île flottante de Délos où le serpent ne pouvait l'atteindre. Tout d'abord, Délos craignit de lui donner asile, croyant que le fils de Léto éprouverait de la honte à être né sur cette île rocheuse et désolée et que d'un coup de pied il l'enfoncerait dans les profondeurs de la mer. Mais Léto promit qu'il aimerait et honorerait son lieu de naissance et là, après les terribles douleurs de l'enfantement, elle donna naissance à Apollon, sous un palmier, au sommet du mont Cynthos, cependant que la terre s'ébrouait d'un joyeux rire en l'honneur de cette naissance. Les déesses qui étaient venues assister Léto pour l'accouchement baignèrent l'enfant divin dans l'eau claire et le vêtirent d'un voile blanc bordé d'or; mais quand elles l'eurent nourri de nectar et d'ambroisie, l'enfant-dieu, rayonnant de force, arracha ses langes et réclama sa lyre et son arc d'argent. Puis il se leva et parcourut le mont Cynthos en célébrant l'île de sa naissance, et depuis lors, par loi divine, l'île de Délos s'est ancrée en ce point précis de la mer. Il

passe une partie de l'année sur une terre mystérieuse située très loin au nord, baignée dans une
perpétuelle lumière et où règne la paix éternelle, et
les peuples heureux qu'il gouverne ne cessent de
chanter ses louanges. Mais chaque printemps il
revient à Délos, parfois, dit-on, sous la forme d'un
dauphin, et parfois en char tiré par des cygnes, et,
quand il arrive, l'île se dore et s'épanouit dans
l'éclatante lumière de sa grâce.

Mon grand-père se tut. Je voyais bien qu'il éprouvait une grande émotion.

– Raconte encore, réclamai-je.

– Il existe de nombreux récits au sujet d'Apollon,
m'expliqua-t-il, car il est le dieu de tout ce qui est
créatif chez l'homme. Il est le protecteur des voya-
geurs, des colonisateurs, des fondateurs de cités
nouvelles. Il est l'ennemi de tout ce qui peut être
néfaste aux mortels – les rats et les sauterelles qui
dévorent leur nourriture et leurs récoltes, les mala-
dies qui les affligent. Il est le dieu de l'ordre et de
l'harmonie, qui inspire de justes lois et guide les
hommes vers la vertu. Il est le porte-parole du
Tout-Puissant Zeus. Ce que révèlent ses oracles,
c'est Zeus lui-même qui l'ordonne.

Pendant qu'il parlait, le vent capricieux qui nous
avait abandonnés s'éleva à l'arrière et gonfla nos
voiles. La brume qui flottait à l'horizon se dissipa, et
Délos, coiffée de sa verdoyante montagne, apparut.
Palinure, notre pilote, nous eut bientôt conduits
sans mal au delà de l'îlot nu consacré à Hécate,
entre les récifs dangereux, et jusque dans le petit
port où les pèlerins jetaient l'ancre. Impatient de
mettre pied à terre, mon père se jeta à l'eau et
pataugea jusqu'à la terre ferme, puis revint au
bateau.

– Pardonne-moi, père. C'est toi, notre guide à

tous, qui devrais le premier poser pied à terre.

D'un cœur joyeux nous soulevâmes mon grand-père par-dessus bord et mon père le prit sur ses épaules. Pour chacun de nous, l'acte de piété filiale de mon père revêtait une profonde signification. Elle révélait son humilité devant une sagesse plus grande que la sienne; elle symbolisait l'inséparable union entre le père Enée et le père Anchise. Comment le dieu pourrait-il se détourner de leur supplication commune? Comment pourraient-ils ensemble mal interpréter la réponse qu'il leur donnerait? A peine avions-nous atteint la terre ferme que nos prières muettes parurent exaucées. Anios, le prêtre-roi de Délos, vint à notre rencontre et, à notre grand étonnement, salua mon grand-père comme un vieil ami. Il apparut qu'ils s'étaient connus en ce lointain âge d'or, avant le siège de Troie; et nous tous, exilés en haillons, reçûmes un accueil digne de princes.

Lorsque nous nous fûmes baignés en eau claire puis que nous eûmes festoyé au palais, mon grand-père raconta notre histoire à Anios en s'attardant sur les paroles prononcées par Panthos et par l'oracle, à Patara. Le roi l'écoutait attentivement.

– Offrons tout d'abord des sacrifices à Apollon pour voir s'il est disposé à répondre à vos questions, suggéra-t-il. Et avant d'entrer au sanctuaire, il faut vous purifier.

Il accomplit lui-même les sacrifices rituels pour nous. Pendant trois jours nous nous abstînmes de vin et nous jeûnâmes une journée entière. Puis, de bonne heure le matin suivant, il nous conduisit au bassin sacré où nous devions nous purifier.

– Une goutte d'eau suffit à l'homme vertueux, nous déclara-t-il solennellement, mais l'océan ne suffirait pas à laver l'homme impur.

Le soleil n'était pas encore apparu au-dessus du mont Cynthos quand nous empruntâmes le sentier qui traversait l'oliveraie au milieu de laquelle se dressait le temple antique. Nul ne parlait; tout n'était que silence; aucun vent ne faisait frémir les feuilles, aucun oiseau ne chantait.

Mon père fit signe à notre escorte de demeurer à l'extérieur de la colonnade qui entourait les murs du sanctuaire. Puis, prenant mon grand-père par le bras et nous faisant signe, à Achate et moi-même, de le suivre, il s'engagea dans le lieu sacré.

Nous restâmes un moment envoûtés par la mystérieuse pénombre. Enfin mon père prit la parole et sa voix résonna étrangement dans l'obscurité :

– Donne-nous une patrie, grand Apollon. Nous sommes las. Donne-nous une cité aux murs résistants, où nos enfants et les enfants de nos enfants puissent vivre en paix et en sécurité. Nous sommes les derniers survivants de la Troie que tu aimais tant; nous en sommes la citadelle. Donne-nous une seconde Troie et guide-nous jusque-là. Accorde-nous un signe. Inspire-nous de ta présence.

A peine achevait-il ces mots que les portes d'entrée du temple s'ouvrirent en grand et qu'une voix tonnante répondit :

– Retourne là d'où sont venus tes ancêtres; là, les générations à naître de ta lignée construiront un empire qui s'étendra d'un rivage jusqu'à l'autre et atteindra les extrêmes confins de la terre.

Nous nous étions prosternés jusqu'à terre en tremblant, dès qu'avait résonné cette voix surnaturelle. A présent que le dieu s'était tu, nous nous levâmes en silence et quittâmes le sanctuaire. Mon père et mon grand-père semblaient plongés dans leurs pensées. Dehors, le soleil s'était levé. Notre compagnie se tenait par petits groupes effrayés, qui chuchotaient entre eux. Lorsqu'ils nous aperçurent, un flot de questions incohérentes s'abattit sur nous.

– Dis-nous ce que signifie l'oracle, père Anchise, demanda finalement Ilionée, imposant silence aux autres.

– Telle doit en être la signification, répondit mon grand-père à voix lente : la terre d'où vinrent nos ancêtres était la Crète. Teucer, dit-on, en fut chassé par la famine et, guidé par Apollon, arriva jusqu'à la plaine de Troie. Là, le roi Dardanos l'accueillit avec bonté et lui donna sa fille en mariage. Mais Troie même n'existait pas avant que Teucer l'eût fondée.

Il marqua une pause et reprit :

– Oui, mes amis, le sens de l'oracle est clair. La Crète est notre patrie. Zeus lui-même y naquit; il nous y accueillera certainement aussi bien qu'Apollon nous accueille à Délos. Nos malheurs sont presque terminés.

Un cri général de bonheur et de soulagement s'éleva autour de nous. Hommes, femmes et enfants s'attroupèrent autour de mon grand-père pour tenter de le presser sur leur cœur, ou tout au moins de lui prendre la main ou même de toucher ses vêtements. Ce fut mon père qui les rappela à l'ordre.

– Mes amis, s'écria-t-il, à présent que nous savons où se trouve notre patrie, ne tardons plus. Remercions tout d'abord les dieux de nous avoir guidés, et offrons des sacrifices afin d'apaiser les mers et pour que les vents nous soient favorables. Et puis partons. Si tout va bien, notre voyage sera bref. D'ici trois jours, nous serons en vue des côtes de Crète.

Emplis de gratitude à l'égard d'Apollon, nous lui obéîmes. Le roi Anios nous chargea de présents, invoqua sur nous la bénédiction du dieu et nous fit ses adieux. L'un après l'autre, nos navires poussés par une douce brise quittèrent le port et lentement l'île sacrée disparut de notre vue. Tandis que je m'attardais à l'arrière, les yeux fixés sur le mont Cynthos, regardant les rayons du soleil jouer avec les vagues dansantes, je sentis une main sur mon épaule. Je me retournai et vis mon père.

– Es-tu heureux, à présent, Ascagne? me demanda-t-il.

J'acquiesçai.

– Mais je serais encore plus heureux si nous étions restés à Délos, admis-je. Je m'y sentais bien. Je suis fatigué de toujours naviguer d'un endroit à l'autre.

– Te rappelles-tu quand je t'emmenai au sommet de la tour de guet, sur le toit de notre palais, à Troie?

– Oui, répondis-je aussitôt. Mère était avec nous. Tu nous déclaras que les dieux étaient avec nous et que les Grecs étaient repartis.

Mon père se troubla.

– Tu me montras alors Tenedos, poursuivit-il d'une voix lente, en disant que tu voulais y aller et naviguer au delà de l'horizon. J'ai ri et je t'ai dit...

– ... « Tu iras, Ascagne, tu iras. Une île mène à une autre. »

Mon père me regarda avec étonnement :

– Tu parles peu, mais tu te souviens de tout. (Il s'interrompit un moment, puis reprit :) Peut-être est-ce toi qui raconteras notre histoire quand nos voyages seront terminés et que je serai mort et disparu. Peut-être est-ce toi, et non moi, qui jetteras les fondations d'un puissant empire. Les dieux attendent de grandes choses de toi, mon fils. Ne recule jamais devant ton destin, quel qu'il puisse être.

Tout jeune que j'étais, je me sentis écrasé par le poids de ces paroles solennelles.

– Je ne veux pas devenir un grand roi, répliquai-je inquiet. Je veux une maison à nous et je veux une mère – pas Caieta.

Mon père soupira. Ce n'était pas la réponse qu'il avait espérée.

Pendant toute la journée du lendemain et la suivante, nous voguâmes sur des vagues rieuses, passant près de Paros et de Naxos où Dionysos vit dans les vignes. Une île après l'autre semblait émerger pour nous voir passer, tandis que nous poursuivions notre route parmi les Cyclades, sur la mer sombre couleur de vin. Le paysage était si beau et les équipages si heureux, tandis qu'ils tiraient de toutes leurs forces sur leurs rames et que les maîtres d'équipage marquaient la cadence, que j'oubliai peu à peu ma rancœur d'avoir dû quitter Délos.

– En route pour la Crète! En route pour notre patrie! criaient les marins.

Mais le voyage fut plus long que nous ne l'avions escompté car nous rencontrâmes des courants contraires. Le soir du quatrième jour nous trouva toujours en mer et hors de vue de la terre. Nous avions perdu notre orientation. Le vent était tombé et les rameurs épuisés s'étaient tus. Au-dessus de nous flottait comme un nuage, l'imminence d'un oppressant présage.

C'est alors que je le vis soudain s'élever hors de l'eau.

– Regarde! criai-je en saisissant le bras de Caieta.

Tandis que je parlais, l'énorme poisson traça un arc rapide dans l'air et replongea sous les vagues.

– C'est un dauphin! s'exclama Caieta. Vite, réveille ton grand-père.

– Non, répondis-je. Je sais ce que cela signifie: Apollon est avec nous.

C'était la première fois que je la défiais. Elle s'apprêtait à m'opposer quelque riposte fâchée quand deux autres dauphins jaillirent de l'eau tout près du bateau et nous éclaboussèrent en retombant dans la mer. Quelques femmes hurlèrent et mon grand-père s'éveilla.

– Il faut les suivre si nous le pouvons, déclara-t-il à mon père en apprenant ce qui s'était passé. Peut-être nous conduiront-ils en Crète.

– Le soleil se couchera d'ici une heure, observa mon père.

– Mais la lune se lèvera, répliqua mon grand-père. Prions pour qu'un vent nous secoure.

Nous restâmes quelque temps encalminés et presque immobiles, car mon père avait ordonné aux équipages de rentrer leurs avirons afin d'économiser leurs forces. Mais les dauphins n'avaient aucune hâte de nous quitter. Ils apparaissaient l'un après l'autre, bondissant parfois hors de l'eau, ou bien tournant autour de nos embarcations. Puis, juste comme nous commencions à prendre notre repas du soir avant le coucher du soleil, un vent arrière se leva.

– Descendez les voiles des hauts de vergue, cria mon père.

Son ordre se répéta sur les autres navires – il était temps, car la force du vent s'éleva brusquement et nous nous retrouvâmes à voguer rapidement vers le sud.

Toute la nuit, nous courûmes sous le vent sur la mer illuminée de lune, tandis que les dauphins dansaient autour de nous. Malgré leur frayeur, les femmes et les enfants finirent par s'endormir au milieu des gémissements et du tangage du vaisseau.

Ne tenant aucun compte des protestations de Caieta, je rejoignis mon père auprès du timonier, haute silhouette bien droite sous la lune, et dont le manteau claquait au vent. Il passa son bras autour de mes épaules et m'attira contre lui. Ni l'un ni l'autre nous ne prononçâmes la moindre parole, mais tous deux avions conscience du lien qui s'était forgé entre nous. Je me rendais confusément compte du fait qu'il commençait à me considérer non plus comme un enfant docile, mais comme son héritier, son successeur. Nous demeurâmes ainsi jusqu'à ce que le sommeil me terrasse, et mon père m'étendit alors doucement sur sa paillasse, sous le mât.

Quand je m'éveillai, le jour était levé. Le bateau oscillait doucement sur l'eau et des mouettes tournoyaient au-dessus de nos têtes en poussant des cris rauques. Je vis mon père s'approcher; le manque de sommeil et le sel des embruns lui rougissaient les yeux.

— La terre, Ascagne, annonça-t-il en pointant le doigt.

Je vis que nous avions jeté l'ancre dans une crique abritée que surplombait une immense falaise.

— Est-ce la Crète? lui demandai-je.

Mon père opina de la tête :

— Les dieux nous ont enfin conduits sains et saufs jusqu'à notre nouvelle patrie, dit-il, même si nous devons encore nous attendre à bien des vicissitudes. Voici la terre d'où nos ancêtres furent chassés par la famine, la terre vers laquelle deux fois déjà Apollon nous a enjoints de revenir.

— Deux fois? répétai-je.

— Oublies-tu ce que m'a dit l'oracle, à Patara?

Je le dévisageai d'un air effaré.

— Il m'a dit de voguer vers l'ouest jusqu'à la terre où nous mangerions nos propres écuelles.

— Mais ce ne peut pas être vrai, père! m'écriai-je.

Nous avons une profusion de réserves. L'oracle a dû te jouer un tour. Tu l'as dit toi-même, que les dieux jouaient parfois des tours aux mortels.

Mon père me tapota l'épaule.

– Ta sagesse dépasse de beaucoup tes années, Ascagne, même si tu ne comprends pas ce que j'ai en tête. Je compte que tu ne répéteras rien de cette conversation – pas même à ton grand-père.

Il scruta anxieusement mon visage.

J'acquiesçai, soudain conscient de la lassitude qui apparaissait sur ses traits. Une vague de pitié me submergea.

– Père, commençai-je maladroitement, pourquoi n'as-tu pas auprès de toi une femme pour s'occuper de toi et te rendre heureux?

– Une femme? répéta-t-il. Pourquoi me faudrait-il une femme? Caieta s'occupe de moi. Je l'ai connue toute ma vie.

– Je ne parle pas de Caieta, répliquai-je brutalement. Je veux parler d'une jeune femme – d'une concubine, comme les autres hommes.

Mon père sourit.

– Je n'ai pas le temps, Ascagne, et j'ai bien d'autres préoccupations. Quel chef serais-je donc, si je n'étais pas différent des autres?

La confusion me réduisit au silence.

– Aie de la patience avec Caieta, reprit mon père. Elle est peut-être tyrannique, mais elle est également dévouée, et tu es mon fils unique.

Il fit demi-tour et s'éloigna.

Mon grand-père lui-même ignorait de quelle région de Crète provenait notre ancêtre Teucer, mais Anios nous avait conseillé d'aborder par la côte orientale de l'île, pas trop près de la puissante cité de Cnossos. Le roi de Cnossos avait pris part à l'expédition contre Troie, mais Anios avait entendu dire qu'à son retour ses sujets révoltés l'avaient chassé de son royaume et forcé à s'enfuir outre-mer. Cinq peuples différents, nous avait-on dit, vivaient en Crète. Les Grecs, que nous devions éviter, s'étaient surtout établis à Cnossos et à l'ouest de l'île; quant aux premiers habitants, les vrais Crétois, ils occupaient principalement les collines de l'est. C'était également là que se dressait le mont Dicté, lieu natal du Tout-Puissant Zeus.

Nous savions que nous nous trouvions en Crète orientale, mais nul ne pouvait nous dire si nous y recevrions un accueil amical ou hostile. Où que nous fussions destinés à nous établir en définitive, nous étions certains de rester plusieurs jours sur le rivage où nous avions accosté. Dès que nous eûmes rendu grâces aux dieux pour notre voyage jus-qu'alors sans malheur, mon père fit disposer nos bateaux de manière à former un rempart contre toute attaque éventuelle. Une palissade d'épieux pointus fut rapidement dressée et un fossé creusé tout autour. Des sentinelles furent postées au som-met des falaises et deux groupes dirigés par Achate et Ilionée partirent vers les collines avoisinantes afin de repérer les lieux et de chasser du gibier. Mon père surveilla en personne le déchargement des vivres dont nous avions besoin, choisit le lieu où seraient construites des huttes et détermina l'emplacement sacré de notre camp où l'on dresse-rait des autels.

Nous étions tous las et affamés, mais la seule pensée que c'était la terre où nous étions destinés à nous établir nous redonnait courage et nous travail-lâmes avec ardeur jusqu'à midi. Nous avions com-mencé à prendre notre repas quand Ilionée et ses hommes reparurent, chargés de gibier. Ils nous rapportèrent qu'ils avaient longé la côte vers l'ouest jusqu'à un sanctuaire, au travers des bois denses qui recouvraient les collines, mais sans rencontrer âme qui vive.

L'après-midi s'avançait sans qu'Achate eût reparu et mon père commençait à s'inquiéter quand une sentinelle, postée au sommet de la falaise, cria qu'il le voyait, avec ses compagnons, descendre le versant d'une colline. Peu après ils sortirent des bois et poursuivirent leur chemin sur le sable du rivage, épuisés, les pieds endoloris. Mon père s'élança à leur rencontre et serra affectueusement son plus cher ami dans ses bras.

— Nous t'apportons de bonnes nouvelles, père Enée, annonça Achate, mais tout d'abord laisse-nous manger, je te prie, car nous sommes affaiblis par la faim.

Avec son habituelle sollicitude, mon père laissa Achate et ses hommes prendre leur repas en paix. Il ne leur posa pas la moindre question avant qu'ils n'eussent pris du repos et recouvré leurs forces. Puis Achate reprit la parole :

— Père Enée, ta capitale t'attend.

Mon père leva vivement les yeux.

— Veux-tu dire que d'autres Troyens nous ont précédés?

Achate secoua la tête.

— Je veux dire que nous avons trouvé une ville abandonnée où nous pourrions nous établir.

— Une ville abandonnée? répéta mon père, abasourdi.

Achate acquiesça :

— Elle se trouve sur une petite colline, dans une vallée qui mène à la mer, à environ trois heures de marche d'ici à travers les montagnes.

— Vous n'y avez trouvé aucune trace de vie humaine? demanda mon père, incrédule.

– Nous avons fouillé chaque maison de la ville. Nous avons exploré la vallée et les collines avoisinantes. Il n'y avait personne.

Mon père questionna Achate plus avant. Oui, il y avait de l'eau en abondance, et à l'intérieur du palais se trouvaient des quantités de jarres scellées contenant de l'huile et du grain. Les champs étaient nus, mais il n'était pas trop tard pour procéder aux semailles; un total désordre régnait dans les vignes et les oliviers manquaient de soins, mais même ainsi la récolte suffirait amplement à nos besoins.

Mon père hésitait encore. Pourquoi cette ville était-elle déserte? Se pouvait-il qu'un dieu eût jeté sur elle une malédiction? Qui l'avait gouvernée? La population avait-elle été grecque ou crétoise? Quel désastre les avait donc frappés? Où étaient-ils partis?

– Peut-être les dieux, dans leur sagesse, répondront-ils à ces questions, déclara mon grand-père en entendant le récit d'Achate. Demandons-leur de nous fournir un signe.

Les jours passèrent sans que vînt aucun signe.

Mon père partit seul pour la ville abandonnée et la trouva telle qu'Achate la lui avait décrite. Néanmoins, il en éprouva un vague sentiment d'appréhension. Pendant ce temps, notre compagnie commençait à piaffer d'impatience. Pourquoi n'acceptait-il pas la patrie que Zeus nous avait offerte? Une telle lenteur sentait l'ingratitude. A tarder davantage nous risquions de provoquer le mécontentement divin. Même les enfants aspiraient à la sécurité d'une maison où s'installer. Le printemps ne durerait plus guère; il était déjà tard pour semer, à moins que Zeus ne nous accordât le privilège de pluies abondantes.

Mon père se laissa finalement convaincre par le

poids de tous ces arguments. Le temps était devenu irrégulier, avec des orages intermittents, et même mon grand-père s'interrogeait sur la marche à suivre. Nous n'avions pas vu un seul Crétois depuis notre débarquement. Ilionée s'était offert à mener un groupe vers l'intérieur des terres dans l'espoir d'y trouver un village indigène, mais mon grand-père lui avait conseillé de n'en rien faire. Les Crétois, fit-il observer, ne parlaient pas notre langue et pouvaient fort bien se révéler hostiles; il semblait sage de laisser le contact se faire avec eux tout naturellement, plutôt que de le rechercher. Il n'encourageait guère non plus l'idée d'une reconnaissance de la côte par voie de mer, car nous risquions ainsi d'attirer l'attention des Grecs.

— Attendons, déclara-t-il à l'impatient Ilionée, d'être bien en sécurité derrière les remparts de notre cité. Il sera alors temps de faire connaître notre présence ici. Ne comptons pas trop jusque-là sur la protection des dieux.

Le lendemain, comme le vent était tombé, nous reprîmes la mer vers notre destination. Achate était déjà parti en avant-garde avec quelques hommes, sur les instructions de mon père. Serrant de près la côte, nous longeâmes une gigantesque péninsule puis pénétrâmes dans une baie bordée d'un côté par des montagnes à pic. Devant nous, à quelque distance, s'étendait une vaste baie étirée vers l'est, derrière laquelle se trouvait une étroite plaine d'où les montagnes se dressaient, abruptes. A l'extrémité, là où la côte devenait montagneuse, se trouvait la ville abandonnée, encore cachée à notre vue.

Le fidèle Achate nous attendait sur la rive, mais cette fois il avait des nouvelles à nous communiquer. A l'aube, il avait vu un groupe de paysans arriver des collines. Il avait deviné qu'ils venaient dans l'intention de piller car, en voyant Achate et ses hommes armés, ils avaient essayé de s'enfuir. Cependant, l'un d'eux avait été capturé. Achate avait en vain tenté de le questionner, par signes aussi bien qu'en paroles; mais, que ce fût par effroi ou stupidité, l'homme s'était réfugié dans le silence.

– Amène-le-moi avant que nous ne fassions un pas de plus, déclara mon père.

Tous nos bateaux étaient déjà échoués sur le rivage. Achate amena un paysan à la carrure massive, revêtu d'une peau de chèvre, avec une courroie en travers de l'épaule. Mon père s'adressa d'abord à lui en grec, lui expliquant d'une voix chaleureuse qu'il était le prince Enée et que nous étions troyens. Le visage de l'homme restait inexpressif et renfrogné.

– Apporte-moi du vin, ordonna mon père à Caieta.

L'homme but avidement, sans dire un mot. Quand il eut terminé, mon père entreprit de l'interroger lentement et patiemment, cette fois à l'aide de mots isolés et de gestes. Peu à peu, notre prisonnier s'anima et, en peu de temps, mon père apprit nombre de choses importantes.

Nous nous trouvions à deux journées de marche de Cnossos, vers l'est. La ville abandonnée s'appelait Gournia. Bien longtemps auparavant, des Crétois l'avaient construite; puis un peuple de marins, peut-être des Grecs, s'y étaient établis après qu'elle eut été endommagée par un tremblement de terre. La cité avait alors vécu sous le joug d'Idoménée, roi de Cnossos; le gouverneur traitait cruellement les paysans crétois, prélevant la majeure partie de leurs récoltes et de leur bétail en impôt et les faisant travailler pour lui comme des esclaves. Ils avaient supplié la Grande Déesse qu'ils adoraient de leur venir en aide; et, comme en réponse à leur prière, voilà que la population entière de Gournia, hommes, femmes et enfants, avaient l'an passé pris la mer pour s'en aller avec leurs biens et leurs vivres. Peut-être avaient-ils fui l'imminente fureur de la Grande Mère; en tout cas ils étaient partis.

Comprenant qu'Achate et ses hommes devaient sembler des ennemis, mon père s'efforça d'expliquer que nous détestions tout autant les Grecs. Puis, voyant que l'homme comprenait, il lui posa une dernière question, comme l'archer tirant sa flèche à tout hasard.

– Teucer? énonça-t-il lentement et distinctement.

A notre vif étonnement, l'homme réagit aussitôt. Il répéta le nom correctement en précisant qu'il s'agissait d'un roi; puis, après avoir désigné d'un geste ample tous les alentours, il nous montra la vallée, en direction de la ville abandonnée. On ne pouvait se méprendre sur le sens de ce geste. Il avait naguère existé ici même un roi du nom de Teucer qui avait régné sur toute la région, et Gournia avait été sa capitale.

Mon père poussa un cri de joie, libéra de ses liens le prisonnier effaré et le chargea de présents. Il était enfin sûr que Gournia était notre patrie prédestinée. Le même jour, lors d'une solennelle cérémonie de remerciements qui se déroula sur la place, devant le palais, il rebaptisa la ville Pergame en souvenir de la citadelle de Troie.

Pergame! Pergame! Comme je me souviens de tes maisons en terrasses, étagées sans ordre au long de chemins sinueux et d'étroites ruelles pavées! De même que Troie, la ville s'étirait sur une colline; mais la ressemblance s'achevait là. Notre nouvelle capitale n'était guère plus qu'un gros village agrippé aux jupes du seul palais qu'il possédait. Il n'y avait là nul temple, juste un modeste sanctuaire composé d'une unique pièce, qui se trouvait au nord du palais. Manifestement, les gouvernants de Gournia en avaient été les seuls prêtres. Par la suite nous apprîmes que les cérémonies religieuses et les danses rituelles s'étaient essentiellement déroulées dans l'immense cour du palais, en l'honneur non pas de Zeus mais de la Grande Mère. Tout cela nous paraissait étrange. Plus étranges encore, l'absence de citadelle et l'insuffisance des murs qui ne protégeaient qu'une partie de la ville. Bienheureux peuple qui n'avait jamais vécu à l'ombre de la guerre! Nous qui gardions le souvenir du dur siège que Troie avait subi, jamais nous n'aurions pu nous satisfaire d'aussi piètres défenses. Le nom même de Pergame illustrait l'intention qu'avait mon père de transformer sa capitale en une forteresse.

Les jours passaient vite, car il y avait fort à faire. Nous avions semé notre orge avant la fin des pluies de printemps, débarrassé les oliviers de leur végétation, redressé le désordre des vignes. Les Crétois, tout d'abord méfiants, devinrent plus amicaux en constatant que nous ne leur voulions aucun mal. Nous leur avions acheté des chèvres et du bétail. Bientôt nous commençâmes à pratiquer le troc avec eux et à apprendre leur langue et leur religion. Quelques-uns de nos jeunes gens prirent des épouses crétoises.

Nul ne vint nous troubler. Mon père, plus infatigable que jamais, nous insufflait son enthousiasme confiant. Chaque matin en m'éveillant, je courais à la fenêtre de ma chambre pour contempler la vallée rocheuse et l'immense étendue de la baie qui scintillait paisiblement au soleil. A brève distance et en contrebas, je distinguais les plages de sable sur lesquelles étaient échouées nos embarcations, désormais privées de leurs mâts et de leurs voiles. Ici, il n'y avait pas de dangereux contre-courants ni de vents hurlants comme nous en avions connu à Troie. Même les collines proches semblaient douces et sereines.

Et puis, avec une terrible soudaineté, le temps changea. Jour après jour, le soleil sans remords déversa sur nous les rayons de sa fureur. Les rivières s'asséchèrent, les récoltes se desséchèrent et pourrirent, même les vignes jaunirent et devinrent aigres. Sirius, le Grand Chien, nous apporta de nouveaux maux. L'une après l'autre, nos chèvres tombèrent malades puis moururent d'un mal étrange. Nos maisons furent infestées de puces et de scorpions. Pis encore, une horde de rats affamés descendirent sur la ville et s'attaquèrent à nos réserves de vivres. Puis ils commencèrent à périr aussi; leurs cadavres gisaient dans les rues par centaines, assaillis par des myriades de mouches.

Ce furent sans aucun doute les rats qui nous apportèrent la peste. Epuisé par toutes ses épreuves, les joues creusées par la faim, notre peuple ne pouvait pas résister. Chaque jour produisait son nouveau lot de victimes. Désespéré, mon père suppliait Apollon et Zeus de nous sauver de la peste et de nous envoyer la pluie. Ses prières ne servaient à rien. Finalement, mon grand-père déclara qu'il ne fallait plus lutter contre le destin. Les dieux n'avaient manifestement pas souhaité que nous nous établissions à Pergame. Si nous y demeurions, nous y mourrions tous, peut-être de faim, mais en tout cas de la peste. Notre seul espoir consistait à regagner Délos et consulter de nouveau l'oracle avant qu'il ne fût trop tard.

Dans un suprême effort, mon père surmonta ses sentiments d'amertume et de découragement. Il

annonça calmement la décision à la foule clairse-
mée de nos compagnons. Certains maudirent les
dieux, jurant qu'ils mourraient ici plutôt que d'aller
errer ailleurs; quelques femmes sanglotèrent jusqu'à en perdre l'âme; mais la majorité l'écouta
parler dans un silence de mort. Leur confiance en
leur chef avait été cruellement troublée, mais même
ceux qui murmuraient contre lui respectaient son
dévouement et son courage.

Le cœur lourd, nous avons procédé à la créma-
tion de nos derniers morts et dit adieu à Pergame.
Comme nous franchissions la porte inachevée de la
ville en tirant les chariots qui portaient nos maigres
possessions, à l'heure où s'atténuait la chaleur du
jour, la vue des champs nus et desséchés que nous
avions cultivés en vain nous arracha des larmes
amères. Tristes et désemparés, nous nous rassem-
blâmes sur la plage en nous rappelant avec quelle
confiance nous avions abordé, certains de voir la fin
de notre errance. Il ne restait plus à présent de
rameurs que pour treize bateaux; beaucoup de
femmes et d'enfants aussi avaient succombé à la
peste. Mon père parcourut des yeux le groupe qui
restait et nous compta un à un. Il examina attentivement nos bateaux et consulta les équipages
appauvris pour savoir lesquels nous devions abandonner. Avec gentillesse et patience, il leur enjoignit
de choisir leurs propres capitaines et leurs compagnons, puis réorganisa chaque supplément de passagers. Aucun détail ne fut négligé ni laissé au
hasard; aucun mot de colère ne lui échappa. Enfin,
quand tout fut prêt, il s'adressa à nous :

– Ne blâmons personne pour ce qui nous est
arrivé. Rappelez-vous comme Teucer lui-même dut
quitter ce rivage. Nous ne sommes pas décadents,
nous ne sommes pas une race en voie d'extinction;

nous sommes le symbole vivant de la Troie qu'il fonda, et dont nous portons avec nous les dieux. Le temps ne signifie rien pour les dieux, mais prenons courage en songeant qu'Apollon nous a promis une aurore glorieuse, même si la nuit est longue.

Mon grand-père se contenta de prononcer une simple prière puis, après avoir pris notre repas du soir, nous chargeâmes nos vivres et embarquâmes. On leva les amarres, les équipages ajustèrent leurs avirons dans les erseaux, dressèrent les mâts et hissèrent les voiles. Une douce brise nous éloigna du rivage. Lorsque tomba le crépuscule sur l'eau, nous étions déjà loin en mer.

Comme il faisait une chaleur accablante, mon père avait prévu que nous naviguerions de nuit et échouerions nos embarcations sous des ombrages pendant la journée. Il redoutait par-dessus tout que nous nous retrouvions immobiles sur la mer, sous l'implacable chaleur du soleil. Chaque navire transportait quatre jours de réserves d'eau que nous avions recueillie avec infiniment de peine avant notre départ. On ne pouvait en boire une seule goutte sans la permission du capitaine, car les points d'eau que nous avions passés lors de notre voyage au sud pouvaient maintenant être à sec. Délos même pouvait fort bien souffrir de la sécheresse, mais c'était là une éventualité contre laquelle mon père ne pouvait rien et qu'il refusait d'envisager.

Ses précautions allaient se révéler justifiées, mais pas de la manière qu'il croyait. Le second jour, alors qu'apparaissait Théra, un vent puissant se mit à souffler de l'est, et peu de temps après de gros nuages noirs de pluie s'amoncelèrent au-dessus de nos têtes, faisant disparaître le soleil. Mon père s'entretint anxieusement avec Palinure, puis fit signe aux autres bateaux que nous ne pourrions jamais accoster là et qu'il nous fallait poursuivre vers l'ouest. Peu à peu, le ciel entier s'obscurcit et la côte montagneuse de Théra s'évanouit. Un gigantesque coup de tonnerre retentit. Un éclair traversa les cieux, déchirant les nuages tumultueux, et une véritable cataracte s'abattit du ciel sur la mer déchaînée. Mon père avait fixé une lanterne au mât, afin que les autres puissent nous suivre. En un instant le vent hurlant l'eut éteinte et jetée à terre. Nous ne pouvions plus entendre ni voir nos compagnons d'infortune. Nous ne pouvions que nous recroqueviller à nos places tandis que le navire, gémissant et tremblant de tous ses bois, cahotait aveuglément dans l'obscurité de la mer démontée. Ni la lune ni les étoiles n'apparurent pour nous guider. Fouettés par le vent et la pluie cinglante, nous perdîmes toute notion du temps. Auprès de moi je sentais Caieta geindre et vomir. Je dormis lourdement sans jamais perdre conscience, curieusement indifférent à l'idée que notre embarcation pût chavirer, mais hanté par la peur que mon père pût être emporté par-dessus bord.

Sans doute fut-ce le quatrième jour que la pluie cessa et que le vent commença de faiblir. Dans l'aube noyée, je percevais confusément la silhouette de mon père auprès du pilote, la tête courbée sur sa poitrine. Je me levai, étirai mes membres engourdis et lançai un regard incertain autour de moi. A mon vif soulagement, je vis qu'on avait transporté mon grand-père en lieu sûr, tout près, où il était en partie protégé de la pluie et du vent. Il gisait sur le flanc, enveloppé dans une vieille voile et la bouche entrouverte. Une grande peur m'envahit qu'il pût être mort, mais en me penchant sur lui je l'entendis respirer faiblement. Je contemplai son visage aux traits marqués, ses joues hâves, son cou ridé; les larmes me montèrent aux yeux à l'idée qu'un homme aussi faible et âgé pût être ainsi condamné à finir ses jours en exilé, sans patrie, secoué par les tempêtes. Je l'avais cru infaillible, mais je comprenais à présent qu'il n'en savait pas plus que nous sur ce que nous réservaient les dieux. Tout notre travail, tous nos espoirs, toutes nos tentatives pour obéir à leurs ordres ambigus s'étaient révélés inutiles et vains. Où étaient donc les autres navires qui nous suivaient? Je regardai en arrière, sur la surface houleuse de la mer. Loin au sud, j'aperçus trois embarcations qui avançaient à grand-peine contre les vagues. Ne restait-il rien d'autre des douze navires qui nous accompagnaient quand la tempête avait éclaté?

Peu à peu, à mesure que le soleil s'élevait à l'horizon, d'autres s'éveillaient, l'œil creux, tremblants et hirsutes. Le bateau était trempé d'eau et de vomissures, les voiles étaient en loques. Après une discussion à voix basse avec Palinure, Achate éveilla mon père et lui rapporta que nul ne manquait à notre bord, mais que deux vieilles femmes semblaient avoir péri; plusieurs jarres contenant nos réserves s'étaient brisées et il ne nous restait plus que deux jours d'eau et de nourriture : aucune terre n'était en vue et le vent tombait. Ils avaient communiqué par signaux avec les bateaux que j'avais vus à l'arrière, afin d'avoir des nouvelles : six seulement des douze embarcations avaient été repérées; nul ne savait ce qu'il était advenu des autres.

Nous avions tous les lèvres craquelées par la saumure, et la soif et la faim nous affaiblissaient. Tandis que notre bateau, sa voile descendue, se balançait sur l'eau en attendant les autres, mon père fit distribuer immédiatement la moitié des réserves d'eau et de nourriture. Puis nous nous mîmes à l'œuvre pour réparer le gouvernail cassé. L'un après l'autre, les bateaux nous rejoignirent : l'un avait perdu son timonier, l'autre, trois membres de son équipage ; presque tous avaient subi des pertes et se retrouvaient à présent cassés, endommagés, avec des voies d'eau dans la coque et des voiles déchirées. Tous les visages exprimaient la désolation et le désespoir, sauf celui de mon père, qui arborait une farouche résolution. Il cria brusquement l'ordre à tous les bateaux de hisser leurs voiles de rechange et de rester en formation serrée derrière nous. Nous reprîmes une fois de plus la direction du nord, employant les rames chaque fois que le vent tombait.

Notre progression se poursuivait avec une pénible lenteur : nos rameurs étaient tellement affaiblis que tous les hommes, jeunes et vieux, ramaient désormais à tour de rôle en gardant tant bien que mal la cadence. L'après-midi devait être assez avancé quand mon père m'éveilla d'un sommeil profond. Il avait le visage grave.

— Ton grand-père est très malade, m'annonça-t-il. Caieta veille auprès de lui. Elle dit que si nous ne touchons pas bientôt terre, il mourra de fièvre.

Je poussai une exclamation d'horreur et me levai d'un bond ; puis je dévisageai mon père avec effarement.

— Mais la terre est là, observai-je en désignant un escarpement rocheux à tribord, et regarde, il y a un port avec des navires à l'ancre. Quelle est cette ville, là-bas ? Où sommes-nous ? Ce ne peut pas être Délos !

— Non, ce n'est pas Délos, répondit mon père. Cette ville s'appelle Buthrote. Palinure y est venu autrefois. Nous avons été déroutés fort loin, évidemment. Nous approchons de la côte d'Epire, au nord-ouest de la Grèce.

Je posai sur lui un regard d'incompréhension.

– Alors, pourquoi ne pouvons-nous pas aborder?

– Le roi d'Epire est Pyrrhus, répondit lentement mon père. Pyrrhus, qui assassina Priam de sang-froid sous mes propres yeux. Quel accueil recevrons-nous, à ton avis, si nous abordons à Buthrote?

– Nous pourrions tenter d'aborder plus loin sur la côte, ou bien sur cette île en face, suggérai-je en montrant Corcyre.

Mon père secoua la tête.

– Il n'y a pas d'autre endroit d'accès facile où nous puissions aborder. Ton grand-père est trop vieux et trop affaibli pour pouvoir supporter de nouveaux désagréments. S'il ne reçoit pas de soins et ne trouve pas un asile clément, même ma divine mère ne pourra plus rien pour lui.

– Implore-la, proposai-je aussitôt.

Mon père hésita :

– Elle ne me répond jamais.

– Alors je le ferai.

Je fermai les yeux et récitai la prière que mon grand-père m'avait lui-même enseignée, mais cette fois je m'adressai à elle telle que je l'avais vue en songe – une déesse d'infinies grâce et beauté qui m'aimait avec une tendresse comme je n'en avais jamais connue.

Je rouvris enfin les yeux.

– Nous devons aborder à Buthrote, déclarai-je.

Mon père me scruta avec une terrible intensité.

– En es-tu sûr, Ascagne? Me dis-tu la vérité?

J'opinai :

– Oui, j'en suis sûr. Grand-père vivra. Tout ira bien.

Mon père poussa un soupir à fendre l'âme.

– Si seulement je pouvais la croire, murmura-t-il. Mais je lui ferai confiance, oui, je lui ferai confiance – peut-être pour la dernière fois.

Il posa un moment sa main sur ma tête, puis se leva.

– Le cap sur Buthrote, Palinure, cria-t-il, et vous, rameurs, tirez sur vos avirons comme si votre vie en dépendait.

Il s'empara de la rame d'un homme épuisé et, accélérant la cadence, se mit à ramer de toutes ses forces.

Nous atteignîmes l'entrée du port avant qu'aucun navire ait pu être lancé pour nous intercepter, mais je voyais une foule se former rapidement sur le rivage. Une troupe de soldats courait le long de la digue; ils s'arrêtèrent, et tendirent leurs arcs. Mon père fit signe à Achate de prendre sa place et bondit à l'arrière, auprès de Palinure.

– Qui êtes-vous? cria leur chef dans un étrange grec barbare.

– Nous sommes troyens, répondit fièrement mon père. Je suis le prince Enée, et nous sollicitons votre hospitalité.

L'officier le dévisageait avec effarement. Je crus un instant qu'il allait donner l'ordre de tirer, puis, comme à regret, il ordonna à ses hommes d'abaisser leurs arcs et nous cria où nous pouvions jeter l'ancre. Il envoya l'un de ses hommes, courant sur la digue, rejoindre les soldats qui continuaient à s'ameuter sur la plage.

Mon cœur chavira. Le visage des femmes était gris de peur, cependant que de tous nos bateaux les hommes contemplaient anxieusement mon père, attendant son ordre pour prendre les armes.

– Si nous devons mourir, cria Ilionée, que ce soit en combattant.

Mon père secoua la tête et leva les bras pour nous imposer de garder le silence et de rester immobiles. Nous avions atteint l'endroit où nous devions aborder. La foule rassemblée sur la rive se taisait à présent, et nous regardait intensément, derrière la rangée des soldats en armes.

Mon père se tourna vers moi.

– Viens, Ascagne. Allons-y ensemble.

Il sauta dans l'eau peu profonde et avança vers le rivage. Nous parvînmes ensemble à la terre ferme. Côte à côte nous nous dirigions vers la foule dense, ne sachant ce qui nous attendait, quand soudain une femme revêtue d'un riche manteau se fraya un chemin parmi les soldats et courut vers nous en criant nos noms. J'entendis mon père hoqueter de surprise. L'instant d'après, elle serrait ses bras autour de mon cou et sanglotait à chaudes larmes en me pressant et m'embrassant.

– Ne me reconnais-tu donc pas, Ascagne? Ne me reconnais-tu pas? gémissait-elle.

Hébété, pleurant aussi, je secouai la tête.

– Souvent j'amenais mon fils pour jouer avec toi. Comme tu lui ressembles! Tu te souviens sûrement de lui?

Je levai des yeux effarés sur mon père, et vis que des larmes ruisselaient sur ses joues.

– Tu te souviens d'Astyanax, bien sûr, déclara-t-il doucement. Voici sa mère, Andromaque.

4

Mon père avait craint qu'en débarquant à Buthrote nous ne nous livrions nous-mêmes aux mains de Pyrrhus, l'impitoyable ennemi de tout le peuple troyen; et voici que, bien au contraire, nous étions accueillis par la veuve du plus grand des héros troyens. Sans aucun doute, songeais-je avec incrédulité, elle avait été envoyée à Buthrote en réponse immédiate à ma prière.

En moins d'une heure, sous sa tendre protection, mon grand-père et tous nos malades et nos blessés avaient été transportés à terre par les soldats mêmes dont nous avions cru devoir subir l'attaque. Quelle que fût l'expression de leurs regards posés sur nous, nous savions que pour le moment nous étions en sécurité. Mais comment Andromaque était-elle devenue la reine d'un peuple ennemi, dans une ville aussi éloignée de Troie?

Par quelque étrange et imprévisible revers de fortune comme même les dieux n'en prodiguent que rarement. A la chute de Troie, Andromaque était tombée entre les griffes de Pyrrhus, le fils de l'homme qui avait tué son mari. Astyanax lui avait été arraché et, par une barbare cruauté, elle avait été forcée de regarder Pyrrhus le mettre à mort en le jetant à bas des murailles.

Andromaque était devenue presque folle de douleur. Pyrrhus avait fait d'elle sa concubine, et elle lui avait donné deux enfants dans la tristesse et la honte. Mais son compagnon de captivité, Hélénos, lui interdisait de se donner la mort. Tôt ou tard, disait-il, les dieux donneraient à Pyrrhus le sort qu'il méritait; quant à elle, bien qu'elle eût perdu l'époux et le fils qu'elle aimait si chèrement, elle aurait d'autres gens de son peuple à chérir et à protéger : elle devait vivre encore, pour eux.

Elle avait écouté Hélénos, pleurant d'angoisse et de désespoir, mais lui avait obéi. Ensuite, le malheur avait fondu sur Pyrrhus. Grâce aux conseils d'Hélénos, pourvu du don de prophétie, il était revenu sain et sauf de Troie jusque chez lui. Après son retour, il avait pris une princesse grecque pour épouse, et dédaigneusement donné Andromaque à Hélénos; mais l'épouse de Pyrrhus s'était révélée stérile et, maudissant les dieux, il décida de la répudier. Peu de temps après, un gardien du temple l'avait ignominieusement assassiné, et Hélénos avait reçu une partie de son royaume en récompense des services rendus. L'esclave de Pyrrhus était devenu son héritier.

Mon père avait écouté Andromaque avec une profonde émotion, mais en silence. Nous étions assis dans la cour du palais, le lendemain matin de notre arrivée, sous un ciel sans nuages. A peu de distance en contrebas, nous apercevions au travers des colonnades nos navires, ainsi qu'une multitude de petites embarcations dodelinant sur la paisible surface de la lagune où nous avions pénétré la veille. Au delà de la digue s'étendaient des rives marécageuses habitées par des colonies de gibier d'eau. A l'ouest, séparées de la terre ferme par un étroit goulet, se dressaient les montagnes de Corcyre, leurs sommets voilés par une fine gaze de brume.

Mon père avait brièvement relaté notre histoire à Andromaque la veille au soir et elle avait pleuré sur nos malheurs. Mais elle avait tout de suite vu que mon grand-père était gravement malade et insisté pour le soigner elle-même. Après m'avoir serré une nouvelle fois sur son cœur, elle nous avait quittés sans bruit.

Mon père s'enquit d'Hélénos.

– Il est parti consulter l'oracle de Dodone, loin dans les montagnes, répondit-elle. Chaque année au début de l'automne, il s'y rend en pèlerinage. C'est un homme bon, mais...

Elle hésita.

– Je me souviens fort bien d'Hélénos, déclara chaleureusement mon père. Il est à la fois bon et sage.

Il contempla le visage impassible d'Andromaque.

– Mais tu as été la femme d'Hector, ajouta-t-il doucement.

– Nul ne remplacera jamais Hector pour moi, dit-elle. Il n'était pas seulement un héros. Ce fut l'homme le plus noble qui ait jamais vécu. Hélénos et moi lui avons dressé un tombeau dans un bosquet situé au bord d'une rivière que nous appelons la Simoïs – comme celle que nous connaissions à Troie. Mais ici le climat est plus rude, les collines plus désertiques : notre Simoïs s'est asséchée.

Sa voix trembla.

– Tant qu'il y a eu de l'eau, je pouvais imaginer que j'étais ici avec Hector. Mais je sais à présent qu'il s'agit d'un cours d'eau pierreux et asséché comme n'importe quel autre, et chaque fois je me souviens que le tombeau d'Hector est vide et sa dépouille perdue au loin...

Elle se tut, s'efforçant de maîtriser ses pleurs.

– Chère Andromaque, dit mon père, ta vie n'est pas terminée. Tu es encore jeune. Tu as trouvé un nouveau foyer, après toutes tes épreuves. Ton époux est un roi, il est le frère d'Hector. Peut-être trouveras-tu le bonheur en portant ses enfants dans ton sein.

Il posa doucement une main sur son bras.

– Jamais, s'écria Andromaque.

Elle se dégagea en frémissant de la main de mon père, le corps contracté de peur. Puis, le voyant étonné, elle reprit d'une voix incertaine :

– Pardonne-moi, Enée. Tu n'es que bonté, mais depuis que Pyrrhus m'a enlevée, je ne puis plus supporter qu'aucun homme me touche.

Elle nouait et dénouait nerveusement ses mains tout en parlant. Soudain, elle explosa :

– Il m'a prise de force la nuit même où il avait tué Astyanax. Non, il n'était pas ivre; il était maître de lui-même – maître de lui et souriant. J'avais la peau blanche et lisse, me disait-il, et la chair très tendre; il me disait qu'il voulait jouir de mon corps comme l'avait fait Hector. (Elle poussa un cri de terreur.) O, Hector, mon cœur t'est resté fidèle, sinon mon corps! Seul un dieu aurait pu me donner les exquis plaisirs que tu me prodiguais. Penser que Pyrrhus aurait dû partager ton plaisir! Penser qu'il m'a forcée à porter ses enfants! Je me sentais souillée comme si j'avais été traînée dans la fange. Il me les faisait même allaiter, allaiter de ces seins mêmes qui avaient nourri Astyanax!

Elle enfouit son visage dans ses mains.

L'expression d'horreur et de pitié sur le visage de mon père s'était muée en rage quand soudain Andromaque, sentant peut-être la folie meurtrière qui à présent l'animait, leva les yeux vers lui.

– Non, Enée, dit-elle. Ne souhaite pas que Pyrrhus revienne à la vie. Mieux vaut qu'il soit mort. Et ne maudis pas les dieux; lui le faisait.

– Andromaque! s'écria mon père. Comment pour-

rais-je te réconforter? Ces blessures ne se referme-
ront-elles jamais?

Andromaque secoua la tête.

– Non, elles ne se refermeront jamais, répondit-
elle calmement, mais déjà tu m'as apporté quelque
chose d'infiniment précieux. Tu m'as amené Ascagne. Maintenant qu'il est ici, j'ai l'impression qu'Astyanax vit de nouveau.

Pour la première fois, mon père pouvait abdiquer
le commandement que lui avaient imposé les dieux.
Même si mon grand-père avait pu nous indiquer
notre destination, il était hors de question de quitter Buthrote tant qu'il était malade. Pendant des
semaines il oscilla entre la vie et la mort; ce furent
sans aucun doute les soins dévoués d'Andromaque
qui le sauvèrent. Quand il commença enfin à recou-
vrer ses forces, l'automne était déjà bien avancé.
Nous n'avions toujours aucune nouvelle d'Hélénos.
Le sens du devoir qu'éprouvait mon père envers les
dieux lui fit suggérer que peut-être il devrait se
rendre à Dodone pour y consulter l'oracle avant la
venue de l'hiver; mais Andromaque l'en dissuada.
La route était difficile et dangereuse, lui dit-elle,
pour ceux qui ne la connaissaient pas; pourquoi
cette impatience, quand les dieux lui offraient un
répit après tant d'errance? Pourquoi ne pas attendre le retour d'Hélénos dont la connaissance de
l'avenir dépassait celle de tout autre homme? Mon
père ne demandait qu'à se laisser convaincre; sou-
lagé, il bannit de son esprit toute pensée concernant le futur.

N'étant plus confiné aux étroites limites d'un
bateau et libéré en partie de la surveillance jalouse
de Caieta, je devenais presque mon propre maître.
Tant que dura la clémence du temps, j'allai nager et

lutter avec mes camarades sur la plage, débusquer du gibier d'eau, escalader les falaises avoisinantes, chasser avec Achate et mon père. Parfois j'allais parler avec mon grand-père qui gisait dans la petite chambre attenante à celle d'Andromaque, et il me racontait l'histoire des dieux; ou bien, quand sa fièvre fut tombée et qu'il recommença à boitiller d'une pièce à l'autre, je l'aidais à marcher; ou bien encore je conversais avec Andromaque tandis qu'elle travaillait à son métier à tisser pour me confectionner un manteau brodé. Souvent, Caieta trouvait un prétexte pour nous interrompre, mais jamais Andromaque ne perdait patience. Il lui arrivait de prendre gentiment mon parti, mais le plus souvent elle me chuchotait que Caieta avait raison et que je devais partir.

— Pauvre femme, elle ne peut qu'être jalouse, me disait-elle (car je lui avais raconté que Caieta avait perdu son mari et ses enfants depuis très longtemps), et puis tu es très beau, Ascagne, presque aussi beau qu'Astyanax.

S'appliquant à moi, ce mot me laissait froid. J'aurais préféré lui entendre dire que j'avais le pied agile, que j'étais souple et fort. Il convenait bien plus à Andromaque, mais sa beauté était éthérée, étrangement insaisissable, émanation presque spirituelle qui ne défiait ni n'éveillait le sang. Ce ne sont point tant ses longs doigts déliés que je me rappelle, ni la courbe délicate de sa gorge ou de sa poitrine, mais plutôt sa voix sereine et mélodieuse, sa douceur inlassable et nuancée de tristesse. Elle s'était retirée de la compétition que représentait l'existence; lutter pour quoi que ce fût lui était désormais étranger. Je savais qu'elle éprouvait un infini plaisir à m'avoir auprès d'elle; mais jamais elle ne se comportait comme si elle avait eu des droits sur moi. Souvent je sentais son regard me suivre quand je la quittais, et parfois elle me demandait presque timidement si je voulais bien l'embrasser. A demi heureux et à demi contrarié de la pression de ses bras contre moi, je l'embrassais. Mon père en éprouvait-il de la jalousie à mon égard? Je me le demandais parfois. Je le sentais confusément : bien qu'il fût indifférent aux autres femmes moins bien nées, il éprouvait pour Andromaque de la compassion et aussi du désir. Si je remplaçais Astyanax, n'aurait-il pas pu remplacer Hector? A l'exception de cette unique fois où il posa la main sur le bras d'Andromaque, jamais je ne le vis la toucher. Pourtant, je le voyais tomber peu à peu sous son charme.

C'était l'envoûtement du passé. Chaque jour, ils se rendaient au tombeau d'Hector et accomplissaient le Rite des Morts devant le monticule de gazon vert et vide. Ils parlaient indéfiniment de lui, de Priam, de ma mère, de Troie et des nombreux autres Troyens qu'ils avaient connus. Mon père décrivait une broche que ma mère portait et dont Andromaque se souvenait; elle décrivait un jouet qu'Hector avait donné à son fils. Ensemble, ils gravissaient par la pensée les marches du temple d'Aphrodite ou suivaient le cours turbulent du Scamandre; par divers chemins ils s'engageaient dans des voyages imaginaires pour se retrouver près d'une hutte de berger, d'un figuier sauvage, d'un mur en ruine. Mon père riait comme un enfant en parvenant à leur destination choisie, et les yeux d'Andromaque s'égayaient d'une joie timide. Puis une gêne s'instaurait et ils retombaient dans un silence mélancolique, chacun plongé dans ses rêveries intimes.

Andromaque représentait le passé, Hélénos annonçait le futur. Dès le jour de son retour, tout changea sous l'influence de sa puissante intelligence.

Hélénos n'était qu'un petit homme grisonnant et un peu chauve; mais il nous domina tous immédiatement. Il embrassa Andromaque avec plus de solennité que d'affection et nous salua avec une courtoisie dénuée de toute effusion hypocrite. Il était depuis longtemps informé de notre arrivée – bien que ce ne fût apparemment pas du fait d'Andromaque; mieux encore, il connaissait le récit de nos aventures et savait exactement combien nous étions. Savait-il tout cela par ses informateurs de Buthrote? Ou bien par le fait de son don de voyance? Nous ne le sûmes jamais.

Ce qui apparut aussitôt, ce fut le respect de Buthrote à son égard. Pour beaucoup, il avait d'abord dû sembler un intrus originaire d'une autre race, mais, justement parce qu'il n'était pas un héros, il montrait de bien meilleures dispositions à gouverner que Pyrrhus, avec en particulier un intérêt pour le commerce et un désir d'entretenir de bonnes relations avec d'autres cités qui avaient totalement manqué à son prédécesseur. Il avait appris à parler le dialecte local; il avait inlassablement visité les régions les plus reculées de son royaume et administré la justice. Avant tout, il était prophète.

Le premier signe manifeste de son influence fut le changement d'attitude de la population à notre égard. Andromaque n'avait pu obtenir d'eux qu'une indifférence réticente; elle seule nous avait nourris, logés, vêtus. Dès lors, tout cela changea. Les femmes se mirent à dispenser plus volontiers leurs faveurs. Les garçons et les jeunes gens commencèrent à fraterniser avec nous. Pour la première fois, nous reçûmes une aide active pour la réparation et l'entretien de nos navires. La raison de ce soudain accès d'amitié nous apparut rapidement. Hélénos avait promis que nous partirions dès la fin de l'hiver. Il avait déjà choisi notre lieu de destination. La terre vers laquelle nous devions nous diriger était l'Italie.

– L'Italie, répéta mon grand-père d'une voix dénuée de toute expression. (Ce nom ne signifiait manifestement rien pour lui.) Cette terre n'a-t-elle pas un autre nom?

– On l'appelle aussi l'Hespérie, répondit Hélénos.

Mon grand-père tressaillit.

– L'Hespérie, la terre d'Occident, murmura-t-il.

– Certains donnent ce nom à un autre pays situé plus à l'ouest encore, expliqua Hélénos avec soin, un pays qui s'étend jusqu'aux Colonnes d'Hercule, au delà duquel se trouve l'océan éternel.

Mon grand-père ne répondit rien mais demeura immobile, les yeux clos.

– Mais Teucer venait de Crète, intervint mon père, et c'est lui qui a construit Troie.

– Teucer venait de Crète, convint Hélénos, mais il épousa la fille de Dardanos après avoir débarqué dans la plaine de Troie. Dardanos est notre ancêtre au même titre que Teucer.

Mon grand-père se mit soudain à parler avec une excitation croissante :

– L'oracle de Délos, Enée, t'en souviens-tu? Le dieu nous appela Dardaniens et non pas Troyens. Sur le moment, je n'y pris pas garde. Je vois à présent comme je fus alors insouciant. Il y avait trois tribus – les Dardaniens, les Iliens, les Troyens. Toi et moi sommes de souche dardanienne, et c'est Dardanos, non point Teucer, qui est notre ancêtre. Troie était notre cité d'adoption, et non pas notre lieu de naissance. Sot que je suis, de nous avoir tous égarés.

— Mais nous sommes les gardiens des dieux de Troie, s'écria mon père, et c'est Hector lui-même qui nous les confia. D'où venaient-ils, sinon de Crète?

Il regarda Hélénos, qui hocha la tête.

— Je ne peux pas encore vous le dire, répondit-il. Mais je puis déjà vous révéler ceci: Dardanos ne venait pas de Crète mais d'Hespérie.

— Pourquoi devons-nous toujours être dans l'incertitude? cria mon père. Les dieux ne peuvent-ils donc jamais s'exprimer clairement?

— Ils parlent plus clairement à certains qu'à d'autres, répondit Hélénos. Mais, même si nous ne les comprenons pas, nous ne devons jamais cesser d'écouter. C'est courir à notre perte que de les négliger. L'orgueil et la présomption sont les pires de toutes les folies humaines.

Je compris qu'il pensait à Pyrrhus.

— Mais pourquoi les dieux ont-ils manifesté tant de cruauté à Andromaque? m'écriai-je impulsivement. Elle n'est ni insolente ni orgueilleuse.

Mon père et mon grand-père me dévisagèrent étonnés; seul Hélénos semblait trouver normal qu'un enfant l'interrogeât.

— Tu fais bien de poser cette question, Ascagne, dit-il en me considérant gravement. Je vois que tu lui portes une grande affection.

J'acquiesçai.

— Presque autant que si elle était ta mère, peut-être?

Il lança un regard à mon père tout en parlant.

— Non, répondis-je, elle n'est pas assez forte. Les dieux l'ont brisée. Pourquoi? Elle est bonne, douce, dévouée.

– Elle a en effet toutes ces qualités, Ascagne, mais il est une chose que tu dois désormais comprendre. Ce ne sont pas les dieux qui ont brisé Andromaque. La faute fatale était déjà là : elle aimait trop son époux et son fils.

Mon père se troubla au souvenir de la terrible explosion de peine d'Andromaque.

– Tu ne veux tout de même pas dire qu'elle méritait de perdre Hector et Astyanax? s'enquit-il presque rageusement.

– Non pas qu'elle le méritait, répondit Hélénos, mais qu'un amour aussi passionné représente une sorte de défi au destin, une inconsciente provocation à l'égard des dieux. Les dieux sont jaloux. Aucun mortel ne peut nous appartenir totalement, corps et âme; aucun mortel ne peut prendre complètement possession de nos cœurs.

Je frémis, sentant obscurément que, si cela était vrai, même la plus douce des émotions humaines semblerait impie. Comment pouvait-on espérer pouvoir jamais apaiser ces divinités jalousement attentives, prêtes à nous punir même pour un excès d'amour?

Hélénos avait dit que nous prendrions la direction de l'Italie dès la fin de l'hiver; mais il ne nous avait pas révélé notre lieu de destination ultérieur. Chaque nuit, il étudiait les étoiles qui présidaient à la destinée de mon père, en attendant la conjonction requise. Enfin le moment vint. Le front ceint d'une couronne de laurier, il conduisit mon père dans le temple d'Apollon, chargé des dieux de Troie.

Toute la matinée ils y restèrent, derrière les portes closes, et quand enfin ils émergèrent de la pénombre du temple dans la lumière du jour, j'observai qu'Hélénos semblait affaibli et hébété par sa transe prophétique; car il ne s'était pas agi cette fois de révélations brèves et mystérieuses comme celles qu'avaient énoncées les oracles. Des noms de lieux inconnus étaient sortis de la bouche du devin – des lieux qui guideraient mon père au fil de son voyage. Enfin il savait où se trouvait cette terre d'où venaient Dardanos et les dieux de Troie. Latium était son nom; le peuple des Latins y vivait, et elle s'étendait sur la côte occidentale de l'Italie, au sud d'un fleuve appelé le Tibre. Nous saurions quand nous arriverions à bon port, car là, une fois à terre, nous accomplirions l'oracle à notre insu en mangeant nos écuelles. Non loin du lieu où nous débarquerions, mon père allait découvrir dans un bois une énorme truie blanche entourée de ses trente petits; c'était là qu'il devrait construire sa capitale, ce qu'elle demeurerait trente années. Ensuite, moi, son fils, je devais fonder une seconde capitale dans les collines, à l'intérieur des terres.

Comme elle était convaincante, cette révélation sans artifice de la façon dont les dieux allaient nous guider! Cette fois, il ne semblait rester aucun point obscur où l'esprit humain pût se méprendre. Mon pouls s'accéléra à l'idée que j'aurais, moi aussi, un rôle à jouer. Mon grand-père, parfaitement assuré que nos épreuves étaient terminées, se montrait impatient de partir. Nos compagnons, dont la confiance en la mission de mon père avait été amèrement ébranlée, accueillirent avec enthousiasme ses paroles d'encouragement au départ. Hélénos luimême nous engagea vivement à ne pas manquer le premier vent favorable; il fit appel à des volontaires pour venir renforcer nos équipages, nous fournit de nouvelles armes, des avirons, un équipement complet, et nous chargea de présents. Même Andromaque semblait heureuse pour nous; et pourtant, je sentais que quelque chose n'allait pas.

Hélénos n'était-il pas un peu trop impatient de nous voir partir? Pourquoi avais-je entendu sa voix s'enfler sous l'effet de la colère et trouvé Andromaque en larmes? Quant à l'exubérant optimisme de mon père, n'était-il pas feint?

Cela se produisit la veille de notre départ. Hélénos nous avait offert un somptueux festin dans sa grande salle de banquets, avec une profusion de poisson et de gibier servis sur des plats d'or, et nous avions bu dans de beaux gobelets – le butin que Pyrrhus avait rapporté du palais de Priam, ne prévoyant guère comment il reviendrait entre des mains troyennes. J'étais assis auprès d'Andromaque, partageant sa table et lui racontant avec une vive excitation toutes les merveilles que nous verrions en route. Il existait une île appelée la Sicile, que nous allions visiter, et où une énorme montagne dressait sa tête jusque dans le ciel, crachant des pierres, de la fumée et du feu; et sur ses bas versants, m'avait-on dit, vivait un peuple de monstres dotés d'un seul œil.

Andromaque m'écoutait tendrement, sans jamais quitter mon visage des yeux. Quand enfin je me tus, elle se pencha de la couche où elle était allongée et me prit la main.

– Viens, Ascagne, tu dois essayer le manteau que j'ai tissé pour toi.

Dans l'excitation des préparatifs de départ, je l'avais oublié; mais je me levai aussitôt et la suivis docilement.

Le manteau était drapé sur une chaise, à côté de son métier à tisser. J'admirai les broderies riches et délicates, puis le revêtis et me mis à parader dans la pièce, conscient d'être un prince et fier de me sentir devenu déjà presque adulte.

Soudain je me rendis compte qu'Andromaque m'observait avec une expression d'une curieuse intensité. Je m'immobilisai, confus, car je ne l'avais pas remerciée pour ce cadeau princier, et je balbutiai timidement que je penserais à elle chaque fois que je le porterais.

— Tu grandis si vite qu'il sera bientôt trop court pour toi, observa-t-elle tristement. Tu seras vite aussi grand qu'Hélénos. Quel âge as-tu, Ascagne?

— Je crois que j'ai onze ans, répondis-je après un moment de silence.

— Oui, tu es un peu plus âgé que ne le serait Astyanax. Comme tu vas me manquer! (Elle hésita :) Moi aussi, il me restera quelque chose pour penser à toi, mais ce doit rester un secret entre nous. Veux-tu que je te fasse voir?

J'acquiesçai, intrigué.

— Viens ici, fit-elle doucement.

Je m'approchai de la chaise sur laquelle elle s'était assise. Me prenant la main, elle la glissa entre ses vêtements, au-dessus de sa ceinture.

— Là, murmura-t-elle, sens, Ascagne. Bouge lentement ta main sur mon corps.

J'avais assez souvent vu des femmes nues, mais c'était la première fois que je touchais le corps nu d'une femme. Je promenai ma main sur ses rondeurs lisses et douces, soudain conscient de son attirante beauté. Comment avais-je pu ne pas remarquer qu'Andromaque avait un corps?

— Comme tu es belle! murmurai-je presque involontairement.

Soudain, la vérité m'illumina et j'ôtai vivement ma main, fixant sur elle un regard effaré.

– Oui, déclara-t-elle en souriant, voici ton frère, Ascagne.

– Mon frère? répétai-je, incrédule. Hélénos le sait-il? Et mon père?

– Ton père l'ignore et doit l'ignorer, mais Hélénos l'a su immédiatement. Il m'a annoncé que l'enfant serait un garçon.

Andromaque ne différait donc pas des autres femmes. Une brusque colère m'envahit.

– Mais tu disais que tu ne pouvais pas supporter qu'un homme te touche. Tu disais que jamais tu n'aurais d'autre enfant.

– Pourquoi te scandalises-tu ainsi? s'étonna Andromaque. Est-ce à cause d'Hélénos? Il s'est tout d'abord mis en colère, mais il veut un fils et sait qu'il ne peut m'en donner. Il ne m'aime pas. Que lui importe de savoir qui est le père?

– Non, ce n'est pas à cause d'Hélénos, balbutiai-je.

– Alors es-tu jaloux parce que j'ai rendu ton père heureux? s'enquit Andromaque en me caressant doucement les cheveux.

Je m'écartai vivement d'elle. Etais-je jaloux? Je n'en savais rien. Je savais uniquement qu'elle m'avait en quelque sorte trahi.

– Et cela t'a fait plaisir... d'être la concubine de mon père?

Elle tressaillit et secoua la tête.

– Alors pourquoi l'as-tu fait? Que doit penser Hector de toi?

Je constatai avec satisfaction que je l'avais blessée.

– Je l'ai fait à cause de toi, Ascagne, répondit-elle d'une voix mal assurée. Je voulais un petit Ascagne en souvenir de toi. Avais-je donc tellement tort? Hector comprendrait.

Je gardai le silence, empli de compassion pour sa solitude, mais impatient d'y échapper.

– Non, tu n'as pas eu tort, prononçai-je finalement d'une voix radoucie, mais pourquoi mon père ne devra-t-il jamais le savoir?

– Parce qu'il n'a nulle envie de quitter Buthrote, m'expliqua-t-elle simplement. Il me dit qu'il retrouve enfin, ici, sa patrie. Il n'est pas épris de moi, mais il est heureux de partager mes souvenirs, de revivre le passé. S'il était tenté de désobéir aux dieux et de rester...

Elle frémit.

– Et puis il y a aussi ta destinée, Ascagne, la tienne aussi bien que la sienne.

Oui, me dis-je résolument, il ne faut rien faire qui puisse le retenir. Tout valait mieux que de s'attarder ici, à Buthrote, à vivre sur des souvenirs périmés.

Je m'inclinai et l'embrassai sur la joue.

– Au revoir, Andromaque. J'espère... J'espère que les dieux te permettront d'être heureuse.

En regagnant ma chambre, j'ôtai le manteau et l'examinai – ce touchant témoignage de vaine tendresse et de travail.

– C'est un manteau d'enfant, marmonnai-je rageusement en moi-même, mais je ne suis plus un enfant. Je le donnerai à Atys dès que nous serons à bord.

Je soufflai la lampe et m'étendis, scrutant l'obscurité et songeant à ma destinée. C'était l'avenir qui comptait, et non point Andromaque.

Jamais je n'oublierai notre première vision de l'Italie, le lendemain de notre départ de Buthrote – les collines floues et la côte basse de l'Apulie, dans le lointain, faiblement éclairées par les premières lueurs de l'aube. Mais Hélénos nous avait interdit d'y aborder. Lorsque nous aurions franchi l'étroit goulet qui séparait l'Epire de l'Apulie puis contourné le promontoire consacré à Minerve, nous devions nous diriger au sud-ouest vers la Sicile, en évitant les colonies grecques établies sur la côte méridionale de l'Italie. Une fois, poussés par de forts courants, nous abordâmes au rivage situé sous l'Etna et vîmes la gigantesque montagne vomir dans le ciel un tourbillon de fumée noire où tournoyaient de sinistres braises rouges et des boules de feu. Cette nuit-là, nous nous couchâmes dans les bois sans pouvoir dormir à cause du grondement caverneux de la montagne, cependant que l'épais brouillard poisseux effaçait la lune et les étoiles.

Le lendemain, un vent du nord s'engouffra dans nos voiles et nous voguâmes à bonne allure vers le sud, longeant l'îlot bas et rocheux que l'on nomme l'île aux Cailles, puis la fontaine d'Aréthuse d'où l'eau fraîche jaillit sur la rive. Désormais, le voyage ne nous réservait plus de mésaventures. Même la pointe méridionale de la Sicile, tant redoutée par les marins les plus intrépides pour ses vents de terre, ses éboulements de roches et ses récifs cachés, parut nous contempler avec bonhomie tandis que nous contournions ses falaises escarpées. Jour après jour nous naviguions vers l'ouest à bonne allure, sous un soleil bienveillant. En Sicile occidentale, nous avait dit Hélénos, nous rencontrerions un peuple amical, les Elymiens, qui adoraient Aphrodite. Si Apollon était notre guide, Aphrodite était notre protectrice. Là, à Drepanum, nous pourrions nous reposer de notre voyage dans un port entouré d'îles où nos navires seraient protégés comme par les bras aimants de la déesse; et tout près de là, sur le mont Eryx, se dressait un temple bâti en son honneur.

Je ne saurais dire lequel, de mon père ou de mon grand-père, avait la plus grande hâte d'arriver à Drepanum. Notre long voyage depuis l'Epire avait si manifestement bénéficié de la protection des dieux que les pressentiments de mon père s'étaient évanouis comme la brume dans une vallée où apparaissent les rayons du soleil. S'il regrettait encore Buthrote, il n'en montrait rien. D'Hélénos, il parlait souvent, avec admiration, mais rarement d'Andromaque, et plus rarement encore du passé. Il avait recouvré non seulement sa confiance dans notre avenir, mais aussi sa foi en sa divine mère. Oubliant le long silence qu'elle lui avait marqué, il rêvait de renouer la communion presque mystique qu'il avait ressentie avec elle avant notre fuite de Troie.

L'attitude de mon grand-père n'était pas aussi simple. Il n'avait jamais parlé d'Aphrodite, seulement de Zeus et d'Apollon, dont nous devions suivre les commandements; et pourtant il se mit à évoquer ardemment notre visite à Eryx dès l'arrivée à Drepanum, presque comme si nous n'avions plus eu à gagner l'Italie.

Situé au nord-ouest de la Sicile, Drepanum se trouvait en vérité bien plus loin du Latium qu'aucun de nous ne le soupçonnait alors. La petite ville semblait accroupie sur une étroite bande de terre en forme de faux, son port tourné vers le sud. Plus tard, quand nous y revînmes, nous comprîmes que cette direction était symbolique. Drepanum faisait face à l'Afrique et tournait le dos à l'Italie, située fort loin vers le nord-est. Dès notre arrivée, les Parques devaient avoir mission de nous attirer vers Carthage. Pourquoi Hélénos ne nous en dit-il rien? Ne le prévit-il pas? Fut-ce le fait d'Aphrodite? Le

Tout-Puissant Zeus y consentit-il, ou fut-il lui-même impuissant à l'empêcher? Maintenant encore ces questions m'assaillent.

Malgré son extrême éloignement, Drepanum allait se révéler moins étranger que nous ne le supposions. La veille, nous avions aperçu des bateaux de pêche, et pendant la nuit des feux de repère tout au long de la côte. Peut-être nous prenait-on pour des pirates; en tout cas, la nouvelle de notre arrivée nous avait précédés. En approchant du petit port un peu après l'aube, nous découvrîmes la population entière en effervescence. Il n'y avait point de soldats comme à Buthrote, ni de bateaux assez importants pour se mesurer à nous, mais un certain nombre de petites embarcations patrouillaient à l'entrée du port. Tandis que nous approchions, nous fûmes hélés du rivage par un homme massif à l'air rude qui arborait une couronne faite de défenses de sanglier et avait le corps ceint d'une peau d'ours. Sa voix de stentor nous parvint aisément, et nous constatâmes avec stupéfaction qu'il parlait une langue proche de la nôtre.

– Nous sommes troyens, cria mon père en réponse, enchanté et surpris.

La réaction fut immédiate. Le roi lui-même se mit à courir sur la petite jetée afin de nous accueillir tandis que nous entrions l'un après l'autre dans le port. Ses compagnons s'élancèrent pour nous aider à accoster. A peine commençâmes-nous à débarquer que, déjà, une foule grouillante de pêcheurs et de paysans nous entourait.

C'étaient là les Elymiens qu'Hélénos avait mentionnés dans sa prédiction; et comme il l'avait annoncé, ils nous accueillaient en amis. Mais comment expliquer que ce peuple lointain parlât notre langue? Hélénos n'avait jamais mentionné de colonie troyenne établie vers l'ouest.

Ce fut Aceste, leur roi, qui nous raconta l'histoire pendant que nous nous rendions, en convoi de chariots, jusque dans sa capitale située au-dessus de Drepanum. Sa mère, fille d'un noble Troyen, avait été vendue en esclavage par le tyrannique prédécesseur de Priam. Avec l'aide d'Aphrodite, elle s'était enfuie de chez ses maîtres jusqu'en Sicile occidentale où elle avait épousé le roi de cette peuplade primitive de pêcheurs qui adoraient Aphrodite, déesse de la mer; elle lui avait enseigné sa langue, ainsi qu'à leur fils, et l'avait répandue parmi leurs sujets. En marque de gratitude à l'égard de la déesse, elle avait construit le temple du mont Eryx. La mère d'Aceste avait déjà été déifiée; bientôt, quand les colombes d'Aphrodite s'en iraient pour revenir une nouvelle fois, il fonderait une nouvelle cité en son honneur.

– Ses colombes, répéta mon grand-père, le regard illuminé. Je me souviens... Je me souviens de ces colombes au temple de Paphos, à Chypre. J'étais encore un jeune homme, en ce temps-là. Comme cela paraît loin!

Mon père le dévisagea avec étonnement.

– Tu ne m'avais jamais dit que tu étais allé à Paphos, père.

– On affirme qu'elle y est née, poursuivit rêveusement mon grand-père. Née de l'écume des flots.

Il se tenait immobile, les yeux clos, comme inconscient de notre présence, et revivait les souvenirs de sa lointaine jeunesse.

Le temple d'Aphrodite se trouvait à une petite distance de la capitale montagneuse d'Aceste. Ce n'était point une construction surmontée d'un toit comme nous en avions connu à Troie. Les sacrifices se déroulaient à ciel ouvert, sur un autel entouré par des murs. Jusque tard dans la nuit, on entretenait les feux; mais quand pointait l'aube il ne restait point de cendres ni de braises, point de bûches à demi consumées ni de trace du sang des sacrifices. Chaque jour avant l'aube, quand apparaissait l'étoile d'Aphrodite, l'autel était orné de fleurs fraîches et d'herbes humides de rosée, car partout où Aphrodite se rend, l'herbe et les fleurs jaillissent sous ses pas.

Nous avions sacrifié et rendu grâces à la déesse. Nous avions imploré sa protection pour la suite de notre voyage. Le visage de mon père exprimait le bonheur et la sérénité; mon grand-père semblait perdu dans un rêve. Nous nous tenions sur une butte qui surplombait le temple. Alentour voletaient des centaines de colombes qui s'interpellaient dans le ciel bleu et limpide. Jamais aucun oiseau de proie, nous révéla Aceste, ne venait les troubler. On eût dit que tous les êtres vivants reconnaissaient ici la demeure d'Aphrodite.

Mon grand-père les contemplait en silence. C'était le jour où l'on pensait qu'elles s'en iraient. Chaque automne elles repartaient, comme en pèlerinage.

– Vers où s'envoleront-elles? demanda-t-il à Aceste. Vers Paphos?

Dans sa voix perçait une note de regret.

Aceste parut incertain.

– Nul ne le sait sauf la déesse, répondit-il, mais elles s'envolent vers le sud, comme si elles se rendaient en Afrique.

– En Afrique? s'étonna mon grand-père. Mais où est l'Afrique? Quel peuple vit là?

– Des Phéniciens s'y sont établis, expliqua brièvement Aceste. Parfois leurs navires font escale à Drepanum.

De la butte sur laquelle nous nous trouvions, au-dessus du sommet du mont Eryx, il contemplait fixement l'horizon sans nuages, au delà du vaste océan. Une brise moelleuse nous caressait délicieusement les joues, comme une malicieuse déesse. Loin au-dessous de nous, serrées comme des ruches, s'étendaient les maisons de Drepanum, avec le port à peine plus grand qu'une flaque entre les rochers.

– Voici l'Afrique! cria-t-il soudain en saisissant le bras de mon père. La vois-tu, Enée? La vois-tu, Ascagne? Cette faible ligne grise à l'horizon, loin au delà des îles?

Nous la vîmes aussitôt, cette ligne ténue, à peine perceptible, si éloignée que j'avais du mal à croire que ce puisse être une terre habitée par des êtres de chair et de sang. Nous échangeâmes des regards empreints d'une inexplicable excitation.

– Je ne vois rien, déclara mon grand-père. (Sa voix tremblait légèrement.) Rentrons.

Nous regagnâmes le chariot dans lequel Aceste nous avait conduits au temple, mon grand-père s'appuyant lourdement au bras de mon père. Pendant tout le trajet de retour jusqu'à la modeste demeure rustique qu'Aceste appelait son palais, il demeura prostré, comme endormi; mais, quand nous nous arrêtâmes dans la cour de la maison, toute simple et nue avec sa mare boueuse où caquetaient des canards, il prit soudain la parole. Aceste, que l'on avait appelé ailleurs, avait déjà disparu.

– C'est à cause des Phéniciens que ses colombes s'envolent vers l'Afrique. Là-bas on la nomme Astarté.

Il observa un long silence, puis reprit doucement :

– Paphos également était une ville phénicienne.

Mon père le souleva du chariot et le déposa par
terre avec précaution. A notre consternation, il
vacilla et faillit tomber.

– Il faut te reposer, dit mon père avec détermi-
nation. Je crains que tu ne sois un peu souffrant.

Mon grand-père sourit.

– Oui, porte-moi dans ma chambre, mon fils, et
fais venir aussi Ascagne. Je dois vous parler à tous
deux.

Le visage empreint d'anxiété, mon père le souleva
dans ses bras et l'emporta dans sa chambre. Avec
une tendre lenteur, il déposa le corps frêle sur le lit
de bois qui était placé en face de la fenêtre et tira le
rideau en peau de chèvre afin de réduire la lumière
forte qui régnait dans la pièce.

– Du vin..., murmura mon grand-père.

Son visage était d'une extrême pâleur. Je versai
du vin dans un grossier gobelet en terre cuite et
le portai à ses lèvres. Il but lentement et ses joues
cireuses reprirent un peu de couleur cependant
qu'il me souriait.

– Ascagne, le porteur de coupe, chuchota-t-il.

– Je vais chercher Aceste. Il connaît beaucoup de
précieux remèdes, intervint mon père, qui éprouvait un embarras croissant.

Mon grand-père secoua la tête.

– Personne, articula-t-il distinctement. Pas même
Aceste.

– Mais tu es malade, père. Il saura ce qu'il faut
faire.

– Je ne suis pas malade, Enée. Je meurs.

Mon père fit un geste d'horreur.

– Je suis venu jusqu'ici pour mourir, mon fils.

Quand les colombes s'envoleront, mon esprit s'en ira avec elles. Je n'étais pas destiné à atteindre l'Italie. Je l'ai toujours su.

Il s'interrompit :

– Donne-moi encore un peu de vin, Ascagne, ajouta-t-il d'une voix faible. Il reste peu de temps, et les forces me manquent... Maintenant, mes enfants, écoutez, reprit-il d'une voix raffermie après avoir vidé le gobelet. Ta mère, Enée... Aphrodite m'autorise à te le révéler maintenant. Elle est bien sûr ta mère divine, et te protégera jusqu'à ta mort; mais ta mère terrestre était sa prêtresse à Paphos, une Phénicienne. A chaque printemps, le rite prescrivait qu'elle prît un bain dans la mer pour renouveler sa virginité, et c'est là que je la vis sortir nue des vagues comme la déesse elle-même. M'émerveillant de sa beauté, je m'étendis avec elle et l'enlaçai, certain du sourire complice d'Aphrodite, car nous éprouvâmes alors ensemble un plaisir comme je n'en ai jamais connu depuis. Mais nous avions éprouvé ce plaisir à un moment interdit et commis un sacrilège, même si nous espérions obtenir le pardon de la déesse. Craignant d'être mis à mort, nous nous enfuîmes de Paphos et, après une longue errance, prîmes le chemin de Troie. Peut-être la déesse voulait-elle nous punir de notre témérité. Je sais simplement que toi, le fruit de notre amour, tu naquis dans une terrible tempête et que ta mère bien-aimée mourut dans mes bras aussitôt après t'avoir mis au monde. Peut-être était-ce elle plus que moi qui avait péché aux yeux d'Aphrodite, car depuis lors elle nous a toujours protégés.

Il s'interrompit pour reprendre son souffle; mon père et moi attendîmes en silence.

– Nous, les Troyens, devons beaucoup aux Phéniciens, reprit mon grand-père plus lentement, entre autres raisons parce qu'ils sont les ennemis des Grecs. Mais n'oublie jamais, mon fils, que même s'ils honorent plus encore Aphrodite que ne le font les Troyens, même si ta mère était phénicienne, même si leurs femmes sont les plus belles de la terre, ta destinée n'est pas la leur.

Mon père tressaillit.

– Pourquoi me dis-tu cela, père? Nous nous rendons en Italie, et non pas en Afrique.

– Je te le dis, répondit paisiblement mon grand-père, parce que tu es destiné à épouser une femme de sang royal d'une race différente de la nôtre.

– Pourquoi Hélénos ne nous en a-t-il rien dit? demanda vivement mon père.

– Peut-être le Tout-Puissant Zeus n'est-il pas seul à vouloir contrôler ton avenir. Il y avait plusieurs choses que même Hélénos ne pouvait pas te révéler. Il ne t'a jamais dit d'apaiser Junon.

– Junon? répéta mon père en écho. Mais elle est la déesse des Grecs. Je sais qu'elle était l'ennemie jurée de Troie, mais pourquoi devrait-elle me poursuivre à présent de sa haine? En quoi ai-je blessé les Grecs depuis la chute de Troie?

– Souviens-toi, souviens-toi toujours, déclara mon grand-père solennellement, que tu as été choisi pour fonder une nouvelle Troie et que cette petite colonie produira un empire qui s'étendra jusqu'aux quatre coins de la terre. Ce sont tes descendants qui en fonderont la puissante capitale, qui se nommera Rome.

Sa voix s'éteignit. Ses yeux se fermèrent, et il demeura immobile, épuisé, respirant à peine. Mon père se dressa d'un bond en poussant un cri d'alarme.

– Donne-lui encore du vin, Ascagne, murmura-t-il d'une voix pressante.

– Non, dit mon grand-père.

Il rouvrit lentement les yeux.

– Je ne vous vois plus, articula-t-il avec peine. Ecartez les rideaux, ouvrez la fenêtre en grand.

Je consultai mon père du regard. Il acquiesça et j'écartai les peaux de chèvres. La chaude lumière jaune du soir envahit la pièce, ainsi qu'une douce brise venant de la mer.

– Agenouille-toi, Enée, que je puisse te bénir. Et toi aussi, Ascagne.

Nous nous agenouillâmes près du lit et, dans un immense effort, mon grand-père leva sa main parcheminée et lentement la posa sur nos deux têtes, l'une après l'autre.

– Que les dieux te protègent, chuchota-t-il faiblement, comme tu as protégé un vieillard infirme.

Mon père donna libre cours à ses sanglots.

– Ne nous quitte pas, grand-père. Que ferons-nous sans toi? criai-je en lui saisissant la main, éperdu de désespoir.

– Tous les mortels doivent mourir un jour, Ascagne, répondit-il faiblement. Les dieux m'appellent. Je ne puis leur désobéir.

C'est alors que je l'entendis – un battement d'ailes, lointain d'abord, puis plus fort. Je m'élançai vers la fenêtre ouverte et regardai dehors. Des centaines de colombes s'envolaient à la suite de leur guide blanc comme neige, en route vers le sud.

Un grand soupir s'éleva du lit – un soupir de soulagement, de bonheur. Puis ce fut le silence.

– Il est parti, murmura mon père.

Il avait les yeux fixés droit devant lui, et je me rendis compte que la mort de mon grand-père constituait peut-être pour lui le coup le plus cruel.

5

La mort brutale de mon grand-père plongea tous nos compagnons dans un profond désarroi. Même les enfants sanglotèrent avec un chagrin sincère, car ils voyaient en lui un grand-père pour eux-mêmes aussi bien que pour moi. Mais nous avions perdu bien plus qu'un simple personnage familier; nous avions perdu brusquement notre chef spirituel. Sa disparition, avant même que nous eussions atteint notre destination, semblait de mauvais augure. Un précieux lien avec les dieux venait de se briser. Comment pouvions-nous être sûrs qu'ils continueraient à nous dispenser leur bienveillance, maintenant que mon grand-père avait disparu? Le Latium était encore bien loin, et Hélénos ne nous avait pas dit quand nous y parviendrions. Elle nous semblait à présent plus éloignée que jamais, cette lointaine terre dont nous ne savions à peu près rien. Combien de dangers inconnus nous guettaient encore? La foi sereine de mon grand-père nous avait réconfortés; plus rien désormais ne nous rassurait.

Mon père plus que personne se trouvait maintenant exposé au doute et à la peur, mais s'il les éprouvait, il n'en montrait rien. Il voyait cependant que plus nos compagnons s'attarderaient en Sicile et plus leurs pressentiments s'accroîtraient. Cette fois, il ne manifesta rien du chagrin désespéré qu'il avait laissé exploser après la mort de ma mère. Il se préoccupa uniquement d'agir comme devait agir un chef. Dès que furent achevées les funérailles, il nous ordonna de nous préparer à prendre la mer en direction de l'Italie sans retard.

Notre lieu de destination était Cumes, au sud du Latium; la Sibylle, prêtresse d'Apollon, y demeurait et mon père devait obtenir son concours. C'était là l'unique étape qu'Hélénos nous eût clairement indiquée dans un avenir enrobé de brume. Mon père n'oublia certainement jamais l'avenir glorieux qui attendait nos descendants, mais il ne devait guère en éprouver de joie. Chaque rappel du fait que Zeus l'avait choisi comme instrument ne faisait qu'ajouter à son écrasant fardeau de responsabilités – non seulement envers les dieux, mais envers moi aussi.

Aceste avertit mon père des dangers de l'automne, mais mon père ne lui prêta guère d'attention. Si les dieux voulaient que nous allions en Italie, c'était à eux et non à nous de se soucier du climat et des vents. Il offrirait un sacrifice à Aphrodite pour s'assurer un voyage paisible, bien qu'elle eût repris la vie de son père. N'en rien faire eût été impie et, pour les Elymiens, elle était la déesse de la mer. Mais comment pourrait-il sacrifier à Junon dans le temple d'Aphrodite? Il obéirait à son père et l'apaiserait après notre départ – pas avant.

Nous embarquâmes sous la bruine. Aceste, en bon hôte qu'il était, avait chargé nos navires de tonneaux de vin rouge, et il se tenait à présent sur le rivage pour nous souhaiter bon voyage à tous, l'un après l'autre. Ceux de nos compagnons qui avaient choisi de rester formaient le premier rang de la foule; les hommes nous criaient des paroles d'encouragement et les femmes pleuraient. Les uns avaient perdu courage; d'autres se sentaient désormais trop vieux pour continuer à errer ainsi et préféraient s'établir parmi un peuple qui parlait une langue compréhensible pour eux. De nombreuses femmes, jeunes encore, étaient fatiguées de voyager interminablement et de vivre en concubinage et n'aspiraient plus qu'à trouver un mari et un foyer. Peut-être pleuraient-elles surtout pour nous, tandis qu'elles se tenaient là avec leurs enfants dans les bras. Naguère elles avaient cru, comme nous, en la mission de mon père. A présent, cette quête perpétuelle d'une patrie promise par les dieux ne leur apparaissait plus que comme une aventure insensée. Elles n'osaient pas le dire, mais je le lisais dans leurs yeux.

Aceste, pour sa part, ne le pensait pas, mais il alerta une nouvelle fois mon père quant au danger des nombreux récifs invisibles qui parsemaient la côte et des pirates qui hantaient les îles de la mer Egée. Par deux fois ils avaient attaqué Drepanum dans l'espoir de surprendre la population sans défense. Au nord-est se trouvait un autre groupe d'îles où demeurait Eole, dieu des vents. En été, tous sauf les plus doux restaient enfermés dans une immense caverne, tels des fauves en cage; mais quand venait l'automne, Eole les lâchait et ils s'élançaient sur l'océan en rugissant comme des lions en quête de proies.

Mon père l'écouta, mais sans se laisser fléchir. Aceste s'était montré le meilleur des hôtes, mais mon père ne pouvait plus supporter de rester chez lui depuis la mort de mon grand-père. Nos navires étaient en bon état et manœuvrés par des équipages expérimentés. Non seulement nous étions bien armés et prêts à faire face aux pirates, mais il y avait désormais avec nous beaucoup moins de femmes et d'enfants. Quant aux vents d'automne – il haussa les épaules – si nous rencontrions des tempêtes, nous n'aurions qu'à nous abriter dans l'un des nombreux ports naturels que nous avait décrits Aceste. Cette fois nous allions longer la côte, et non plus traverser l'océan comme nous l'avions fait en quittant la Crète.

Aceste hocha la tête :

– Ce pourrait être moins facile que tu ne l'imagines, observa-t-il d'une voix bourrue, mais puisque tu es décidé à partir, je n'en dirai pas davantage.

Il nous serra contre lui dans un élan de rude affection, puis s'éloigna à grands pas. Nos navires, la coque enduite de poix, avaient déjà été tirés sur l'eau; bagages, passagers et équipages se trouvaient tous à bord, et les rameurs à leurs bancs, prêts à démarrer. Palinure avait pris sa place au banc de timonier. Soudain, un vague pressentiment m'étreignit.

– Père, commençai-je, est-il indispensable que nous partions aujourd'hui?

Il posa sur moi un regard surpris.

– Pourquoi pas? Tout le monde est à bord, la mer est calme et le vent favorable. Il pourrait en aller tout autrement demain.

J'hésitai :

– La visibilité...

– ... est bien assez bonne, interrompit mon père avec impatience. La pluie a déjà cessé, aucune brume ne recouvre l'eau – uniquement les collines.

Il me fixa d'un œil perçant.

– Que se passe-t-il, Ascagne? Nous avons sacrifié à Aphrodite, nous avons offert des libations à Poséidon – chacun de nos capitaines en a fait autant. Aceste t'a-t-il effrayé avec ses histoires d'Eole et de ses vents furieux?

– Non, répondis-je d'une voix incertaine, mais il connaît cette côte mieux que nous.

Mon père eut un rire bref.

– Si nous suivions son conseil, nous resterions ici jusqu'au printemps. Je n'en ferai rien.

– Pas jusqu'au printemps, protestai-je vigoureusement, seulement jusqu'à demain.

– Pourquoi, Ascagne, pourquoi? Est-ce un présage ou un songe? Aphrodite te l'a-t-elle dicté?

Je secouai la tête, fouillant l'obscurité de mon cerveau à la recherche de quelque éclaircissement. Rien ne vint. Je finis par relever la tête vers mon père, gauche et embarrassé.

– Excuse-moi, père, murmurai-je. Peut-être n'était-ce qu'un écho des propos d'Aceste.

Mon père eut un sourire las.

– Je suis toujours le premier à entendre quand quelqu'un a peur, dit-il. Les autres ont le droit de laisser paraître leur frayeur. Pas moi.

Nous embarquâmes, et je repris à contrecœur ma place auprès de Caieta, comme le souhaitait mon père.

– Que disais-tu à ton père? me demanda-t-elle tandis que nous nous éloignions du rivage.

Je la défiai du regard et gardai le silence.

Nos rameurs continuèrent à souquer vigoureusement après que nous eûmes quitté le port, car il y avait fort peu de vent. De nombreux passagers, et en particulier les femmes, regardaient tristement Drepanum s'éloigner puis disparaître, et même la silhouette fière du mont Eryx devint indistincte et floue dans son nuage de brume. Puis, lorsque nous contournâmes la péninsule, le soleil apparut et chassa la mélancolie. Tous les esprits se ranimèrent et les rameurs se mirent à chanter. Peu à peu nous reprîmes leur chant en chœur, à la cadence de leurs avirons. Ce chant racontait l'histoire d'une nymphe aimée de Poséidon et la manière dont il l'avait poursuivie à cheval sur un dauphin. Elle s'était cachée derrière un rideau d'algues ondulantes qui barraient l'entrée d'une caverne située très profondément au-dessous des eaux, mais Poséidon voyait luire ses cheveux blonds au travers des algues et comprenait qu'elle était là. Il taquinait l'obstacle de son trident et, bien sûr, elle prenait peur et tentait de s'enfuir à la nage; mais Poséidon la rattrapait par ses cheveux d'or et l'attirait doucement vers lui. Elle oubliait bientôt ses craintes et s'étendait contre lui comme il le désirait, dans la caverne située très loin au-dessous des flots.

Lorsque s'acheva la chanson familière, nous étions tous de nouveau joyeux et insouciants. Pour la première fois depuis la mort de mon grand-père, je vis mon père sourire. Une douce brise s'éleva du sud. Sur chaque embarcation on se hâta de dresser le mât et de le caler, puis de hisser les voiles. Au sud et à l'ouest, les îles égéennes se dressaient abruptement. Nous voguâmes quelque temps en formation serrée, avec des vigies à leur poste. Nous aperçûmes plusieurs autres navires, mais ils gardèrent leurs distances. Nous poursuivîmes ainsi notre route vers le nord, longeant un promontoire rocheux après l'autre, tous surplombant les vagues à pic; et entre ces pics rocheux se nichaient de petites criques à demi secrètes, serties de pierres et enchâssées dans de hautes falaises lugubres où fourmillaient des multitudes d'oiseaux de mer. Jamais je n'ai vu de paysage plus effrayant ni plus beau.

Nous avions bien avancé et nos équipages paraissaient heureux et détendus. Nous avions encore devant nous plus de deux heures de la lumière du jour. Nous contournions un énorme promontoire dressé vers le nord comme un doigt gigantesque. De l'autre côté, nous avait dit Aceste, s'étendait une vaste baie où nous pourrions en toute sécurité aborder et passer la nuit. Cela se produisit alors. Comme sur un signal de Zeus, l'horizon s'assombrit et des nuages orageux s'amoncelèrent au-dessus de nous. La pluie se mit à tomber, d'abord comme en hésitant, puis avec une impitoyable régularité. Un colossal grondement de tonnerre se répercuta à travers tout le ciel. L'instant d'après, un vent hurlant du nord-est se jeta sur nous en cinglant la mer avec furie. De grandes vagues commencèrent à se briser sur nos étraves et nos embarcations ne tardèrent pas à tanguer dangereusement dans la tourmente de l'océan déchaîné. Il était impossible de tenir tête au vent ou de chercher à gagner la rive. Il ne nous restait rien d'autre à faire qu'amener les voiles avant qu'elles ne fussent déchirées et réduites à l'état de lambeaux et tenter de quitter le cœur de la tempête.

Avec d'infinies précautions, nos bateaux changèrent de cap. Tous, même l'équipage, nous poussions des cris de terreur lorsque notre embarcation plongeait vers les lames qui approchaient. De véritables falaises d'eau semblaient se dresser l'une après l'autre pour s'abattre sauvagement sur nous. Chaque fois, nous attendions avec effroi le coup brutal et assourdissant, cependant qu'une nouvelle vague monstrueuse se brisait sur le plat-bord. Les panneaux protecteurs en osier avaient été arrachés ou détruits, et des hommes, des femmes, des enfants se trouvaient jetés de-ci de-là; on entendait le bruit des rames qui se rompaient net et du bois qui craquait. Je parvins à saisir Caieta à bras-le-corps et, en titubant, la guidai jusqu'en un lieu moins dangereux. Tout le bateau était envahi d'eau et souillé de débris de bois ou de provisions répandues. Le mât penchait comme sous l'effet de l'ivresse, à demi arraché de son collet, mais pour le moment tout au moins nous avions échappé au creux des lames. La hauteur de l'arrière, où se tenaient mon père et Palinure, offrait quelque protection. Bien que nous fussions encore à la merci de la mer, nous ne risquions plus la mort immédiate.

Toute la nuit, la tempête continua avec une impitoyable violence; mais enfin, la pluie cessa, le ciel s'éclaircit; une lune furieuse nous foudroya du regard à travers les nuages lancés au galop. La terre avait disparu de notre vue. Le visage crispé d'angoisse, mon père se dirigea vers l'avant du navire pour voir qui manquait ou bien était blessé. Sur ses instructions, nous nous sommes mis à l'œuvre pour remettre de l'ordre; nous avons colmaté une fissure dans l'étrave, réparé du mieux que nous le pouvions le mât endommagé. Ce n'était pas facile. Nous avions froid et faim, nous étions trempés jusqu'aux os. Pendant tout ce temps le vent hurlait dans le gréage et sous nos pieds le bateau tanguait et plongeait. Mon père travaillait avec nous tous, nu-pieds dans l'eau tourbillonnante. Il faillit même basculer par-dessus bord et n'y échappa qu'en s'agrippant de justesse au palan. Son visage n'exprimait aucune peur; sans doute lui était-il indifférent de vivre ou de mourir. Nous ne voyions plus désormais qu'un seul autre navire ballotté sur les flots en furie. Pour autant que nous pussions le savoir, tous les autres avaient depuis longtemps sombré dans l'immensité tumultueuse qui nous encerclait de toutes parts.

Soudain le vent tomba. Mon père retourna à l'arrière, reprit la barre des mains de Palinure et nous cria de hisser la voile. L'autre bateau suivit la consigne. C'est alors que je vis à tribord une succession de récifs acérés, telle une épine dorsale dépassant à peine la surface de l'eau, presque submergée par le bouillonnement de la mer. J'alertai l'équipage, puis courus en informer mon père. Nous tentâmes par tous les moyens de prévenir l'autre bateau, mais nul ne semblait nous voir. Impuissants et horrifiés, nous le regardâmes au clair de lune s'avancer vers les brisants. Une haute lame se dressa par-derrière et précipita l'embarcation de plein fouet sur l'écueil. La proue se désagrégea comme une coquille d'œuf brisée. Une seconde vague vint s'écraser sur l'arrière, précipitant le timonier par-dessus bord, la tête la première, et dispersant dans l'eau les lambeaux du navire, l'équipage, le matériel et le chargement. Pendant quelques instants nous vîmes des hommes s'efforcer désespérément de nager dans l'eau tumultueuse et une ou deux femmes tenter de s'agripper à des pièces de bois. Puis une troisième vague s'abattit furieusement sur eux et les aspira au sein de la mer comme un monstre affamé. Plus rien ne reparut. Les compagnons et amis de toute notre errance avaient disparu.

Un gémissement s'éleva de toutes les poitrines. Le visage de mon père était si dur qu'il semblait sculpté dans la pierre, et ses yeux fixes avaient une expression sauvage. Soudain il se dressa et brandit le poing vers le ciel :

– Ecoutez-moi, dieux du ciel, écoutez-moi! hurlat-il. Toi, Tout-Puissant Zeus, toi, Apollon, est-ce ainsi que vous nous guidez? Toi, Aphrodite, est-ce ainsi que tu nous protèges? Je renonce à la mission que vous m'avez imposée. Je vous jure de ne plus être le pieux Enée. Vous m'avez pris ma femme; vous m'avez pris mon père; vous avez assassiné mes compagnons. Pourquoi m'avez-vous épargné? Pourquoi ne m'avez-vous pas laissé mourir au combat dans la plaine de Troie, ou trouver la mort en luttant, la nuit où périt mon épouse?

Il parut un instant aussi terrible que le dieu de la guerre lui-même, dans sa fureur démoniaque. Puis il me vit et la colère s'évanouit de son regard. Il posa la main sur mon épaule.

– Etait-ce à cause de toi, Ascagne? Etait-ce à cause de toi? murmura-t-il.

– Tu m'as dit un jour que les dieux attendaient de moi des exploits, répondis-je en le regardant droit dans les yeux.

– Quand ai-je dit cela? s'étonna-t-il.

Il se passa une main sur le visage.

– Après que nous avons entendu l'oracle, à Délos.

Mon père eut un sourire amer.

– Je me souviens. Nous venions de mettre le cap sur la Crète, confiants en notre glorieux avenir. Quelle déception, quand tu me répondis que tu souhaitais uniquement un toit et une mère. Maintenant, les dieux nous ont trompés tous les deux; mais au moins j'ai tenté de te donner un toit en Crète, et Caieta vaut mieux que rien. Ou bien ai-je failli à tous mes devoirs envers toi?

Il me dévisagea avec angoisse, et j'éprouvai pour lui une profonde compassion.

– Non, père, répondis-je, ni envers moi ni personne, mais si tu perds confiance et que tu maudis les dieux, nous sommes tous perdus.

Mon père fixa son regard sur la mer sans rien répondre.

– Oui, reprit-il au bout d'un long moment, comme pour lui-même. Je n'ai pas le choix. (Il me regarda.) Tu es un bon fils, Ascagne. Je suis fier de toi. Que les dieux te traitent mieux qu'ils ne m'ont traité. (Il se tut un moment.) Va t'allonger, à présent, ajouta-t-il doucement, et prie Aphrodite pour moi comme tu l'as déjà fait.

Je me frayai un chemin parmi les corps recroquevillés et les détritus et me trouvai une place au milieu du navire, dans une flaque d'eau. J'avais à peine commencé ma prière que le sommeil m'engloutit.

Je dus dormir plusieurs heures car, lorsque je m'éveillai, le soleil resplendissait dans un ciel serein et les mouettes tournoyaient autour du mât. Midi était déjà passé. Je me dressai d'un bond et aperçus la terre à quelque distance. La mer s'agitait encore, mais l'orage était terminé. Palinure avait remplacé mon père au gouvernail et la plupart des membres de l'équipage s'affairaient à grand-peine. Comme ils étaient las, épuisés, dépenaillés! Pas un n'avait réchappé sain et sauf de la tempête. Quant à nos réserves de nourriture, les vagues en avaient gâté la majeure partie : les pains d'orge étaient imbibés d'eau, les fromages aussi. De nombreux fûts étaient brisés. Nous avions trop grand-faim pour nous en soucier. Personne, pas même Palinure, ne savait où nous nous trouvions. J'allai trouver mon père. Il dormait à poings fermés, étendu tout près de Caieta. Je distinguai une importante meurtrissure sur son front et une autre sur sa joue. Comme je me penchais au-dessus de Caieta, elle ouvrit les yeux et me regarda :

– Est-ce toi qui m'as transportée ici, Ascagne? murmura-t-elle.

J'acquiesçai.

– Pourquoi? Ton père te l'avait-il ordonné?

– Non.

– Tu deviens trop indépendant, marmonna-t-elle d'un air fâché, pourquoi ne pouvais-tu donc pas me laisser tranquille? (Puis elle ajouta d'une voix pathétique :) Aide-moi à m'asseoir, Ascagne. Je me suis fait mal au bras.

– Pauvre Caieta, soupirai-je en essayant de l'adosser à une poutre.

Elle se crispa sous l'effet de la douleur.

– Fais attention, Ascagne, je suis une vieille femme. Va me chercher du vin.

Je dénichai un fût intact et revins avec un gobelet de vin et un morceau de pain trempé. Elle le mâcha lentement de ses quelques dents puis but quelques gorgées, les yeux mi-clos. Ses joues molles et grises reprirent un peu de couleur.

– J'aurais dû rester à Drepanum, murmura-t-elle. Comment pourrai-je m'occuper de toi, si j'ai le bras cassé?

Je soupirai sans répondre, me rappelant comme j'avais insisté auprès de mon père pour la laisser derrière nous. Lui qui pouvait se montrer intraitable avec d'autres, il avait le cœur irrémédiablement faible à son sujet. Cédant à ses protestations indignées, il l'avait laissée venir avec nous et m'avait abandonné à sa charge. Elle parut deviner mes pensées car elle ouvrit les yeux pour me contempler.

– Peut-être vais-je mourir, et alors tu seras débarrassé de moi, déclara-t-elle d'une voix aigre. Tu ne m'aimes plus. C'est la faute d'Andromaque – elle t'a volé à moi. Je l'ai toujours détestée.

– Mais si, Caieta, je t'aime, articulai-je au prix d'un effort considérable, mais je suis presque un homme, à présent.

Une vague de colère m'envahit soudain :

– Tu me traites comme si j'étais encore un petit garçon. Tu m'empêches d'avoir des amis. Tu as fait transférer Atys sur un autre bateau. Pourquoi ne peux-tu donc pas me laisser en paix?

Elle éclata en sanglots hystériques.

– Comment peux-tu être si cruel, Ascagne? Qu'aurais-tu fait sans moi, pendant toutes ces années? Je t'ai aimé et soigné comme mon propre enfant.

Je lançai un bref regard vers la silhouette endormie de mon père, tenté de le réveiller pour qu'il vienne à mon secours. Non, je ne pouvais pas faire cela, je ne devais pas ajouter encore à ses responsabilités. D'ailleurs, il se comporterait en roseau brisé, comme tant d'autres fois. Je regardai Caieta avec son bras meurtri, toute colère évanouie et honteusement conscient de l'avoir blessée.

– Pardonne-moi, Caieta, dis-je humblement.

Elle cessa de pleurer et commença à s'essuyer lentement les yeux d'un pan de sa robe sale. Puis elle tendit son autre bras.

– Mon petit Ascagne, murmura-t-elle tendrement.

A contrecœur, je me penchai et l'embrassai.

– Tu es tout ce que j'ai au monde, reprit-elle sans me lâcher. Te souviens-tu des petits soldats avec lesquels tu jouais?

J'acquiesçai, embarrassé.

– Je les ai laissés à Troie.

– J'en ai gardé un, que j'emporte partout avec moi. Il me donne l'impression que tu m'appartiens encore. (Ses yeux se fermèrent:) Tu es un bon garçon, Ascagne. Tu n'oublieras pas ta Caieta, dis-moi? Laisse-moi dormir, à présent.

Je m'empressai de la quitter et retournai dire à Palinure que mon père dormait.

– Inutile de le réveiller encore, répondit-il brièvement. Nous avons une bonne heure devant nous avant de toucher terre.

Je contemplai la côte escarpée et mystérieuse.

– Penses-tu que ce soit la Sicile?

Il secoua la tête :

– Je puis jurer que jamais encore je n'avais vu cette côte. Peut-être est-ce une autre île?

– Pourrait-ce être l'Italie? demandai-je, plein d'espoir.

– Non, ce ne peut pas être l'Italie. Nous voguons vers le sud. Regarde la position du soleil, Ascagne.

Il m'adressa un large sourire, laissant paraître ses solides dents blanches, et ma honte pour l'absurdité de ma question se dissipa.

Je scrutai l'horizon dans l'espoir insensé d'apercevoir l'un de nos autres navires.

– Crois-tu que d'autres aient survécu? demandai-je franchement.

Palinure s'assombrit.

– Peut-être ont-ils survécu, répondit-il. Achate, Ilionée et les autres sont de bons navigateurs, mais quant à savoir si nous les reverrons un jour, c'est une tout autre histoire.

Nous gardâmes un moment le silence, songeant à nos compagnons disparus. Peut-être étions-nous tous voués à disparaître ainsi, me dis-je lugubrement. Il se peut que nous soyons assaillis dès que nous poserons pied sur la terre. Les dieux ont-ils jamais eu l'intention de nous laisser arriver jusqu'en Italie?

– Inutile de chercher à comprendre les dieux, déclara Palinure brusquement. Ils interviennent sans raison apparente et puis vous laissent ensuite vous débrouiller. Un jour Poséidon m'aura assez vu et je mourrai noyé en mer.

Il eut un rire bref.

– Alors pourquoi es-tu parti avec mon père? Ne crois-tu pas en sa mission?

– J'y croyais autrefois, répondit-il en tiraillant sa courte barbe noire, mais si je reste avec ton père, c'est parce qu'il est un héros. Il s'agit de sa mission et de la tienne, et non pas de la mienne. Nous ressentons tous la même chose.

Il discerna l'incompréhension sur mes traits et tenta de s'expliquer davantage :

– Ecoute, Ascagne. Je suis un marin. J'ai navigué sur toute la mer Egée. J'ai voyagé jusqu'en Egypte et en Phénicie. Souvent j'ai franchi l'Hellespont et parcouru le Pont-Euxin. Nul ne connaît mieux que moi les malheurs et les dangers qui guettent quiconque risque sa vie et sa fortune sur l'océan. Je fus l'un des premiers à rejoindre ton père. Je savais que jamais l'ancienne Troie ne se relèverait, mais je croyais en la vision d'une seconde Troie, de tout mon cœur et de toute mon âme. Je prenais part à cette glorieuse aventure avec une ardeur impatiente. Guidé par un tel héros, j'étais assuré de ne pouvoir échouer. Nous avons eu notre part de malheurs et de dangers, mais que nous ont-ils apporté? Des pertes cruelles et d'amères déceptions – rien de plus. Depuis plus de cinq ans nous errons de rivage en rivage, toujours en quête d'un but qui se dérobe. Au départ nous étions cinq cents. Nous ne sommes plus que trente, et plus éloignés de l'Italie que jamais. Ce n'est pas la faute de ton père, Ascagne. Je l'aime et l'admire plus qu'aucun homme vivant, mais il échoue, il échoue toujours. Il compte parmi ces hommes héroïques mais dépourvus de chance qui sont pour toujours voués à l'échec.

Mon cœur chavira.

– Que devrait-il faire, alors? demandai-je avec angoisse.

– Abandonner toute idée d'atteindre l'Italie. Oublier les oracles et les prophéties. Oublier leur promesse d'un avenir glorieux. Risquer de déplaire au Tout-Puissant Zeus, puisque non seulement il nous refuse son aide, mais semble même nous accabler. Renoncer à l'errance et s'établir où il le pourra.

Il se tut brusquement. Mon père se trouvait auprès de nous.

— Ainsi donc, Palinure, tu penses que je devrais renoncer? Eh bien, allons d'abord à terre, et puis voyons ce que nous offre la fortune.

Il s'exprimait avec une bonne humeur forcée qui ne nous trompa ni l'un ni l'autre.

— Reconnais-tu cette côte?

Palinure secoua la tête.

— Trois de nos rameurs sont blessés, poursuivit mon père, les yeux inutilement fixés sur l'horizon. Il faudra nous donner un coup de main, Ascagne. Où est Atys?

— Il a été muté sur un autre bateau, répondis-je en le regardant.

Mon père détourna les yeux.

— Je crois que Caieta a le bras cassé, ajoutai-je.

Il soupira et ne répondit rien. Je m'éloignai, regrettant d'avoir parlé ainsi.

Nous approchions de la côte, à présent. Devant nous s'étendait un profond goulet, flanqué d'une île qui s'avançait profondément dans la mer et servait à briser les fortes vagues de l'océan. Nous nous glissâmes entre les falaises jumelles qui semblaient monter la garde de chaque côté et nous fûmes aussitôt enveloppés dans une atmosphère de paix. Elever la voix semblait presque sacrilège. Nous nous sommes mis à ramer lentement, plongeant en silence nos avirons dans l'eau tranquille. Le lointain grondement des flots appartenait à un autre monde.

L'étroit goulet s'ouvrait sur une baie adossée à une montagne couverte de forêts, sombre sans être menaçante, mystérieuse, et d'une beauté grave; au pied de cette montagne, tout près de la rive bordée d'arbres, s'ouvrait une grotte d'où jaillissait un ruisseau d'eau fraîche et pure qui rebondissait librement sur les rochers avant de s'enfoncer dans le sable.

Avec une lassitude qui n'excluait pas un indicible soulagement, l'équipage amena la voile et la roula, abaissa le mât dans son berceau, cependant que nous approchions de la rive par l'arrière. Nous avions cessé de ramer. De la proue, mon père jeta les pierres d'ancrage. Au son familier du bois raclant le sable, nous abordâmes sur la plage. Je sautai par-dessus bord avec les cordages et nous amarrai. Oh! la joie, l'indescriptible joie de sentir la terre ferme sous mes pieds!

Mon père et moi, nous avons transporté Caieta à terre et confectionné une attelle pour son bras. Dans moins d'une heure il ferait nuit. Palinure et l'équipage ramassèrent du bois et se hâtèrent d'allumer un feu. Bientôt, trois feux resplendissaient sur le rivage. Les femmes rassemblèrent leurs marmites, et ceux qui n'étaient pas blessés entreprirent de moudre le grain pour faire du pain. Mais c'était de viande que nous avions le plus grand besoin.

– Prends vite ton arc et tes flèches, Ascagne, m'enjoignit mon père, et il s'engagea dans le bois vers une vallée qui nous séparait de la montagne.

La chance et le vent étaient avec nous. En débouchant des bois, nous avons aperçu au-dessous de nous, dans une clairière, un troupeau de cerfs paissant sereinement sous le soleil couchant. Mon père me désigna un noble animal aux andouillers magnifiques :

– Une fois celui-ci abattu, les autres vont s'enfuir, chuchota-t-il. Tirons en même temps.

– Apollon, guide ma flèche, murmurai-je, tout en visant et bandant mon arc.

Tout fatigués et affamés que nous étions, nous visâmes juste. L'animal tomba en haletant, avec deux flèches dans le flanc. Nous tirâmes et tirâmes encore sur le troupeau affolé, mais la lumière faiblissait rapidement, et nous eûmes beaucoup de chance d'abattre une seconde bête, plus petite. Titubant dans l'obscurité sous le poids de notre gibier, nous rejoignîmes nos compagnons rassemblés autour des feux ardents.

De faibles acclamations s'élevèrent quand ils nous virent.

– Quel digne fils de héros! s'écria Palinure en me donnant une tape dans le dos.

Un murmure d'approbation parcourut l'assistance. Je m'illuminai de fierté. Jamais encore on ne m'avait ainsi associé à mon père.

Nous nous sommes tous mis au travail, dépouillant les carcasses, découpant la viande pour la faire rôtir à la broche. Nous salivions d'impatience. Nous avions tellement faim que nous pouvions à peine parler. Jamais je n'ai rien goûté d'aussi bon que ce gibier sur la plage – non, pas même dans le luxueux palais de Didon aux spacieuses cuisines.

Lorsque nous fûmes rassasiés et que les restes du repas eurent été mis de côté, nous nous étendîmes sur l'herbe au-dessous des arbres et mon père prit la parole.

– Mes amis, déclara-t-il, nous ne savons pas où nous nous trouvons, ni ce que demain nous apportera, mais remercions les dieux d'avoir survécu à la tempête. Demandons-leur de protéger ceux de nos compagnons qui pourraient être vivants et affligeons-nous sur ceux qui sont morts. Nul ne peut déplorer leur cruel destin plus amèrement que moi. Le moment serait mal venu de parler ici de l'avenir. C'est le présent qui nous préoccupe. Je vous dis simplement : affligez-vous de la perte de nos compagnons, mais gardez courage. La tempête que nous avons affrontée sera peut-être le seuil d'un meilleur sort.

Je me rendis aussitôt compte de l'habileté avec laquelle il s'exprimait, ainsi que de sa sincérité et de son courage. Il n'avait rien dit pour défier ceux qui n'avaient plus confiance dans sa mission, mais rien non plus qui puisse leur faire croire qu'il l'avait abandonnée. Il n'avait pas minimisé nos pertes ni notre peine, mais ne les avait pas non plus exagérées. Surtout, il nous avait donné de nouveaux espoirs.

Je gisais sur le dos, les yeux fixés sur les étoiles. La lune surgit par-dessus l'épaule de la montagne, derrière nous, et étendit sa lumière scintillante sur les eaux calmes de la baie. De très loin nous parvenait le grondement assourdi des vagues qui se brisaient. La nuit était étrangement calme et parfumée, elle semblait presque retenir son souffle. Je me sentais engagé dans un autre monde.

Une silhouette s'approcha et s'étendit en silence près de moi.

— Père ? murmurai-je.

— Oui, Ascagne ?

— J'aime cet endroit. Je me demande où il se trouve. Je pourrais y rester pour toujours.

— Moi aussi, chuchota-t-il.

— Nous devions être destinés à venir ici. Ce lieu devait nous attendre, pendant tout ce temps. Peut-être est-ce le début d'une nouvelle vie pour nous.

— Je voudrais le croire, Ascagne, répondit-il lentement. Prie Aphrodite. Elle semble t'écouter. Et cela se réalisera peut-être.

6

Un chuchotement persistant contre mon oreille m'éveilla. La voix était sifflante et essoufflée. Je me redressai aussitôt, comme en réponse à un appel impérieux. Il faisait encore nuit, mais le ciel pâle et translucide laissait deviner l'approche de l'aube. La lune avait presque disparu, les feux mourants luisaient encore faiblement, mais je distinguais la silhouette penchée de notre bateau sur la rive. Tout autour de moi, j'entendais des respirations ronflantes. Quelque part une femme gémit dans son sommeil, marmonna quelques paroles incohérentes, puis retomba dans le silence.

– Père, appelai-je doucement, croyant que c'était lui qui m'avait parlé.

Mais il ne répondit pas; et je compris à son souffle régulier qu'il dormait profondément.

Je me levai en jetant des regards circonspects alentour, me souvenant que nous n'avions, exceptionnellement, posté aucune sentinelle. J'entendis alors un chuchotement juste derrière moi :

– Rends-toi à la caverne.

Je me retournai aussitôt. Personne. Je me mis à trembler de crainte en comprenant qu'il s'agissait d'une voix surnaturelle. La caverne devait être plongée dans l'obscurité et j'avais peur d'y aller; mais je redoutais plus encore de désobéir. J'envisageai de réveiller mon père et de l'emmener avec moi, mais je savais confusément qu'il ne le fallait pas, que je devais me rendre seul à la grotte.

Je tâtonnai à la recherche de mon glaive, le fixai à ma ceinture et m'enveloppai de mon manteau en loques. Puis, me frayant un chemin parmi les dormeurs, je me dirigeai vers l'autre extrémité de la rive qu'éclairait la lune. Derrière moi, je sentais mon ombre monstrueuse me tenir comme une proie.

L'eau rebondissant sur les rochers avait paru bien innocente pendant la journée; à présent elle faisait un vacarme menaçant. Dans ma hâte et ma nervosité, j'avais oublié d'allumer une torche. Et maintenant que bâillait devant moi l'entrée sinistre, je maudissait ma sottise. J'hésitai un moment, redoutant d'avancer plus loin et ne pensant qu'à rebrousser chemin. Une main invisible sembla me pousser en avant; cédant à sa pression, j'entrai.

La caverne s'enfonçait très profondément dans la montagne. Tout d'abord je ne pus avancer que lentement, à tâtons, en suivant le ruisseau le long d'un tunnel tortueux. A mesure que je progressais, je prenais conscience d'une lueur lointaine qui s'affermissait. Puis soudain le tunnel cessa et l'obscurité se dissipa. Je me retrouvai dans une immense salle circulaire illuminée par une lueur spectrale qui semblait taillée dans la roche vivante. Très haut au-dessus de ma tête, des myriades de stalactites étaient suspendues à la voûte. Une lumière surnaturelle émanait des murs scintillants de quartz et de cristal. L'air résonnait d'échos et de chuchotements assourdis, ainsi que du bruissement d'ailes invisibles.

Je demeurai immobile, bouche bée, pétrifié de stupeur. Devant moi, au milieu de la salle caverneuse et entourée d'un tapis de sable blanc par-

129

semé de coquillages, se dressait une énorme roche en forme d'autel au sommet de laquelle s'élevait dans l'air une flamme toute droite. Comme je la regardais, elle se courba et pointa sa tête vers moi, tel un serpent. Je me prosternai aussitôt sur le sable en tremblant, sentant confusément que cette flamme sacrée constituait la manifestation visible de quelque déesse jalouse et qu'en être touché signifierait la mort.

Que voulait donc de moi cette déesse? Avais-je été appelé ici pour y périr? Mes yeux se fermèrent très fort dans la crainte de voir ce que je ne devais pas voir et je me mis à marmonner des prières affolées, implorant son pardon et suppliant de connaître son nom.

— Ouvre les yeux, murmura une voix, tout là-haut, sous la voûte.

Plein d'appréhension, je m'exécutai lentement. La flamme se tenait de nouveau droite et je vis cette fois que devant l'autel se trouvait une roche plus petite, plate et pareille à un lit, sur laquelle deux êtres d'apparence spectrale étaient passionnément enlacés. Tandis que je les contemplais, ils disparurent de ma vue, la flamme s'éteignit et tout sombra dans l'obscurité.

Je hurlai de terreur.

— Epargne-moi, Aphrodite, aie pitié de moi!

Mais de la nuit ne me vint aucune réponse – rien qu'un rire moqueur. Une terrible angoisse m'envahit soudain, que je n'aurais su expliquer. Il me semblait qu'une chose infiniment précieuse eût été perdue à jamais par ma faute. Je crus que mon cœur se briserait de chagrin et de désespoir. Puis, pour la dernière fois, j'entendis la voix, très lointaine.

— Je ne suis pas Aphrodite. Je suis Asherat

de la Mer. C'est moi qui ai provoqué la tempête qui vous amena ici. Retourne auprès de tes Troyens, mais ne leur révèle rien de ce que tu as vu et entendu.

J'ouvris les yeux et vis mon père penché au-dessus de moi, qui me contemplait. Je le regardai sans comprendre, incapable de rien dire, puis me redressai lentement pour m'appuyer sur un coude. Le soleil apparaissait au-dessus de la montagne. L'eau dans la baie clapotait doucement. J'étais revenu en sécurité parmi les mortels.

— Tu as eu un terrible songe, Ascagne, déclara gravement mon père.

S'agissait-il d'un songe? Je n'en étais pas certain. La terreur et le sentiment d'une perte irrémédiable me hantaient encore.

— Tu as crié un nom, reprit mon père. Le nom d'une déesse – Asherat. T'a-t-elle parlé?

Je frémis, redoutant de répondre.

— Elle nous hait, finis-je par me forcer à dire. Qui est-elle?

— Une déesse des Phéniciens. Mais nous la connaissons sous un autre nom – Junon.

Je me mis à trembler en songeant aux avertissements de mon grand-père. Etait-il trop tard, à présent, pour tenter d'apaiser cette terrible déesse, ennemie cruelle de Troie?

— Raconte-moi ton rêve, Ascagne, insista mon père. Es-tu certain qu'elle nous haïsse?

— Elle m'a interdit de te le raconter, répondis-je aussitôt.

Mais étais-je certain qu'Asherat nous haïssait? Elle avait provoqué la tempête contre nous, mais nous avions été guidés jusqu'ici sains et saufs. Nous avions perdu nos compagnons, mais nous étions toujours vivants. Etait-elle responsable de tout? Je

131

me souvins soudain que mon père était à demi phénicien.

– Es-tu certain qu'elle nous haïsse? répéta mon père.

Je levai les yeux vers lui, me débattant dans l'incertitude de la réponse à formuler.

– Non, je n'en suis pas certain, mais je pense qu'elle compte nous empêcher d'arriver jusqu'en Italie.

Mon père poussa un soupir :

– Quant à cela..., marmonna-t-il en faisant un geste découragé. (Il garda un moment les yeux rivés au sol. Puis il releva la tête.) Ne peux-tu rien me dire de plus, Ascagne?

– Seulement que ce lieu doit lui être consacré, répondis-je en m'efforçant de maîtriser le tremblement de ma voix. Je crois que c'est elle qui nous a guidés jusqu'ici.

Mon père acquiesça.

– Nous allons lui offrir un sacrifice dès maintenant et lui demander de nous protéger, ainsi que nos compagnons disparus. Puis, après un solide repas, nous partirons à leur recherche le long de la côte.

Il se tut, et me lança un regard scrutateur.

– Mais tu ne sembles pas très bien portant, Ascagne. Mieux vaut que tu restes ici avec Caieta.

Je bondis sur mes pieds.

– Je me porte parfaitement bien, ripostai-je, furieux. Je veux t'accompagner.

– Tu sembles pâle et fatigué, reprit mon père. Si seulement Achate était là, il serait venu avec moi.

Je vis qu'il se reprochait d'avoir confié le commandement de l'un des bateaux perdus à son plus fidèle ami et que, si je n'agissais pas vite, mon père allait choisir un membre de l'équipage pour prendre sa place.

— Pourquoi me traites-tu comme un enfant? criai-je, en vacillant légèrement sur mes jambes. J'ai douze ans; je dois apprendre à être un chef.

Pour la première fois, je tenais tête à mon père. J'ignore lequel de nous deux en éprouva la plus vive émotion. Je n'osais pas le regarder et restais figé devant lui, les yeux fixés au sol, fort embarrassé de me sentir tout étourdi. Finalement, je relevai la tête et vis qu'il me souriait avec affection et fierté.

— Tu as raison, Ascagne, dit-il simplement. Je ne dois pas chercher à te protéger de tous les dangers. Il est temps que j'apprenne à oublier que tu es mon fils unique. Bien sûr, tu peux venir avec moi.

Une heure plus tard, nous partîmes ensemble à l'assaut de la montagne, du sommet de laquelle nous espérions pouvoir scruter toute la côte environnante. Pour seules armes nous emportions nos lances de chasse à pointe de bronze. Maintenant que nous avions sacrifié à Asherat, le rêve avait reculé à l'arrière-plan de mon esprit. La nourriture m'avait donné de nouvelles forces et j'étais une fois de plus confiant dans l'avenir. Nous gravissions d'un bon pas le versant boisé de la montagne, suivant un étroit sentier tracé sans aucun doute par des cerfs. Le sol était jonché de feuilles d'or resplendissant au soleil d'automne. Nous arrivâmes enfin au sommet. Là, dans une clairière entourée d'oliviers sauvages, se dressait une stèle solitaire portant une inscription au-dessous d'un signe en forme de croissant de lune.

Nous la contemplâmes un moment, incapables d'en deviner la signification, puis traversâmes la clairière en direction d'une trouée entre les arbres. A l'ouest, le sol s'arrêtait brusquement, faisant place à une descente abrupte; loin au-dessous de nous, s'étendait une vaste lagune circulaire bordée de marécages et presque coupée de la mer par un long banc de sable irrégulier. Ici et là, nous distinguions des bateaux de pêche. A peu de distance se trouvait un groupe de huttes construites en roseaux tressés. Deux navires étaient amarrés à proximité; mais la forme de leur proue nous révélait, sans le moindre doute, qu'il ne s'agissait pas des nôtres.

Nous étions sur un promontoire : à l'est, la côte s'incurvait profondément vers le sud en une succession de plages exposées et inhospitalières. La rive, tout d'abord plate et nue, se transformait progressivement en dunes sableuses, puis s'élevait davantage encore sous forme de falaises rouges qui se dressaient vers l'est, formant un nouveau promontoire au delà duquel nous ne pouvions rien voir. Il n'y avait pas un seul navire en vue.

Mon père gardait le silence, les yeux fixés sur l'étendue de terre pour tenter d'évaluer les distances.

– Je pense que nous nous trouvons dans une île, déclara-t-il finalement. Si je ne me trompe pas, la côte méridionale doit commencer juste au delà de ces falaises. Suivons cette piste à travers bois, mais tâchons néanmoins de trouver quelque habitant.

Nous avancions prudemment, nos lances prêtes à servir. Une fois, nous entendîmes des cris dans le lointain, puis tout près de nous un grand tumulte dans le sous-bois, causé par quelque bête sauvage. Nous attendîmes que tout fût apaisé; puis soudain, comme nous parvenions à un tournant du chemin, nous vîmes une silhouette approcher parmi les arbres.

– C'est une chasseresse, chuchota mon père. Peut-être y a-t-il des Amazones sur cette île.

La jeune fille nous avait déjà vus et semblait être seule. Elle se dirigeait droit sur nous sans paraître éprouver la moindre peur. Elle portait sur l'épaule un arc et un carquois. Ses cheveux flottaient librement sur ses épaules et sa robe était relevée jusqu'à ses genoux; elle avait les bras et le sein droit nus.

— J'ai perdu mes compagnes, déclara-t-elle en grec. Ne les auriez-vous pas rencontrées?

— Y a-t-il donc des Grecs sur cette île? s'étonna mon père.

La jeune fille se mit à rire.

— Ce n'est pas une île. Nous sommes en Afrique. Aucun Grec ne vit ici.

— Tu parles pourtant le grec, observa mon père, soupçonneux.

— Comme la plupart des Carthaginois, répliqua la fille. Les commerçants comme nous apprennent de nombreuses langues. Je parle aussi le numide.

— Qui sont les Carthaginois? s'enquit mon père d'une voix péremptoire.

Les yeux de la fille étincelèrent.

— Et qui es-tu donc pour me poser toutes ces questions? Quel est ton nom? D'où viens-tu?

— Je m'appelle le pieux Enée, répondit-il avec amertume. Mon fils et moi sommes des réfugiés troyens. Une tempête nous a menés ici.

— D'après ton langage, sinon ton costume, tu dois être un homme de noble naissance, reprit la fille d'une voix radoucie. N'avez-vous pas de compagnons?

— Avant la tempête, nous avions sept navires, expliqua mon père, prenant une intonation neutre. A présent, il ne nous en reste plus aucun. L'un d'eux s'ouvrit sur des récifs et sombra sans que personne ait pu être sauvé. Quant aux autres, nous n'en savons plus rien.

– Il faut vous rendre à Carthage, déclara la jeune fille.

Ses yeux nous observaient avec compassion.

– Peut-être la reine Didon pourra-t-elle vous donner des nouvelles de vos compagnons.

Mon père hésita :

– Qui est cette reine? interrogea-t-il d'une voix indécise.

La jeune fille sourit :

– Vous n'avez jamais entendu parler de Didon, la Phénicienne qui fonda Carthage? Mais elle aura sûrement entendu parler de vous.

Mon père la regarda avec étonnement.

– Partez maintenant, déclara-t-elle sans s'expliquer davantage. Carthage n'est pas bien loin d'ici, derrière cette colline. S'il est un être mortel qui puisse vous aider à présent, ce sera assurément Didon.

Elle se remit en route.

– Attends! cria mon père.

La fille s'arrêta et posa sur lui un regard interrogateur.

– Ton nom, demanda-t-il, balbutiant presque dans son désir de connaître la réponse. Tu nous as manifesté de la bonté, mais tu ne nous as pas révélé ton nom.

– Peu importe qui je suis, répliqua-t-elle. Adieu, pieux Enée. Adieu, Ascagne.

Nous entendîmes d'autres cris se répercuter au loin dans les bois. Lorsque nous regardâmes de nouveau autour de nous, la jeune fille avait disparu.

– Elle savait mon nom, murmurai-je. Etait-ce une magicienne?

– Ou bien une nymphe, ou une déesse? suggéra gravement mon père. Peut-être ne le saurons-nous

136

jamais, à moins... (il marqua une légère pause) à moins qu'il ne s'agisse de Didon elle-même.

Il leva les yeux vers le ciel. Le soleil avait disparu derrière des nuages gris, mais très haut au-dessus de nous, nous aperçûmes un aigle volant vers le sud, dans la direction que la jeune fille nous avait désignée.

– C'est un bon augure, affirma mon père résolument.

Nous hâtâmes le pas et parvînmes bientôt au sommet de la colline. Là, étendue à nos pieds, nous apparut Carthage.

Je me souviens encore de l'émoi et de l'émerveillement que j'éprouvai en la découvrant ainsi – cette ville neuve ceinte de grands murs et dont nous distinguions clairement les hautes constructions. Sur les versants situés immédiatement au-dessous de nous s'étalaient des vergers, des champs, des jardins parsemés de huttes en roseaux – une sorte de faubourg rural où Carthage puisait sa nourriture. J'appris par la suite qu'il s'agissait de Megara. La ville elle-même se trouvait plus loin, près du rivage, sur une colline orientée à l'est qui surplombait la mer. Au sud, il y avait une autre lagune, semblable à celle que nous avions déjà vue. Nous nous trouvions sur une péninsule pareille à un navire à l'ancre, et Carthage en était la proue. Mon père demeura saisi d'étonnement.

– Et voici une ville fondée par une femme, murmura-t-il. Quelle femme ce doit être!

Nous avons descendu le sentier sablonneux jusque dans une vallée, au milieu des arbres fruitiers et des vignes, franchi un cours d'eau turbulent grâce à un gué fait de grosses pierres, et poursuivi notre marche. Des femmes occupées à laver du linge nous interpellèrent au passage, mais personne d'autre ne parut remarquer notre arrivée. Partout nous voyions des gens travailler avec ardeur. Les uns creusaient le sol, d'autres cueillaient des fruits ou soignaient les vignes. Des huttes nous parvenaient des odeurs de cuisine et le grésillement de l'huile chaude. Des enfants à demi nus jouaient dehors.

Mais notre chemin poussiéreux s'était à présent transformé en une large avenue montant jusqu'à la ville. Des centaines d'ouvriers s'affairaient sur les murs inachevés. Une énorme grue en bois, momentanément immobile, se dressait dans l'air au-dessus du portail monumental au delà duquel on pouvait voir une rue nouvellement pavée, bordée de hautes maisons, qui montait vers une place de marché grouillante de monde.

Mon père hésita :

– Nous allons être interpellés si nous avançons davantage, dit-il en jetant un regard indécis à nos lances.

Tandis qu'il parlait, de l'intérieur de la ville nous parvint le son vibrant d'un gong d'airain. Il y eut une pause, puis le gong puissant résonna de nouveau dans l'air. Aussitôt, les gens partout cessèrent leur travail et se relevèrent ou s'agenouillèrent, dans un silence total. Le gong retentit une troisième fois, et soudain toute la ville de Carthage cria « Asherat », de toute sa force. L'instant d'après, la vie reprit dans la cité. Les ouvriers descendirent des murs; la foule de la place du marché se dispersa. C'était l'heure du repas de midi. Une masse compacte de travailleurs, d'artisans, de paysans apparut, se dirigeant vers la porte ouverte.

Mon père m'empoigna le bras.

– Vite, courons notre chance, me murmura-t-il impérieusement.

Dans la bousculade et la confusion, nous passâmes devant la sentinelle et nous retrouvâmes à l'intérieur des murs.

Nous avons remonté la rue, longé la place du marché presque déserte et pénétré dans un vaste rectangle de terrain non pavé, entouré de constructions imposantes. Au milieu de cet espace se trouvait un dense bosquet de chênes verts au cœur duquel s'élevait un grand temple. On y accédait par un large escalier. En haut des marches, sous le portique et devant le portail d'airain, se dressait un trône d'ivoire.

Nous nous sommes affalés à l'ombre des arbres, en vue du portail, pour manger notre frugal repas. Nul ne nous vit. La grande place semblait vide, le temple fermé ou désert. Epuisé de fatigue, je m'allongeai et sombrai dans le sommeil.

Je fus réveillé par un murmure confus de voix qui approchaient. Je cherchai mon père alentour. A mon grand désarroi, il avait disparu. Je me hâtai vers un arbre tout proche – le plus gros de tous les chênes verts. Perché sur une branche, mais hors de vue, j'observai attentivement la situation. Une grande foule se dirigeait vers le temple. En approchant des marches, ils s'écartèrent de part et d'autre tandis que d'entre eux émergeait la plus belle et plus royale silhouette que j'eusse jamais vue.

Comment mes paroles pourront-elles jamais rendre justice à l'incomparable grâce et à la beauté de Didon, telle que je la vis pour la première fois cet après-midi-là? Elle portait un ample manteau de pourpre richement brodé, fermé par une broche en croissant de lune. Sur sa chevelure blonde, partagée en son milieu et retenue en arrière pour révéler l'ovale délicat de son visage, était posée une couronne exquisement ciselée, incrustée de perles et ornée de deux colombes aux ailes repliées. De la ceinture richement sertie de pierres qui lui ceignait la taille pendait un lourd sceau, tel un pendentif, sur le bas de sa robe, qui suivait le mouvement de ses cuisses à chacun de ses pas. Je la regardai gravir les marches du temple avec une gracieuse assurance; elle était longue et élancée comme un peuplier. Elle se retourna et s'assit sur le trône, encadrée par sa suite et faisant face à ses sujets en contrebas. Elle abaissa son regard et ses yeux sombres parcoururent lentement la foule comme pour identifier chacun; son adorable visage resplendissait d'une paisible fierté maternelle. Bien-aimée Didon – comme tu étais heureuse alors!

Un héraut réclama le silence qui se fit aussitôt. Et Didon parla. Je ne compris pas ses paroles, mais j'appris par la suite que lors de chaque rassemblement populaire elle priait à voix haute Asherat de guider son jugement. Sa prière achevée, le héraut annonça de nouvelles lois et de nouveaux règlements concernant la cité, et après chaque déclaration la reine sollicita l'avis de l'assistance. Par deux fois la discussion s'anima dans la foule et l'on tira au sort pour savoir qui entreprendrait une certaine tâche collective, mais dans l'ensemble les propositions emportaient un accord évident. La voix de la reine était douce et limpide et jamais elle n'élevait le ton. La décision finale lui revenait toujours et était acceptée sans discussion.

Pendant plus d'une heure je demeurai à la contempler, absorbé, fasciné. Puis soudain l'un des suivants de la reine se pencha et lui chuchota quelque chose en désignant du doigt l'autre extrémité de la place. Elle leva un regard surpris. Suivant son regard, je vis un détachement de soldats s'avancer vers le temple, escortant un groupe d'hommes dépenaillés. Une foule curieuse les suivait. Et mon cœur tressaillit alors de joie, car dans le groupe je reconnus Achate et Ilionée.

Mais où était mon père? Brusquement j'eus peur de ce qui avait pu lui arriver. Je fus un instant tenté de quitter ma cachette pour aller à sa recherche ou courir à la rencontre d'Achate. Il se trouvait sans aucun doute sous bonne garde, ainsi que ses compagnons, mais je pouvais voir à présent qu'ils n'étaient pas enchaînés.

Avant que j'aie pu agir, la reine dit quelque chose à leur escorte. La foule s'ouvrit à leur approche. Achate et les autres Troyens furent amenés au bas des marches. J'attendais en retenant mon souffle qu'elle prît la parole, redoutant à demi qu'elle leur manifestât son courroux.

Puis j'entendis sa voix exquise, plus calme que jamais :

– Qui êtes-vous? demanda-t-elle paisiblement en grec. D'où venez-vous?

Une voix rude et confiante lui répondit – la voix d'Ilionée.

– Nous sommes des réfugiés de Troie, ô Reine, les compagnons du roi Enée. Nous étions en route vers l'Italie mais une tempête nous poussa vers votre rive.

La reine tressaillit.

– Le roi Enée? répéta-t-elle. Veux-tu parler du prince Enée, le héros, le fils du roi Anchise? Où est-il à présent?

– Les dieux nous ont abandonnés, ô Reine. Nous avons perdu de vue son navire pendant la tempête mais, s'il est parvenu jusque sur cette terre barbare, ton peuple l'en aura sans aucun doute chassé.

La reine s'empourpra.

– Nous autres Phéniciens ne traitons pas ainsi les étrangers, déclara-t-elle avec raideur.

– Alors pourquoi ton peuple a-t-il tenté de nous chasser du rivage et de brûler nos embarcations? Ne connaissent-ils pas les lois sacrées de l'hospitalité? N'avons-nous même pas le droit de nous reposer et de réparer nos navires?

Un murmure mécontent parcourut la foule, moins à cause des paroles que de l'intonation d'Ilionée; mais la reine n'y prêta nulle attention. Elle appela le commandant de l'escorte et l'interrogea. Quand elle se tourna de nouveau vers Ilionée, elle éprouvait un embarras manifeste.

– Je déplore que vous ayez été si maltraités, dit-elle. Je déplore que vous ayez perdu votre noble roi. J'enverrai partout des messagers pour s'enquérir de lui. C'est ici un royaume neuf, cerné par des tribus pillardes; certains de mes sujets n'ont jamais entendu parler de Troie. Pardonne-leur cette hostilité à l'égard des étrangers; nous avons, nous aussi, nos ennemis. Mais désormais, reprit-elle d'une voix plus ferme, vous pouvez oublier vos malheurs. Je vous invite à considérer Carthage comme votre terre d'asile, et tous les Troyens seront ici les bienvenus, quels qu'ils soient. Nous rechercherons votre roi; nous réparerons vos navires comme s'ils étaient les nôtres. Vous pouvez demeurer ici jusqu'au printemps ou vous établir définitivement; le choix vous appartient. Vous serez nos égaux et partagerez ce royaume avec nous en frères. Il n'y aura pas de différence entre Troyens et Carthaginois. Que vous partiez pour l'Italie ou que vous demeuriez avec nous à Carthage, sachez que je vous aiderai et vous protégerai par tous les moyens à ma portée.

Maintenant encore, j'éprouve un sentiment d'émoi au souvenir de la généreuse humanité du discours de Didon. En fermant les yeux, j'entends encore résonner la voix limpide et douce qui prononçait ces paroles simples mais inoubliables, sorties tout droit de son cœur.

Ilionée commença par la remercier d'une voix bourrue, mais avant qu'il eût pu finir, il se produisit un remous en bordure de la foule. C'était mon père, dépassant toute l'assistance de la tête et des épaules, qui se frayait un chemin. Comme il parvenait au bas des marches, le soleil surgit de derrière un nuage et illumina son noble visage et sa chevelure roux sombre.

– Voici notre roi! s'écrièrent les Troyens.

La reine, stupéfaite, le dévisagea.

– Es-tu vraiment le roi Enée? s'enquit-elle, ses yeux noirs fixés sur lui.

Mon père s'approcha et s'inclina devant elle.

– Pardonne-moi, ô Reine, de m'imposer à tes yeux de manière aussi peu royale. J'étais naguère prince de Dardanos. Je suis à présent roi sans royaume, et aussi mal vêtu qu'un simple vagabond; mais les mendiants que nous sommes n'ont pas le choix.

– Nul hôte n'est mieux accueilli que la victime de l'infortune, déclara la reine. Ce soir, nous ferons un festin en ton honneur. Non, ne proteste pas. Je me languis d'entendre le récit de tes exploits héroïques, de tes malheurs, de tes aventures. Moi aussi, je suis exilée de ma terre natale. Et quant à tes compagnons ici présents, ils festoieront avec nous. Mes serviteurs pourvoieront à tous tes besoins ainsi qu'aux leurs.

Elle se tut un instant, puis reprit :

– Mais que faire pour tes compagnons restés sur le rivage ? Il est trop tard pour les ramener ici ce soir, mais nous pouvons au moins faire en sorte qu'ils soient bien nourris.

Elle dicta une série d'ordres brefs au scribe assis auprès d'elle puis se leva.

– Cher hôte, il est tard et je dois régler plusieurs autres questions. Tes malades et tes blessés seront amenés ici dès demain. A Carthage, nous avons des médecins très habiles. Et maintenant, je dois te quitter. As-tu autre chose à me dire ?

– Uniquement pour t'assurer de notre éternelle gratitude, douce Reine, répondit solennellement mon père. Jamais, hélas, nous ne pourrons te rendre une telle bonté, mais s'il existe une justice chez les dieux, et si une générosité comme la tienne signifie quelque chose à leurs yeux, qu'ils te récompensent comme tu le mérites.

Sa voix tremblait. Je pouvais voir que Didon éprouvait une profonde émotion. Elle tendit instinctivement la main vers lui. Il tomba à genoux et la pressa contre ses lèvres. Un silence total régnait sur l'assistance. Puis, très doucement, elle ôta sa main et la posa sur la tête de mon père.

– Que les dieux te protègent, toi et tes compagnons, dit-elle.

Elle descendit lentement les marches, précédant sa suite. La foule s'écarta respectueusement devant elle puis commença à se disperser. Nos compagnons troyens se rassemblèrent autour de mon père pour le serrer sur leur cœur, sous l'œil de quelques hommes chargés de nous assister. La lumière faiblissait. Tout raidi et fatigué, je descendis de mon arbre. Nos lances gisaient à terre. Elles semblaient appartenir à un autre monde.

– Voici le jeune Ascagne! cria Ilionée.

Il me pressa contre lui de toutes ses forces.

Mon père me contempla d'un œil surpris, comme s'il avait oublié mon existence.

– Où étais-tu, Ascagne?

– J'étais grimpé sur un arbre; j'ai tout vu; j'ai tout entendu. Mais toi, père, où étais-tu parti? Je ne te retrouvais plus.

– De l'autre côté du temple, j'ai découvert des fresques, répondit lentement mon père. Je les ai vues. Je les ai examinées l'une après l'autre. Sais-tu ce qu'elles représentent? (Sa voix trembla.) Elles représentent le siège de Troie.

Nous portâmes sur lui des regards incrédules.

– Tout cet héroïsme, cette peine, cette souffrance, elle a voulu les commémorer ici, à Carthage. J'ai vu Troïlus échapper à Achille. J'ai vu le corps sans vie d'Hector. J'ai vu les femmes de Troie en deuil. Je me suis vu moi-même. Il me semblait que Troie fût revenue à la vie. Pourquoi une reine étrangère, qui n'a jamais partagé nos malheurs, aurait-elle fait une telle chose?

– Parce qu'elle est femme et qu'elle admire les héros, comme il convient aux femmes, rétorqua Ilionée d'une voix bourrue.

Mon père secoua la tête.

– Non, répondit-il calmement, c'est parce que nos souffrances l'ont émue bien avant qu'elle ne nous voie. Parce que sa compassion ne connaît pas de limites.

7

Le palais de la reine se dressait au sommet de la colline surplombant la mer, mais on nous conduisit d'abord à la demeure du grand-prêtre chez qui nous devions loger. Lorsque nous fûmes baignés et revêtus des habits que l'on nous donna, on nous escorta à la lueur des flambeaux jusqu'au palais et nous entrâmes dans la salle des festins où Didon et les principaux personnages de Carthage nous attendaient déjà. Un serviteur annonça notre arrivée.

Je fus tout d'abord trop ébloui par notre passage de l'obscurité aux splendeurs du palais en marbre de Didon pour remarquer ce qui m'entourait. Je me souviens seulement de l'extraordinaire mélange de fatigue et de bien-être qui avait envahi tout mon corps, lavé de toute la poussière et saumure accumulées, tandis qu'à la suite de mon père et en compagnie de nos Troyens je pénétrai dans la chaleur réconfortante de la salle des festins. Tout le monde, à l'exception de la reine, se leva à notre arrivée. Précédés d'un serviteur, nous passâmes devant de grandes tables ornées qu'entouraient de nobles Carthaginois, et nous approchâmes de la reine, étendue au centre sur une couche d'or couverte de coussins et surmontée d'un dais de pourpre. Son visage s'éclaira à notre approche.

– Bienvenue sous mon toit, chers hôtes, dit-elle. Que je suis heureuse de vous voir! (Puis ses yeux se posèrent sur moi.) Mais qui est ce charmant garçon? Pourquoi ne l'ai-je pas vu tout à l'heure?

– Voici mon fils unique, ô Reine, déclara mon père en me poussant en avant. Il se nomme Ascagne.

– Ton fils unique, répéta la reine en me contemplant. Tu as bien de la chance, cher Prince. Il est beau comme Adonis.

Elle tendit la main et caressa le léger duvet de ma joue.

– Quel âge as-tu, Ascagne?

– Douze ans, Majesté, balbutiai-je timidement.

– Alors tu es presque un homme, Prince Ascagne, et tu as droit à une couche pour le festin. Je te placerai ici, auprès de moi, afin que nous puissions converser. Je suis sûre que tu as beaucoup de choses à me raconter.

Comment pourrais-je décrire l'effet de ces paroles simples et perspicaces, adressées avec tant de grâce et d'amitié à un tout jeune garçon comme moi? Je comprenais qu'à ses yeux j'étais une personne à part entière et non pas seulement le jeune fils de mon père, un enfant qu'on cajolait avant de l'oublier. Je sentis un immense amour m'envahir.

On apporta pour moi une couche. Nos compagnons se dispersèrent vers leurs places respectives, à d'autres tables. Mon père alla prendre la place d'honneur, de l'autre côté de Didon. Des serviteurs nous apportèrent à chacun un broc d'argent avec une coupe pour nous rincer les doigts. Ils distribuèrent de fines serviettes pour nous essuyer les mains. Ils nous apportèrent du pain coupé en tranches dans des paniers. Nous, Troyens, demeurions bouche bée devant un tel luxe et un tel raffinement en nous souvenant de l'austère simplicité virile du palais d'Aceste où nul n'éructait et ne crachait avec plus de vigueur que lui, et de la manière dont même à Buthrote nous avions essuyé nos doigts sur notre pain et lancé les restes aux chiens.

Ici, point de chiens et le sol était de marbre lisse.

Ici, point de serviteurs sales et négligés, mais au contraire des servantes et serviteurs propres, discrets, chacun responsable d'une tâche bien définie.

La reine fit une libation et adressa une prière aux dieux. Une grande variété de coquillages et de salades furent apportés et déposés sur la table, suivis par d'épaisses tranches de thon servies dans une sauce riche et moelleuse. Au thon succédèrent diverses viandes – du chevreau au vin doux, de la gazelle rôtie et du sanglier parfumé au cumin.

Je mangeais lentement, submergé par la profusion et la richesse de la nourriture et guettant subrepticement les manières frustes de mes amis troyens. De tous, seul mon père paraissait complètement à l'aise. Du coin de l'œil, je voyais Didon lui parler avec une assurance fort civilisée. J'observai qu'elle mangeait peu. Je sentais parfois son regard se poser sur moi et devinais qu'elle avait dû questionner mon père sur le genre d'existence que j'avais menée. Soudain, elle se pencha vers moi.

– Quel âge avais-tu quand ton père et toi avez fui Troie, Ascagne? me demanda-t-elle avec douceur.

– J'avais cinq ans.

– Pauvre enfant! Tu as dû oublier ce que c'est, d'avoir une maison et une mère. Te manque-t-elle encore?

Je réfléchis.

– Non, plus maintenant. C'est trop ancien.

D'autres femmes, moins perspicaces que Didon, m'auraient jugé insensible. Elle accepta ma réponse comme l'énoncé d'un fait.

– Et qui s'est occupé de toi, depuis lors?

– Caieta, la vieille nourrice de mon père, répondis-je.

– Mais ce doit être une très vieille femme,

comme Barce, la nourrice de mon mari, s'exclama Didon.

Je sentis sa désapprobation et lui lançai un regard de gratitude, mais sans comprendre.

– Il y a donc un roi, à Carthage ? demandai-je étourdiment.

Didon secoua la tête.

– Je suis seule, Ascagne. J'ai amené Barce avec moi à Carthage parce que, sinon, elle aurait été assassinée. Mais mon époux bien-aimé mourut, longtemps avant que j'aie fui Tyr.

Son charmant visage devint soudain pensif et triste et elle garda le silence pendant un moment. Puis elle m'adressa un sourire enchanteur :

– Les dieux ne nous ont pas accordé d'enfants, mais j'ai une jeune sœur, Anna. Tu la verras demain.

Elle se retourna vers mon père. Il entreprit de lui confier comme il avait été surpris et ému de voir ces fresques commémorant le siège de Troie sur les murs du temple d'Asherat. Comment lui était venue l'inspiration de choisir ce thème ?

– L'admiration pour votre courage, et la pitié pour vos souffrances, répondit-elle calmement. Votre tragique histoire s'est répandue dans le monde entier. Mais il demeure bien des choses que j'ignore.

Et elle commença à l'interroger sur Hector, sur lui-même et sur d'autres héros troyens.

D'abord à contrecœur, puis avec une animation croissante, mon père se mit à lui raconter la part qu'il avait prise dans les combats. Elle l'écoutait intensément, buvant chaque parole, l'assaillant de ferventes questions : comment était Achille ? quelle était la couleur des cheveux d'Hector ? comment s'appelait le conducteur du char de mon père, ou quelles étaient les qualités de ses chevaux? Mais elle ne s'intéressait pas uniquement aux guerriers. Elle l'interrogea sur la vie des Troyens pendant le siège, sur les femmes et les enfants; et tandis qu'elle écoutait, la compassion brillait dans ses yeux. Finalement, elle déclara :

— Cher hôte, je ne t'interrogerai plus, mais accorde-moi une faveur. Quand ce repas sera terminé, raconte-nous à tous l'histoire de la chute de Troie, de ta miraculeuse fuite, de toute ton errance. Nous qui sommes compagnons d'exil devons partager nos joies mais aussi nos peines.

— Mais ton sort fut infiniment plus heureux que le nôtre, douce Reine, observa mon père avec embarras. Tu es riche; tu es arrivée au bout de ton voyage; tu as fondé une capitale nouvelle et prospère. Ton nom vivra à jamais. Toi, une femme, tu as accompli ta mission. Les dieux t'ont souri comme tu le mérites. Moi, un homme, j'ai échoué.

— Tu as cependant eu plus de chance que moi sur un point, répliqua Didon. Les dieux t'ont donné un fils.

Elle me contemplait tout en parlant.

— Une si belle reine ne peut manquer de prétendants, murmura mon père.

Didon sourit.

— Oui, c'est vrai. J'ai plusieurs prétendants. Et en particulier ton précédent hôte, le roi Aceste.

— Aceste? répéta mon père. Mais jamais il ne nous a parlé de toi ni de Carthage. Jamais il ne nous a dit qu'il était allé en Afrique.

— Peut-être a-t-il choisi de n'en rien dire, riposta Didon d'un ton léger. Tu aurais dû le voir, cher invité, pénétrer dans ma salle d'audience avec sa peau d'ours et sa couronne en défenses de sanglier.

Quant à ses gardes du corps, je n'ai jamais vu une telle bande de brutes.

Sa voix trembla, au bord du rire. Mon père eut un large sourire.

– Il croyait que je quitterais Carthage, poursuivit-elle, pour vivre avec lui dans une cabane sur le mont Eryx. Le pauvre, j'ai dû offenser sa fierté, car je ne lui ai guère laissé d'espoir.

Elle s'interrompit, puis reprit sur un ton plus sérieux :

– J'ai d'autres prétendants, mais je leur prête assez peu d'attention, à l'exception du Numide Iarbas. Il est mon voisin et pourrait devenir dangereux. Il m'inspire parfois un sentiment proche de la peur.

Elle se tut brusquement. Son visage était devenu grave. Mon père la regardait, inquiet.

– Peut-être suis-je moins heureuse que tu ne le crois, cher hôte, ajouta-t-elle. Iarbas est un cruel barbare pour qui les femmes ne comptent pas davantage que des objets. Son peuple est fait de farouches guerriers, et bien plus nombreux que le mien. Et puis nous autres Phéniciens sommes commerçants et non soldats. Iarbas est devenu riche en faisant du commerce avec nous. Maintenant qu'il a vu combien Carthage est prospère, il ne pense plus qu'à s'approprier nos richesses. Son royaume est voisin du mien. J'ai essayé de faire durer les choses jusqu'à ce que nos murs soient achevés, mais il commence à se montrer impatient. Si je refuse de l'épouser, il nous attaquera certainement.

Je l'écoutais avec une angoisse croissante.

– Alors que feras-tu? demandai-je impulsivement avant que mon père ait pu parler.

La reine se tourna vers moi avec douceur et fermeté.

– J'ai prié Asherat de nous protéger, Ascagne, répondit-elle simplement. Elle le fera. Cette cité lui appartient. Elle m'a guidée jusqu'en ce lieu, m'a désigné l'emplacement où je devrais construire un temple en son honneur. Nous avons creusé et trouvé un crâne de cheval; j'ai su alors que c'était l'endroit.

Elle se tut, ses yeux noirs fixés sur moi.

– Qu'est-ce que cela signifiait? interrogeai-je avidement.

– C'était le signe qu'elle m'avait promis, le signe que Carthage deviendrait la capitale d'un empire puissant et prospère.

Elle s'exprimait solennellement, avec une suprême confiance. Mon père parut gêné mais Didon ne le remarqua pas.

– Je crois... commençai-je d'une voix hésitante, ne sachant si elle me jugerait présomptueux, je crois qu'Asherat voulait nous faire venir à Carthage.

Mon père me fit signe de ne pas en dire plus et intervint :

– Parle-moi de la déesse Asherat et des autres divinités phéniciennes, sage Reine.

– Asherat est la déesse du Ciel, avec le croissant de lune pour symbole. Elle est la Déesse-Mère de tous les humains, la déesse du mariage et de la fertilité. La déesse de la mer, aussi. Elle est ma protectrice et m'a sauvée de tous les dangers. Mais elle n'est pas seule. Nous vénérons d'autres dieux à Carthage : ainsi Melkart, le dieu de Tyr, dont mon époux était le prêtre.

Sa voix trembla légèrement.

– Et puis Astarté, son épouse, déesse de la beauté et de l'amour. Elle a pour symbole l'étoile du soir.

Chaque année ses colombes quittent le mont Eryx pour venir ici.

Elle avait les larmes aux yeux.

– Pardonnez aux larmes d'une femme, mes amis. J'aimais profondément mon mari. Il me semble parfois que seul l'amour est beau, mais que seul le malheur existe.

Elle se tut et détourna les yeux, s'efforçant de maîtriser son émotion. Ma tête s'embrouillait. C'était donc vers Carthage que s'étaient envolées les colombes d'Aphrodite le jour où mon grand-père était mort! Et non seulement cela, mais elle était la protectrice de la ville de Didon, en même temps qu'Asherat.

Je voyais bien que mon père éprouvait un saisissement aussi vif que le mien. Je songeais à la mystérieuse chasseresse qui nous avait guidés jusqu'à Carthage et dont il m'avait interdit de parler. Ne devait-elle pas être une déesse? La conviction me gagnait qu'il s'agissait d'Aphrodite. Je lançai un bref coup d'œil à la reine. Elle avait recouvré son calme et parcourait la salle du regard. Pour la première fois je pouvais contempler sa beauté sans embarras, comme elle se tenait allongée sur sa couche, avec sa chevelure dorée qui resplendissait dans la lumière. Elle avait le visage d'un ovale délicat et ses joues étaient légèrement colorées. Elle n'avait employé aucun cosmétique de couleur vive. Je devinai le tracé d'une fine veine bleue courant sur sa tempe. J'observai l'arc gracieux de ses sourcils, le nez bien dessiné aux narines mobiles, la douceur grave de sa bouche; son menton apparaissait tout à la fois délicat et ferme. Mes yeux descendirent sur sa gorge blanche ornée d'un collier en filigrane, s'attardèrent un instant sur l'exquise courbe de ses épaules et vinrent se poser sur la broche en forme d'étoile qui fermait sur la poitrine sa robe ample et bordée d'or. Dessous, je pouvais deviner le contour rond et doux de ses seins. Elle avait dû ressentir mon regard comme si je les avais touchés, car à mon tour je sentis qu'elle avait les yeux fixés sur moi. Je m'empourprai et levai des yeux timides vers son visage. Un long regard s'attarda entre nous.

– Pauvre garçon, comme tu es fatigué, prononça-t-elle doucement. Tu viendras auprès de moi quand j'aurai offert une libation aux dieux.

A présent, tout le monde avait terminé le repas. La reine fit un geste. Les serviteurs ôtèrent aussitôt les plats et les assiettes et déposèrent sur la table de grandes coupes de vin et des fruits; puis ils allumèrent les chandeliers. La grande salle se trouva soudain illuminée. La rumeur des conversations s'éleva aussitôt. Un serviteur apporta à la reine un gobelet d'or incrusté de pierreries. Elle l'emplit soigneusement, à ras bord, de ce vin contenu dans la coupe ornée de guirlandes qui se trouvaient sur notre table, puis se leva.

– J'en appelle tout d'abord aux dieux de nos hôtes troyens. On dit que Zeus a inventé les lois de l'hospitalité. Qu'il fasse de cette heureuse réunion une date à jamais mémorable pour nos descendants! Que Dionysos, le dieu du vin, emplisse nos coupes de réjouissance, car le monde entier danse quand existe l'amitié! Que la bienveillante Asherat, notre protectrice, nous accorde sa bénédiction et nous lie de manière que nous ne formions qu'un seul peuple! Compagnons carthaginois, j'en appelle à vous : montrez votre bonne volonté à vos hôtes, accueillez-les de tout cœur comme s'ils nous étaient parents.

Elle versa une offrande de vin sur la table, puis

éleva le gobelet et l'effleura de ses lèvres. Un noble Carthaginois se tenait auprès d'elle, attendant de le prendre à son tour : elle le lui passa en souriant d'un air de défi. Adoptant l'esprit des paroles qu'elle avait prononcées, il saisit le gobelet à deux mains et fit mine de le vider d'un seul trait. Toute l'assistance se mit à rire. L'un après l'autre, les Carthaginois burent en notre honneur. La reine demeura un moment debout à contempler la scène, pleine de joie et d'enthousiasme. Puis elle s'allongea sur sa couche et me fit signe d'approcher. Je posai sur mon père un regard interrogateur. Il acquiesça. Le cœur battant, je m'approchai de la couche de la reine et m'assis gauchement auprès d'elle. Elle m'attira de telle manière que je me trouvai étendu contre ses jambes, et elle m'entoura de son bras.

Je restai un moment tout confus de honte et d'embarras. Qu'allaient penser nos compagnons, à me voir ainsi cajoler comme un enfant ? La reine ne voyait-elle donc pas qu'elle me ridiculisait ? Mais presque aussitôt une délicieuse torpeur m'envahit. Je me sentais écrasé de sommeil. Mes yeux se fermèrent et ma tête retomba sur l'épaule de Didon. Voyant cela, elle me fit de la place et me rapprocha d'elle afin que je fusse plus à mon aise.

– Maintenant tu peux dormir, murmura-t-elle, et personne, pas même ton père, ne te dérangera. Détends-toi et ferme les yeux. Un poète va chanter pour nous.

Avec quelle tendresse Didon me tenait entre ses bras blancs ! Comme son corps était parfumé ! Comme ses baisers étaient doux ! De très loin, me sembla-t-il, me parvenait la mystérieuse chanson du poète aux longs cheveux, célébrant la naissance du soleil, de la lune et des étoiles. Puis j'entendis tout près la voix de la reine, demandant à mon père de leur raconter son histoire. Un profond silence tomba sur l'assemblée. Lentement d'abord, et d'une voix chargée d'affliction, il commença à décrire la chute de Troie. J'entendais le cœur de Didon battre tandis qu'elle écoutait, immobile et tendue. Quand il expliqua comment il avait perdu ma mère, sa peine eut presque raison de lui. Je sentis alors Didon me presser contre elle en murmurant des paroles tendres. Dans mon demi-sommeil je me pelotonnai contre elle et m'endormis ainsi, la joue contre son sein.

8

Le lendemain je fus malade et, quand tomba la nuit, j'étais en proie à une violente fièvre. Ce fut sans aucun doute la reine qui me fit transporter au palais où sa sœur Anna pouvait me soigner. Mon seul souvenir des jours qui suivirent se compose d'une succession de cauchemars confus et mouvants : Pyrrhus me pourchassant dans les rues de Troie en brandissant un gigantesque glaive; mon père et moi traînés comme des prisonniers devant le trône de juge du Tout-Puissant Zeus; le visage implacable d'une déesse inconnue aux lèvres maussades et crispées, aux yeux enflammés. A mesure que ma fièvre s'atténuait, je pris vaguement conscience des diverses personnes qui paraissaient et reparaissaient dans la chambre – le médecin basané et barbu qui venait m'examiner, la servante d'Anna, Imilce, Anna elle-même, petite et mince avec des cheveux noirs, totalement différente de sa splendide sœur, et enfin mon père et Didon, parfois ensemble et parfois séparément. Mais j'étais encore trop faible pour leur parler. Je ne parvenais, au prix de grands efforts, qu'à ébaucher de faibles sourires.

C'était Anna que je voyais le plus fréquemment; il semblait qu'Imilce ou elle-même demeurait sans cesse auprès de moi. C'était elle qui me donnait cette potion amère, posait des compresses sur mon front, m'enveloppait dans des vêtements chaque fois que j'étais saisi de spasmes fébriles. Comme les jours passaient et que je reprenais lentement des forces, je commençai à apprécier son inlassable dévouement; et puis un jour, en la regardant aller et venir dans la chambre, je m'aperçus qu'elle boitait. La vue de cette petite silhouette claudicante commença à me hanter. Je me rendis compte que je ne savais toujours rien d'elle, à part le fait qu'elle était la jeune sœur de Didon. Je voyais bien qu'il s'agissait d'une femme adulte, mais je sentais en elle quelque chose d'étrangement virginal, comme si elle n'avait guère eu conscience de son sexe et jamais encore songé au mariage. Elle n'était pas tant timide que plutôt effacée de nature. Toute sa bonté pour moi s'était nuancée d'une certaine réticence. Maintenant que je pouvais enfin faire un peu de conversation, j'entendais venir à bout de sa réserve. Surtout, je souhaitais l'entendre parler de Didon, que j'avais si peu vue. J'avais commencé à ne plus penser qu'à elle. Le seul fait d'entendre prononcer son nom me rapprocherait d'elle.

– Parle-moi du mari de la reine, demandai-je soudain. Etait-il le roi de Tyr?

Anna parut surprise.

– Non, il était le grand-prêtre de Melkart, le dieu de la cité. Il se nommait Sychée.

– Alors, pourquoi l'appelle-t-on la reine Didon?

– Parce qu'elle était reine de Tyr. Elle gouvernait avec notre frère. Mais son nom n'a pas toujours été Didon : il s'agit du nom que lui ont donné les Numides quand elle arriva ici, et désormais tous ses sujets la nomment ainsi. Cela signifie « la nouvelle venue », et cela lui plut; elle y discerna la preuve d'une nouvelle vie pour elle, la fin de Tyr dans sa vie; et voilà pourquoi cette ville se nomme Carthage. Dans notre langue, cela signifie « nouvelle capitale ».

Pour la première fois, la voix d'Anna se chargeait d'émotion. Je comprenais à présent que si elle m'avait paru si étrangement impersonnelle, si réservée, c'était parce que toutes ses pensées s'attachaient à sa sœur.

– Tu l'aimes, observai-je.

Elle acquiesça :

– Oui, je l'aime, Ascagne. Elle m'est plus chère que la lumière du jour. Pour moi, elle n'est point Didon, la reine de Carthage : elle est Elissa, ma tendre sœur, qui m'a sauvée de la mort, qui m'a tirée des mains de notre propre frère. Mais pourquoi te raconté-je tout cela? Tu n'es qu'un jeune garçon et nous ne sommes sans doute pour toi que des étrangères à peu près inconnues. Que t'importe si Didon m'a sauvé la vie, si son époux fut vilement assassiné? Jamais il n'a existé d'homme plus noble. Mais si seulement elle pouvait l'oublier!

Elle enfouit son visage dans ses mains.

– Je l'aime aussi, Anna, dis-je.

Elle releva la tête et me regarda en silence.

– Je l'avais deviné, déclara-t-elle enfin, bien que tu la connaisses à peine. Tu l'as appelée tant de fois dans ton délire!

Elle se tut, fixant sur moi un long regard scrutateur.

– Oui, je vais te dire son histoire, Ascagne. Tu es assez grand pour comprendre; et, puisque tu l'aimes, quel mal cela peut-il faire?

Ce que me raconta Anna me parut extrêmement étrange. Elle commença par me parler des Phéniciens, un peuple de marins et de commerçants qui vivaient sur une étroite bande de plaine côtière bordée de montagnes. Ils étaient trop nombreux pour subsister uniquement grâce à l'agriculture. Le commerce était l'essence de leur vie, m'expliqua-t-elle; sans le commerce, ils auraient péri. Elle me parla de leurs voyages vers des terres lointaines – à Ophir, où ils trouvaient de l'or, des épices, du bois de santal, à Tarsis, loin vers l'ouest, qui était riche en argent et en étain. Elle parla de leur commerce d'ivoire, de bois de cèdre et de pierres précieuses, de la toile fine qui venait d'Egypte, du cuivre de Chypre, d'étranges animaux à longs bras qui se tenaient accroupis et semblaient apparentés aux hommes et d'oiseaux au plumage resplendissant qui se pavanaient comme des princes dans le jardin de son père à Tyr. Elle me parla des autres cités phéniciennes – Byblos, naguère la plus grande de toutes, où depuis l'aube des temps on célébrait le culte d'Astarté, et puis Sidon, tantôt amie et tantôt ennemie de Tyr. Elle me parla des grandes puissances rivales, l'Egypte et l'Assyrie, chacune s'efforçant de dominer la Phénicie, et aussi d'un peuple appelé les Hébreux, autrefois les alliés de Tyr, qui adoraient un seul dieu et détestaient toutes les autres religions. Elle me parla de l'artisanat phénicien – de leur science pour construire des navires, de la teinture pourpre qu'ils fabriquaient à partir de coquillages, de leurs ivoires sculptés, de leurs ciselures sur l'or et l'argent. Elle me décrivit la ville de Tyr, sur une île rocheuse à proximité du rivage – ses maisons à plusieurs étages, ses ateliers, ses jetées et ses entrepôts, ses deux ports et l'ample espace réservé à l'ancrage, entouré de récifs, où arrivaient des navires venus des quatre coins de la terre.

Son père, le roi de cette cité riche et animée, régnait également sur une partie de Chypre. De ses trois enfants, Didon était l'aînée. Pygmalion, son unique fils, était issu d'un second mariage, mais toujours il avait préféré Didon. Elle avait hérité de la beauté de sa mère, une princesse chypriote; en outre, elle possédait une intelligence d'homme. Le jeune Pygmalion était malfaisant et dégénéré, mais l'ancienne loi de succession empêchait que l'on pût l'exclure du trône. Après de longues et douloureuses réflexions, le roi avait trouvé une solution. Didon et Pygmalion devaient lui succéder conjointement et, afin de garder son fils sous tutelle, il allait marier Didon à Sychée, son ami et conseiller, le premier personnage du royaume.

Ce mariage n'était pas seulement politique; c'était aussi un mariage d'amour. Depuis son enfance Didon admirait Sychée. Elle s'éprit passionnément de lui, avec toute l'ardeur de sa nature généreuse. Aucun autre homme n'existait à ses yeux, bien que Sychée fût beaucoup plus âgé qu'elle. Jamais elle ne sacrifia son indépendance de jugement, mais dans tous les autres domaines son seul souci consistait à le rendre heureux et à jouir avec lui des plaisirs de l'amour conjugal. L'unique ombre à son bonheur était de n'avoir pas d'enfant.

Son bonheur d'épouse allait se révéler de courte durée. Peu de temps après leur mariage, son père mourut et Pygmalion, poussé par les ennemis de Sychée, commença à intriguer contre elle. Il avait toujours considéré ses sœurs avec une haine envieuse, mais il détestait Sychée davantage encore. Une campagne de calomnie soigneusement préparée fut menée contre lui. Des agitateurs rétribués dénoncèrent sa fortune comme étant mal acquise, résultant d'abus et d'extorsions. On l'accusa d'avoir prêté la main au décès du défunt roi et de comploter la mort de Pygmalion. On l'accusa d'avoir fomenté des accords secrets avec les ennemis de Tyr. Toutes les calamités étaient attribuées à la colère de Melkart contre son impiété. Didon était trop aimée pour qu'on pût l'attaquer de front, mais on la représentait comme une simple figure de proue. Jamais les dieux n'avaient souhaité qu'une femme régnât sur Tyr; et c'était là une raison de plus à leur fureur.

La population de Tyr comprenait de nombreux étrangers – une cohue turbulente et insatisfaite de réfugiés et d'esclaves qui étaient venus s'établir sur cette île déjà surpeuplée afin de fuir le continent, ou bien en quête de travail. Sychée comptait de nombreux ennemis, jusques au Sénat – des hommes qui lui enviaient son pouvoir et son mariage avec une jeune et riche reine. Ils se chargèrent de révéler au puissant roi d'Assyrie la beauté de Didon, promettant que Pygmalion lui donnerait ses deux sœurs pour concubines en contrepartie de son aide.

Quand tout fut prêt, Pygmalion et ses complices frappèrent. Une émeute fut organisée parmi la population étrangère. Des agitateurs réclamèrent une assemblée populaire. Pygmalion y consentit aussitôt, sans en informer sa sœur. Une tumultueuse populace occupa le palais du Sénat, réclamant à grands cris, et au nom du peuple, la déposition de Didon.

Bien que surpris par cette attaque, Sychée

demeura calme. Il savait que la majeure partie de la population de Tyr lui était loyale, ainsi qu'à Didon. Il avait des troupes à sa disposition, mais il aimait la paix et Didon détestait verser le sang. S'ils envoyèrent des soldats rétablir l'ordre et décrétèrent l'assemblée illégale, ils n'entreprirent aucune action contre Pygmalion. Ils espéraient toujours qu'une réconciliation viendrait résoudre la crise. S'infligeant un tort irréparable, ils lui accordèrent un sauf-conduit jusqu'à leur palais où vivait également Anna.

C'était la nuit. Pygmalion arriva apparemment sans escorte, accompagné d'un seul serviteur. Il exprima son regret du tour qu'avaient pris les événements et désavoua les revendications séditieuses de l'assemblée. Sychée lui proposa de conclure avec lui un accord solennel en preuve de sincérité. Pygmalion accepta volontiers. Sychée le conduisit devant l'autel de Melkart : les deux hommes se purifièrent, offrirent des sacrifices et jurèrent sur l'autel qu'ils se réconciliaient. Puis Pygmalion tira son poignard et l'enfonça dans le cœur de Sychée.

Les deux hommes y étaient allés seuls car les femmes n'étaient point admises au sanctuaire de Melkart. Nul n'avait assisté au crime sacrilège. Se précipitant à la porte du palais, Pygmalion appela à l'aide, prétendant que Sychée l'avait attaqué. A ce signal convenu d'avance, une foule de soldats étrangers vêtus en Tyriens se répandirent dans le palais : la garde du palais, surprise, n'offrit pas de résistance. Anna et Didon furent immédiatement arrêtées et conduites au palais de Pygmalion où elles se retrouvèrent honteusement enfermées comme des prisonnières ordinaires. Avec une cruauté délibérée, Pygmalion fit séparer les deux sœurs et refusa de les voir, laissant Didon dans l'incertitude la plus angoissée quant au sort de son époux.

Ce fut Didon qui découvrit qu'on s'apprêtait à les livrer au roi d'Assyrie. Elle jura de se tuer plutôt que de se soumettre à l'esclavage d'un harem; mais elle s'inquiétait surtout pour sa sœur. Elle était parvenue à dissimuler quelques-uns de ses bijoux et corrompit l'un de ses gardes étrangers pour transmettre un message à Anna. Un système de communication ne tarda pas à s'établir entre elles et pour la première fois Didon apprit que son mari avait été assassiné. Sa peine fut si grande que ses gardes eurent pitié d'elle. Ils jurèrent de la servir, plutôt que le meurtrier de son époux. Ils firent passer au monde extérieur les messages qu'elle leur confiait. Bien que certains partisans de son mari eussent choisi l'exil, il en restait encore beaucoup à Tyr. Un complot s'organisa pour la sauver avant que Pygmalion pût réaliser son ignoble projet. Sauver Anna se révélait plus difficile, car elle se trouvait enfermée dans une pièce située au sommet du palais, mais Didon refusait de fuir sans sa sœur. Finalement, on convint d'un autre plan. L'ancienne servante d'Anna, Imilce, servait à présent au palais de Pygmalion; avec la complicité des gardes, elle fit parvenir à sa maîtresse une longue bande de toile. Les deux sœurs s'enfuiraient ensemble tandis que Pygmalion festoierait à un autre étage. Un bateau les mènerait au continent. Là, elles retrouveraient les nombreux amis qui préféraient l'exil à la tyrannie de Pygmalion et à l'asservissement envers l'Assyrie. Ensemble ils s'embarqueraient vers Chypre.

Didon parvint à s'échapper sans encombre; mais avant qu'Anna fût parvenue au sol, sa corde improvisée céda; elle tomba et se brisa la jambe. Didon refusa de la quitter et, sans l'aide d'Imilce et du fidèle intendant de Sychée, tout aurait été perdu. Enfin, après d'infinies difficultés, elles parvinrent au bateau sans que leur fuite eût été découverte. Sur la terre ferme, leurs partisans les attendaient déjà, avec leurs navires chargés de trésors. Pygmalion avait espéré mettre la main sur la fortune de sa sœur, mais le fidèle intendant de Sychée en avait dissimulé une grande partie. Le regard embué de larmes, Didon les remercia pour leur loyauté. Ils jurèrent de la suivre partout où elle les conduirait. Elle offrit un sacrifice à Melkart et, sanglotant, invoqua l'ombre de son époux mort. Puis, lançant un dernier adieu à sa cité natale, elle donna l'ordre d'embarquer. Dans la pâle lueur de l'aube, avec l'étoile d'Astarté qui scintillait faiblement au loin, leur flotte de quarante navires fit voile vers Chypre.

A Kition, la principale ville tyrienne de l'île, Didon constata qu'on la reconnaissait toujours pour souveraine. Mais rester là semblait inviter son frère à l'attaquer, condamnant la population aux horreurs de la guerre civile. Une reine moins magnanime n'eût songé qu'à se venger à tout prix. Didon voyait plus loin. Elle avait perdu à jamais son époux bien-aimé. Rien ne pouvait le rendre à la vie. Elle ne pouvait espérer atténuer la cruelle souffrance de la solitude qu'en tournant résolument le dos au passé. Elle ne devait pas prendre les armes contre son frère, mais plutôt se placer hors de sa portée. Il lui fallait consacrer désormais toutes ses pensées et son énergie à quelque entreprise nouvelle et mémorable, pour le bénéfice et la gloire de son peuple, de manière à satisfaire les dieux et l'ombre de son défunt époux. Elle résolut de fonder une seconde Tyr en Afrique, au delà des confins du monde civilisé. Au sud de la Crète, les Grecs étaient actifs;

mais plus à l'ouest, sur la route qui, par-delà la Sicile, menait à Tarsis, seuls les Phéniciens avaient pénétré.

De Tyr, le voyage était long et périlleux. En d'aussi lointaines expéditions, on employait des navires spécialement conçus pour la haute mer. Ils ne revenaient pas toujours; et il arrivait qu'ils fussent absents trois ans ou même davantage. Leur cargaison d'argent, de fer et d'étain représentait une valeur considérable; les princes-marchands de Tyr avaient accumulé des fortunes sur ces bénéfices. Mais si l'on pouvait établir une nouvelle Tyr sur la côte africaine, près de la Sicile, ce commerce de métaux précieux deviendrait infiniment plus sûr et plus lucratif.

Didon n'avait jamais voyagé plus loin vers l'ouest que Chypre; mais, de même que beaucoup d'autres femmes phéniciennes, elle avait reçu une éducation très complète. Elle savait parler couramment le grec et l'égyptien. Elle savait où se trouvait la Crète; elle avait entendu parler de la Sicile. Elle avait conversé avec des marins revenus de Tarsis, et connaissait de nom les ports d'escale qu'ils utilisaient tout au long de la côte africaine. Elle savait aussi quels comptoirs phéniciens s'y étaient développés – des campements enclos, sur une pointe de terre, près d'une lagune ou d'un estuaire, consistant en quelques navires remontés sur la plage et des cahutes en torchis. Nul n'avait fondé ces humbles colonies; elles s'étaient créées comme ports d'escale. Si Tyr devait décliner et le commerce avec Tarsis cesser, elles ne tarderaient pas à dépérir et disparaître.

Tyr était riche et prospère, mais exposée à la menace permanente de ses puissants voisins. En Afrique, cette menace n'existerait plus. La côte était boisée et presque inhabitée, et la population de l'intérieur des terres se composait de tribus pastorales, nomades et primitives. Mais bien qu'elles fussent barbares, elles ne manifestaient pas d'hostilité aux commerçants. Mieux encore, la terre était réputée fertile; les arbres fruitiers sauvages y croissaient en abondance et les forêts regorgeaient de gibier. Trouver un bon port naturel, acheter les terres d'un chef local, fonder une seconde Tyr – pourquoi ne serait-ce pas possible, si les dieux donnaient leur bénédiction? Didon elle-même était riche, et bon nombre de ses compagnons étaient des hommes solidement établis, qui avaient emporté avec eux tous leurs biens. Recruter à Chypre de la main-d'œuvre ne devait guère être difficile – des carriers, des maçons, des forgerons, des artisans en tout genre, des soldats et des marins, des bergers et des laboureurs. La vision d'une grande entreprise prenait ainsi forme dans l'esprit actif et prévoyant de Didon. Mais elle n'en révéla rien à personne, sauf à Anna, avant de savoir si les dieux lui accorderaient leur protection.

Didon n'avait rien perdu de sa vénération envers Melkart et Astarté, les dieux protecteurs de Tyr; mais il lui était devenu douloureux de les prier. Depuis son mariage avec Sychée, ils avaient symbolisé pour elle l'amour conjugal. Penser à eux, désormais, lui rappelait les plaisirs qu'elle-même et son mari avaient partagés. Ses pensées se tournaient de plus en plus vers une autre divinité, adorée de tous les Phéniciens comme étant la Grande Mère – Asherat, Reine du Ciel et Déesse de la Mer. C'était elle qu'invoquaient les marins; souvent les navires lui étaient consacrés. En outre, elle était reine et protégeait particulièrement les femmes. Dès le début, Didon identifia Asherat à son projet secret. A peine eut-elle débarqué à Kition qu'elle se rendit au temple d'Asherat et lui offrit des sacrifices. Elle pria en silence pour obtenir une protection contre son frère, ainsi qu'un signe lui révélant que la déesse favorisait son ambitieux projet. Les jours passèrent; Didon se rendait chaque jour au temple, au lever du soleil, mais sans rien dévoiler de son espoir. Puis un matin, comme elle quittait le palais, elle rencontra le grand-prêtre qui l'attendait. Il semblait dans un état d'intense excitation. Asherat lui était apparue en rêve et lui avait révélé le projet de la reine. Elle lui avait ordonné de l'accompagner, avec sa femme et ses enfants, et lui avait promis sa protection. La reine veuve et exilée était destinée à fonder une puissante cité, plus prospère encore que Tyr. La déesse elle-même les guiderait dans leur voyage. Elle lui avait montré le site, sur une colline sur- plombant une lagune, au sud de hautes falaises rouges. Ils devaient aborder là et creuser en un certain point où ils trouveraient un crâne de cheval; ils y dresseraient alors un temple en l'honneur de la déesse, et construiraient leur cité tout autour. Elle resterait parmi eux, veillant sur leur reine et la protégeant de ses ennemis.

Eperdue de joie, Didon se précipita au temple et se confondit en remerciements devant l'autel. Puis elle convoqua ses compagnons et, accompagnée du grand-prêtre, leur révéla son projet désormais béni par la divinité. Ils l'accueillirent tous avec enthou- siasme et y virent aussitôt une entreprise sacrée. Une partie de la population s'offrit à venir aussi; d'autres donnèrent du matériel, des bateaux, de l'argent. Pour la première fois depuis le trépas de son époux, Didon était heureuse. Mais elle ne permettait pas que le bonheur lui aveuglât le juge- ment et elle organisa son expédition avec le plus grand soin. Il s'agissait de voguer vers la Crète avant de virer en direction de l'Afrique, au sud, puis de longer la côte. Mais le voyage serait long, et peut-être dangereux; elle-même et ses compagnons pouvaient se trouver aux prises avec les Grecs, les pirates, ou des Africains hostiles. En attendant que le site fût découvert et qu'un premier camp fût établi, ne devaient l'accompagner que ceux dont la présence était indispensable. De nombreux volontaires furent donc refusés, ainsi que beaucoup de femmes et d'enfants. Didon souffrait d'avoir à agir ainsi, mais elle s'engagea à ne pas oublier ceux qu'elle laissait en arrière et à les envoyer chercher dès qu'elle le pourrait. Elle était tellement aimée qu'il s'éleva peu de murmures. A la fin du printemps, elle partit avec la moitié de sa flotte.

Le voyage se révéla extraordinairement paisible. Didon avait choisi des marins particulièrement expérimentés, dont beaucoup connaissaient déjà la côte africaine. Ils n'éprouvèrent presque jamais de difficulté à trouver des points de ravitaillement en eau. Ils ne perdirent aucun bateau dans les tempêtes. Et le peu d'épreuves qu'ils rencontrèrent fut partagé dans la bonne humeur. Avant tout, le sentiment d'accomplir une mission sacrée ne les quitta jamais. S'il s'était agi d'une quelconque entreprise de commerce, peu de ses compagnons auraient accepté Didon comme chef indiscuté. Qu'une femme, même reine, menât une telle expédition, constituait un fait sans précédent. Mais, aux yeux de son entourage, Didon était bien davantage qu'une femme belle et courageuse. Elle était devenue le symbole vivant d'Asherat. Sa personne était sacrée. Ils la vénéraient et lui obéissaient comme si elle eût été une déesse. Plusieurs de ses compagnons, issus de familles nobles, espérèrent tout d'abord épouser

168

Didon, mais avec une paisible fermeté elle repoussa toutes ces offres. Son corps, leur expliqua-t-elle, appartenait à son défunt mari; quant à Anna, elle ne devrait se marier que lorsqu'elle le souhaiterait.

Didon reportait à présent toute sa tendresse sur sa jeune sœur infirme. Et la dévotion sans limites d'Anna l'en récompensait bien. Anna était sa seule confidente, la seule personne à qui elle pût parler librement de ses doutes secrets et de ses hésitations, de ses moments de solitude éprouvante. Anna n'avait rien d'un chef, mais elle ne manquait pas de perspicacité. Elle empêchait sa sœur au trop bon cœur de se laisser exploiter et la protégeait des problèmes futiles et secondaires. Etant l'enfant préférée de son père, Didon avait grandi dans le confort et le luxe. Elle n'était pas accoutumée aux rigueurs d'un long voyage en mer. Elle les supportait bravement, mais cela l'épuisait aussi. A certains moments, elle trouvait répugnante cette promiscuité avec des marins. Jamais elle ne manifestait ses sentiments. Seule Anna, moins sensible que sa sœur élevée si délicatement, savait combien leur comportement fruste et leur langage grossier pouvaient la révolter. Discrètement, elle servait de porte-parole officieux à Didon. La reine était fatiguée, annonçait-elle à l'équipage, et elle avait la santé fragile; s'ils voulaient satisfaire Asherat, ils devaient lui marquer plus de considération. Ce genre de demande réussissait toujours.

Au début de l'automne, ils firent escale dans un comptoir phénicien et apprirent enfin qu'ils n'étaient plus loin de leur but. Plus au nord, leur révéla-t-on, au delà d'un grand promontoire et d'une montagne solitaire dont le sommet ressemblait à une paire de cornes, ils verraient un ancrage que les Africains nommaient « Kakkabé », et qui correspondait à leur description. Le nom signifiait « crâne de cheval », mais nul ne savait pourquoi ce lieu s'en trouvait affublé. Le territoire environnant était habité par un peuple farouche, les Numides. Souvent des navires y avaient jeté l'ancre, mais nul ne s'était risqué à y établir une colonie, malgré la fertilité de la terre.

Après avoir remercié Asherat, Didon prit à son bord un Phénicien qui connaissait la langue des Numides. En quatre jours de mer, ils parvinrent sains et saufs au delà du promontoire fortement éventé, jusque dans une vaste baie qui s'étendait vers l'ouest aussi loin que l'on pouvait voir. Plus loin sur le rivage, Didon apercevait dans la lumière d'automne les falaises rouges dont lui avait parlé le grand-prêtre. Avec une ardeur croissante, ils donnèrent plus de voile et pressèrent l'allure. Peu à peu, la grande lagune située au sud leur apparut. A peu de distance, et surplombant la mer, s'élevait une colline doucement arrondie. L'émotion réduisit Didon au silence. Elle ne pouvait que tendre le bras et interroger du regard le Phénicien qu'elle avait emmené. « Kakkabé », déclara-t-il en hochant la tête avec un sourire. Anna étreignit sa sœur. Pour la première fois depuis qu'elle avait quitté Chypre, Didon pleura de joie.

Ils s'engagèrent sur la lagune et amarrèrent leurs vingt navires. Une fois débarqués, le grand-prêtre offrit un sacrifice à Asherat devant eux tous. La cérémonie solennelle s'achevait à peine que deux groupes de cavaliers arrivèrent au galop. Les barbares entourèrent la troupe de Didon avec des visages menaçants. Leur chef s'avança avec arrogance. Sa volumineuse cape de laine blanche était fixée autour de sa tête par un lien d'or, et au-dessous de sa cape, une peau de lion affirmait son rang. Sur chacun de ses bras musclés, il portait un énorme bracelet d'ivoire. Il tenait un javelot à la main et sa ceinture de cuir se hérissait de dards. C'était Iarbas, le roi des Numides.

Ignorant Didon, il demanda rageusement au grand-prêtre, en mauvais punique, pourquoi il avait accosté ici.

– C'est à notre Reine de te répondre, répondit le grand-prêtre.

Iarbas dévisagea Didon avec étonnement.

– Quel genre de peuple êtes-vous donc, pour avoir une femme à votre tête? s'enquit-il enfin, les yeux posés sur elle avec insolence.

– Nous sommes venus faire du commerce avec toi, répondit-elle calmement.

Elle ordonna à Imilce d'aller chercher une coupe d'or et l'offrit à Iarbas.

Il la lui arracha grossièrement.

– Qu'avez-vous d'autre? voulut-il savoir.

– D'abord, je veux acheter de la terre et construire un campement; et puis nous ferons du commerce avec vous.

– Je ne vends pas de terre à des étrangers, répliqua brutalement Iarbas. Mais vous pourrez me payer un tribut.

Didon secoua la tête.

– Je veux l'acheter. Personne ne vit sur cette colline. Ton peuple n'est ni marin ni pêcheur. A quoi te sert cette côte?

Iarbas loucha sur elle.

– J'ai acheté mes épouses contre des bœufs, déclara-t-il d'une voix lente. Et je te vendrai la surface de terre que recouvre une peau de bœuf. Tu choisiras l'emplacement toi-même.

– J'accepte ton offre, répondit-elle. Dis-moi ton prix.

Iarbas soupesa la coupe d'or dans sa main.

– Dix de ces coupes.

– Montre-moi ta peau de bœuf, dit-elle, et je ferai apporter les coupes.

Iarbas éprouvait un embarras évident.

– Nous réglerons tout cela demain, déclara-t-il gauchement.

– Non, rétorqua Didon avec une paisible autorité. Si tu veux les coupes et si tu veux t'enrichir en faisant du commerce avec nous, il faut que ce soit réglé aujourd'hui même.

Iarbas hésitait, se mordillait les lèvres, mais sa cupidité l'emporta. Il hurla un ordre à l'un de ses hommes, qui apporta une peau de bœuf et l'étendit par terre. Didon l'examina soigneusement.

– Et maintenant, ô Roi, dit-elle, nous allons tous deux jurer par tes dieux et par les miens, ici, devant nos peuples, que nous respecterons notre accord et que nous ne nous porterons mutuellement aucun tort, ni nous-mêmes ni nos sujets.

Iarbas tenta de faire le fanfaron.

– Que se passe-t-il, Roi? s'enquit Didon. Tu ne veux pas faire de commerce en paix avec nous? Comptes-tu rompre notre accord?

Iarbas s'empourpra.

– Où sont les coupes? réclama-t-il d'une voix épaisse.

– J'ai donné l'ordre à mon serviteur de les apporter dès que tu auras prêté serment. Elles sont pareilles à celle que je t'ai donnée, mais si tu le désires, elles seront pesées avant que tu ne les acceptes.

Elle avait pris un total ascendant sur lui. Il prêta serment d'une voix forte, d'abord en numide, puis en punique; Didon fit de même. Les coupes furent apportées et pesées. Iarbas les accepta solennellement. Maintenant qu'il les tenait en sa possession, il devint presque chaleureux. Il autorisa les Phéniciens à construire un camp provisoire près de leurs navires. Fixant sur Didon un regard chargé de sous-entendus, il exprima son désir de nouer avec eux des liens étroits. Enfin il les quitta brusquement. Avec un inexprimable soulagement, les Phéniciens le regardèrent s'éloigner au galop dans un nuage de poussière, accompagné de sa suite.

Didon était pâle et épuisée, après cette longue épreuve, mais elle désirait avant tout apaiser l'esprit de ses compagnons. Dès que les Numides eurent disparu, elle les rassembla et leur expliqua ce qu'elle avait fait. Elle avait eu pour objectif d'acheter de la terre : elle avait réussi. Iarbas lui avait fait payer un prix exorbitant. Dans son insolent orgueil, il avait cru lui en vendre trop peu pour qu'elle pût rien en faire. Il se trompait : sans le savoir, il lui en avait vendu suffisamment pour construire une cité. Demain, ils découperaient la peau en une longue bande fine. Ils prieraient Asherat de les guider jusqu'au site où ils devaient construire son temple, et là, sur la colline, à l'intérieur du cercle délimité par la lanière de cuir, ils fonderaient solennellement leur cité. La terre n'appartiendrait qu'à elle seule. Iarbas ne pourrait pas la réclamer. Et de plus, il avait juré de ne pas les attaquer. Elle-même et ses sujets seraient libres de construire leur cité en paix.

Ce fut là le plus grand moment de triomphe de Didon. Un murmure d'admiration parcourut l'assistance, à l'annonce de la ruse par laquelle elle avait déjoué les plans de Iarbas. Ils se pressèrent autour d'elle en l'assurant de leur dévotion. Certains s'agenouillèrent même et lui baisèrent la main. Jamais encore elle n'avait autant ressenti leur amour pour elle.

Anna se tut soudain.
– Il est tard, Ascagne. Tu dois dormir.
– Tu me raconteras la suite demain? demandai-je aussitôt.
Elle sourit :
– Si tu veux l'entendre.
– Je veux la voir aussi, déclarai-je.
Anna me contempla gravement.
– Je le lui dirai.
Elle me souhaita une bonne nuit et quitta la pièce.

Je gardai les yeux grands ouverts dans l'obscurité en pensant à Didon et à la manière dont elle avait fondé Carthage. Une incrédule admiration me submergeait. Comme nos efforts passés se révélaient futiles, en comparaison! Je songeai à la tentative mal dirigée de mon père pour fonder une cité en Thrace, à notre désastreux échec en Crète. Didon n'avait commis aucune de ces erreurs. Elle avait dès le début connu sa propre intention. Elle n'avait pas aveuglément compté sur les instructions des dieux; elle n'avait pas perdu de temps à consulter des oracles ambigus, comme l'avait fait mon père. Elle avait montré du bon sens – pas lui.

Soudain je me rendis compte que j'avais commencé à douter de lui comme chef, et ma déloyauté me révolta. Je me souvins de ce que m'avait dit Palinure. C'était vrai. Mon père n'avait pas eu de chance. Zeus ne nous avait jamais aidés comme Asherat avait aidé Didon. Mais Asherat ne devait-elle pas être plus puissante que lui? Elle avait provoqué la tempête qui nous avait empêchés d'atteindre l'Italie. Je redoutais qu'elle ne fût l'ennemie de notre destinée; pourtant, elle protégeait Didon, et Didon s'était révélée notre amie. Elle nous avait offert d'être de vrais citoyens. Elle nous avait traités avec une extraordinaire bonté et générosité. Sa sœur m'avait soigné pendant toute ma maladie. Je vivais en invité dans son palais, dans un confort tel que je n'en avais jamais connu. Demain elle viendrait me voir et je lui dirais que je l'aimais. Je voulais rester avec elle à jamais. Mon destin se trouvait à Carthage. Que m'importait désormais la lointaine Italie?

9

Cette nuit-là, je dormis d'un profond sommeil dépourvu de songes. A mon réveil, le soleil pénétrait déjà dans la chambre, à travers les rideaux tirés. Je me sentais de nouveau solide et bien portant. Bondissant du lit, je me précipitai à la fenêtre.

Il soufflait un vent froid, mais le ciel resplendissant n'offrait pas le moindre nuage. De l'autre côté de l'immense baie étalée sous mes yeux, se dressait une montagne solitaire couronnée par deux pics jumeaux en forme de cornes. Le soleil illuminait ses flancs nus et rougeâtres et faisait scintiller la surface agitée de l'eau. Au sud de la baie, dix navires sur une seule ligne approchaient de Carthage, suivant la côte plate et marécageuse. Tout près, s'étendait la vaste lagune où Didon et ses compagnons avaient débarqué. Elle était alors nue et désolée. A présent, les navires et les bateaux de pêche y étaient nombreux – les uns couchés en plusieurs rangées sur la rive, d'autres ancrés au milieu de la lagune, d'autres encore amarrés à la longue jetée sur laquelle les pêcheurs déchargeaient les poissons pris le matin. Le quai d'où partait la jetée grouillait de gens manœuvrant de pesants blocs de pierre ou de marbre tirés des navires amarrés. De lourdes charrettes attendaient à proximité pour les transporter jusque dans la ville. Juste au-dessous des murs de la ville, des hommes travaillaient à creuser un port artificiel. De partout s'élevait un bruit confus de voix.

La vue de tant d'activités me rendit impatient. Comme je rentrais la tête, je vis Didon et mon père traverser la cour en discutant sérieusement. Mon cœur bondit à leur vue. J'étais resté trop longtemps enfermé dans une chambre et je décidai de m'habiller et de les rejoindre. Mais avant que j'aie pu bouger, la porte s'ouvrit et Anna entra en compagnie du médecin. J'eus beau affirmer que je me sentais guéri, il me fallut subir un long examen. Une incompréhensible conversation s'engagea entre Anna et le médecin, puis Anna m'informa que je pourrais me lever et m'habiller demain, mais sans pouvoir encore aller dehors. Je commençai à protester mais elle m'interrompit avec une fermeté imprévue.

– Tu es notre invité, Ascagne, et nous sommes responsables de toi. Sais-tu comme tu étais malade et comme tu es pâle et amaigri?

Elle me tendit un miroir et je distinguai à sa surface ternie le reflet d'un visage blême et hâve. Ma grimace la fit rire.

– Je puis au moins informer Didon que tu as retrouvé ta joie de vivre. Elle viendra te voir plus tard. Mais tu dois avoir faim.

Un serviteur m'apporta des aliments très simples

et un pichet de vin. Je bus et mangeai voracement.

— Et maintenant, déclara Anna, je vais aller chercher ton père.

Elle sortit en boitant et je ne tardai pas à entendre leurs voix, ainsi que les longs pas de mon père qui résonnaient dans le couloir. Quand ils entrèrent, j'observai qu'Anna avait les joues plus colorées et qu'elle souriait. Elle semblait plus petite et fragile, à côté de lui, et il baissait les yeux vers elle avec une expression protectrice que je ne lui avais jamais vue. Il me serra dans ses bras, me raconta aussitôt avec quel dévouement Anna m'avait soigné pendant ma maladie et me précisa que plus d'une fois elle m'avait veillé toute la nuit. Elle écoutait avec embarras, mais non point sans plaisir. Je la remerciai gauchement.

— Ce n'est rien, répondit-elle. Je l'ai fait pour ma sœur.

Puis soudain elle leva les yeux et contempla mon père :

— Si ma sœur et moi sollicitons un jour ton aide, dit-elle, nous saurons que nous pouvons compter sur toi.

Elle sortit afin de nous laisser seuls. Je demandai à mon père des nouvelles de nos compagnons. Ils étaient tous logés dans diverses parties de la ville, me dit-il. Nos bateaux étaient amarrés tout près. Comme l'avait promis la reine, les réparations étaient en cours et l'on remplaçait les voiles et les rames endommagées. La plupart des Carthaginois se montraient bienveillants et hospitaliers. Nos compagnons se sentaient moins à leur aise qu'à Drepanum, mais nul n'aurait pu leur manifester plus de bonté que la reine ne l'avait fait. Elle avait multiplié les efforts pour soigner les malades et les blessés – et en particulier Caieta, qui serait autorisée à venir me voir dès que son bras serait tout à fait guéri.

– Mais à ce moment-là, ajouta mon père, tu seras sûrement toi-même assez fort pour regagner la maison du grand-prêtre.

Je tressaillis à l'annonce de cette nouvelle peu attrayante.

– Pourquoi ne puis-je pas rester ici?

– C'est ici la partie du palais où loge la reine. Tu ne peux pas rester indéfiniment dans le quartier des femmes.

– Est-ce donc là que je suis? m'étonnai-je.

Il se mit à rire :

– Tu es entouré de femmes : la reine, sa sœur, leurs servantes. C'est la partie du palais la plus jalousement gardée. Moi-même je n'y ai point été admis seul.

Curieusement, je n'avais jamais pensé que je me trouvais dans le quartier des femmes, que la chambre de Didon se trouvait peut-être à proximité de la mienne. Mon cœur se mit à battre plus vite. En imagination, je vis ses servantes la dévêtir. Je les regardai défaire sa robe ondoyante et bordée d'or. Je vis la blancheur lumineuse de son corps nu et m'émerveillai de sa beauté.

Mon père s'était tu et me dévisageait avec un léger sourire. Je me demandai s'il avait deviné mes pensées et me sentis mal à l'aise.

– La reine t'aime beaucoup, Ascagne. Je sais que tu n'abuseras pas de sa bonté.

Je ne répondis rien, me souvenant comme ma tête avait reposé sur son sein. Il crut nécessaire d'expliquer :

– C'est parce qu'elle n'a pas d'enfants à elle. Elle

aurait dû se remarier après la mort de son époux. Elle n'a guère manqué de prétendants.

– Peut-être n'a-t-elle jamais souhaité d'autre époux, ripostai-je, ne songeant qu'à la défendre.

Mon père acquiesça.

– C'est ce qu'elle m'a dit, et c'est peut-être vrai. Après tout ce qu'elle a accompli seule, elle ne peut guère souhaiter partager sa puissance. Elle est une souveraine-née, Ascagne, une souveraine naturelle. Jamais je n'ai rencontré une femme comme elle. Elle possède le courage, la sagesse, la beauté, mais elle n'a pas d'enfants. Elle prétend que Carthage est son enfant et qu'Asherat ne lui destine pas d'autre enfant. Si c'est vrai, je trouve cela bien étrange. Pour le salut de son peuple, il lui faut un héritier.

Cette idée ne m'était jamais venue.

– Il y a Anna, suggérai-je.

Mon père secoua la tête.

– Anna ne pourra jamais être reine. Elle est bonne et généreuse, mais le peuple la voit rarement. Elle ne quitte presque jamais le palais, m'a dit le grand-prêtre, et ne connaît rien aux affaires.

Je me souvins qu'Anna dirigeait l'administration du palais. Non, jamais elle n'aspirerait à une tâche plus haute. Elle ne pensait qu'à servir Didon. Et puis elle était infirme. Même si elle devait se marier un jour, pourrait-elle avoir des enfants?

– Vois-tu, Ascagne, je te parle en adulte, reprit mon père gravement. La reine nous a accueillis avec une immense bonté. Mais elle se trouve en danger.

– En danger? Est-ce Iarbas?

– Pas uniquement lui; certains de ses sujets aussi. De nombreux sénateurs estiment qu'elle devrait l'épouser.

Je le dévisageai avec effarement.

– Ils prétendent que les intérêts de Carthage sont en jeu, m'expliqua mon père. Ils ne sont pas encore intervenus. Mais si Iarbas devait attaquer...

– Il ne le peut pas, interrompis-je.

Et je lui racontai le serment que le Numide avait prononcé quand Didon et ses compagnons avaient débarqué. Mon père m'écoutait avec une profonde attention.

– Ce qui était vrai alors ne l'est plus, dit-il.

Il poursuivit en m'expliquant que Carthage s'était développée beaucoup plus rapidement qu'on n'avait pu le prévoir. La reine avait laissé venir de Chypre de nouveaux émigrés, comptant sur ses agents là-bas pour en restreindre le nombre. Mais chaque année les réfugiés avaient afflué par centaines, venant de Tyr. Didon leur avait manifesté de la compassion. Et chaque année, elle avait donc dû négocier avec Iarbas l'acquisition de nouvelles terres, mais chaque fois il lui extorquait un prix plus exorbitant. Seule une partie de la colline sur laquelle s'étendait Carthage lui appartenait : pour tout le reste, pour toute la terre située hors des murs, elle devait verser un tribut à Iarbas et le reconnaître pour son suzerain. En dehors de la ville, elle n'avait pas le droit de construire des ouvrages de défense, ni même de marquer la frontière entre les terres de Iarbas et les siennes. Il pouvait reprendre possession de tout ce territoire quand bon lui semblerait; il pouvait couper la capitale de Didon de toute la côte, à l'exception d'un étroit segment et de toute sa périphérie rurale. S'il le faisait, les Carthaginois seraient contraints de l'attaquer, faute de quoi ils mourraient de faim. Cela donnerait à Iarbas le prétexte qu'il cherchait pour s'emparer de la ville qui, comme il le savait, était mal défendue.

La reine avait parmi ses sujets fort peu de soldats expérimentés.

La situation était actuellement critique. La reine s'était d'abord crue obligée d'accepter les conditions de Iarbas; mais, ces derniers temps, il avait formulé des exigences tellement outrées que Didon avait protesté publiquement. La réaction de Iarbas fut immédiate : il informa le Sénat carthaginois qu'il souhaitait épouser leur reine. Si elle y consentait, tout tribut serait aboli et les Carthaginois pourraient vivre et pratiquer le commerce en toute liberté dans tout son pays, à condition de le reconnaître pour leur roi. En tant que suzerain, il revendiquait une part complète et directe de leur prospérité. Et il était assuré de l'obtenir en épousant Didon; et puis il profiterait du luxe de son palais et mettrait la main sur toute sa fortune. Mais ce n'étaient pas là les seules raisons de sa demande en mariage. Il avait besoin, prétendait-il, d'une personne pouvant lui enseigner, ainsi qu'à ses sujets, un mode de vie plus civilisé. Qui pouvait être mieux qualifié pour cette tâche que leur reine?

Je frémis en imaginant la délicate Didon contrainte de subir les étreintes d'un sauvage barbare qui considérait les femmes comme des objets. Même s'il apprenait des manières plus civilisées, même s'il s'efforçait de la traiter avec plus de considération, comment pourrait-elle supporter de vivre parmi un peuple aussi fruste? Et pourtant, certains de ses sujets jugeaient qu'elle devait se sacrifier pour le bien de la cité qu'elle avait elle-même fondée!

– Si je te révèle tout cela, Ascagne, poursuivit mon père, c'est parce qu'à mon avis les dieux nous ont envoyés ici pour secourir la reine et combattre pour elle s'il le faut. J'ai décidé de rester à Carthage.

Mon cœur bondit de joie.

– Pour toujours?

Mon père secoua la tête.

– Je ne dois pas me laisser tenter. Ma mission doit me conduire en Italie. La reine l'a toujours su. Nous sommes troyens, et non phéniciens. Asherat n'est peut-être pas notre ennemie, mais elle n'est assurément pas notre déesse protectrice.

– Mais tu es à demi phénicien, père, m'écriai-je, et l'on nous offre l'égalité des droits. Où rencontrerons-nous jamais un accueil aussi merveilleux que celui de la reine?

Mon père soupira.

– Je ne dois pas me laisser tenter, répéta-t-il, mais nous pourrions tout au moins rester jusqu'au printemps. La reine est intelligente. Elle a provoqué une guerre entre Iarbas et un autre de ses prétendants afin de se ménager un peu de répit. Il ne pourra pas l'attaquer avant plusieurs mois. D'ici la fin de l'hiver, peut-être entendra-t-il raison. Cela nous donne le temps d'accomplir bien des choses.

Je le regardai, ahuri.

– Quel avantage Iarbas trouverait-il à attaquer une Carthage bien défendue? Il risque d'y perdre tout ce qu'il a gagné. J'ai proposé de prendre en charge tous les travaux de défense; d'ici au printemps, ils seront considérablement renforcés. La reine accumule actuellement des réserves de nourriture et d'armement. Bientôt, je vais commencer à enseigner l'usage des armes à tous les citoyens. S'il attaque, il rencontrera une solide résistance.

Mon père s'exprimait avec une farouche résolution qui me remplit de joie. Il semblait que, sans même le savoir, il eût fait sienne la cause de Didon. Il se leva et me serra contre lui.

– Je dois te quitter, mon fils. La reine aura bientôt terminé l'audience qu'elle a accordée aux marchands de Tarsis, et je ne dois pas la faire attendre.

– La vois-tu chaque jour? demandai-je en rougissant malgré moi.

Mon père acquiesça.

– Nous avons beaucoup de choses à discuter. Chaque jour elle me montre un secteur différent de la ville.

Peut-être discerna-t-il un soupçon de rancœur dans mes yeux car il ajouta d'une voix rassurante :

– Dès qu'Anna te jugera suffisamment rétabli, tu viendras avec nous.

– Anna! m'exclamai-je rageusement. Elle est aussi stricte que Caieta. Pourquoi dois-je lui obéir?

L'expression de mon père changea radicalement.

– Tu es son hôte, Ascagne, déclara-t-il sévèrement, et je remercie les dieux qu'elle t'ait soigné. Tu lui dois la vie. Je pourrais souhaiter... (Il hésita.) Je pourrais souhaiter qu'elle vienne avec nous quand nous partirons pour l'Italie.

Je demeurai stupéfait.

– Mais elle est infirme.

– Elle ferait une excellente épouse, répliqua mon père à voix lente et délibérée. Te souviens-tu des dernières paroles de ton grand-père? Je ne les oublierai jamais. Mais tu ne dois rien révéler de tout cela, ni à elle ni à la reine.

Il sortit, laissant mon esprit dans la plus grande confusion. A quel point connaissait-il Anna? L'avait-il souvent vue pendant ma maladie? Il n'avait pas dit qu'il l'aimait, mais peut-être n'aimerait-il plus jamais une femme comme il avait aimé ma mère. Ce n'était point l'amour, mais des souvenirs communs qui l'avaient attiré vers Andromaque. Si j'avais trahi ma promesse, si j'avais révélé à mon père qu'elle portait son enfant en elle, cela aurait-il fait une différence? Les dieux n'avaient jamais favorisé leur mariage, et ils l'avaient toujours su. Mais le cas d'Anna différait totalement. Mon père se savait destiné à épouser une femme d'une autre race et savait que les Phéniciens se trouvaient confusément liés à notre destinée. Il considérait toujours l'Italie comme notre but ultime; mais, même si Anna l'aimait, quitterait-elle jamais sa sœur? Mon cœur se mit à battre plus vite. Ce serait une raison supplémentaire pour que mon père demeure à Carthage. Je pourrais alors rester pour toujours avec Didon : n'était-ce pas ce que voulaient les dieux?

Je levai soudain les yeux. Anna était entrée dans la chambre.

– Quand va venir la reine? demandai-je aussitôt.

– Je n'en sais rien, Ascagne. Elle a beaucoup à faire. Sois patient.

Elle s'approcha de la fenêtre et regarda dehors, puis tira les feuilles de mica.

– Il pleut et le vent se lève. Tu ferais mieux de rester ici. Veux-tu que je te parle encore de Didon?

Je hochai la tête :

– Je voudrais apprendre le punique. Veux-tu me l'enseigner?

Anna parut surprise et ravie.

– Bien sûr. Didon sera heureuse de le savoir.

Pourquoi en serait-elle heureuse? me demandai-je. Cela signifiait-il qu'elle se souciait vraiment de moi? Ou bien ne voyait-elle en moi qu'un beau jeune garçon, fils d'un héros?

J'hésitai.

– Lui as-tu dit que je l'aimais?

Anna sourit.

– Non, Ascagne. Ton secret ne risque aucune indiscrétion avec moi. Est-ce pour cela que tu souhaites apprendre le punique?

J'acquiesçai.

– Mais il y a une autre raison. Je veux rester ici. J'espère que mon père s'installera à Carthage et ne repartira jamais vers l'Italie, quoi qu'en aient dit les oracles. Après tout, il est à moitié phénicien.

– Ton père est à moitié phénicien? s'exclama Anna, stupéfaite. Mais il ne parle pas le punique et il ne sait rien de nos dieux.

– Sa mère était prêtresse d'Astarté. Elle mourut à sa naissance.

– Prêtresse d'Astarté? Où?

– A Paphos, à Chypre.

– Notre mère venait aussi de Paphos. Oh! quelle joie de l'apprendre, Ascagne, cela nous rapproche de ton père et de toi. Que tu me rends heureuse!

Ses yeux brillaient et ses joues avaient pris une teinte plus rose.

Ainsi naquit entre nous une profonde amitié inexprimée. Chère Anna! Jamais je ne t'ai aimée autant que j'aimais Didon, mais ma dette de gratitude envers toi n'en est pas moins immense.

Jusqu'au crépuscule, Anna m'enseigna le punique – la première des nombreuses leçons qu'elle me donna. J'apprenais avidement. J'avais pris le punique pour une langue rude et ingrate jusqu'au jour où j'écoutai Didon le parler avec son incomparable élégance de diction. Mais je n'allais pas tarder à en maîtriser les complexités. Même en cette première occasion, j'en ressentis la beauté poétique, car Anna me récita un hymne à Asherat :

« Vénère la reine des femmes, la plus grande des divinités : elle est revêtue de puissance et de majesté, et dans sa bouche réside la vie. Elle est terrible dans sa colère. Quand elle est présente, le bonheur devient plus parfait. Comme elle resplendit, avec son voile écarté de son visage, de son corps glorieux, de ses yeux lumineux ! »

Ce fut seulement après le départ d'Anna que ma sérénité me quitta brusquement. Je me mis à attendre la visite de Didon avec une impatience douloureuse. La nuit dehors était sans lune et toute secouée de tempête. Le vent hurlait comme une bête sauvage. La pièce était plongée dans l'obscurité, car la lampe à huile posée près de mon lit ne diffusait qu'une faible lueur. J'étais bien décidé à ne pas m'endormir. A plusieurs reprises, je me hasardai dans le corridor en espérant voir venir Didon, ou peut-être Anna. Le silence et la nuit régnaient. Je me souvins soudain que mon père avait parlé d'un autre festin auquel étaient conviés bon nombre de nos compagnons. C'était donc cela : la reine ne pensait qu'à ses festins. Je ne représentais rien à ses yeux. Peut-être Anna m'avait-elle menti en prétendant qu'elle viendrait.

Je regagnai ma chambre, furieux, exaspéré de frustration, laissant la porte ouverte et bien déterminé à rester éveillé toute la nuit s'il le fallait. Je marmonnais les reproches furieux que j'aurais aimé faire à Didon, si jamais je la voyais passer devant ma porte. Je n'avais pas la moindre idée de l'emplacement de sa chambre, non plus que de celle d'Anna. De toute façon, mon orgueil m'empêchait bien d'aller les chercher. Elles ne devaient surtout pas supposer que j'avais besoin d'elles; ce n'étaient que des femmes, comme Caieta et Andromaque. Et pourtant, ce n'était pas vrai. Comme je voulais voir Didon, comme elle me manquait!

Je me souvins soudain d'Asherat, revêtue de puissance et de majesté et terrible dans sa colère. N'était-ce pas elle qui s'était révélée l'implacable ennemie de Troie? Nous étions tombés entre ses griffes; nous étions sans défense contre elle. Je me rappelai son rire cruel et moqueur, dans ce rêve où elle m'avait fait venir vers elle. C'était elle qui m'avait rendu épris de Didon. Didon était une tentatrice malfaisante, envoyée pour me torturer.

Dehors, le vent parut se déchaîner dans un hurlement d'angoisse; et puis, brusquement, je sombrai dans le sommeil.

Je me trouvais de nouveau dans la caverne d'Asherat, mais elle était devenue étrangement plus petite. Une femme s'approchait de moi. C'était Didon. Elle tendait les bras comme pour m'accueillir, et je me mettais à courir vers elle en criant son nom. J'étais sur le point de l'atteindre quand son aspect changea soudain et que la caverne devint le couloir du palais. C'était la déesse inconnue aux yeux de flamme. Je l'entendais siffler comme un serpent furieux tandis qu'elle tendait le bras pour m'empoigner. Je fis demi-tour précipitamment et m'enfuis. Elle était sur moi à présent; elle me serrait la gorge de ses mains puissantes. Ses longs ongles étaient pointus comme des griffes. Elle allait me déchiqueter. Je poussai un grand cri et m'éveillai. Je sentis alors une main fraîche sur mon front.

Je levai les yeux, terrifié, à demi conscient, et vis Didon qui me regardait en tenant une lampe.

– Tout va bien, Ascagne, murmura-t-elle d'une voix apaisante. Ton rêve est fini maintenant.

Je tentai de m'asseoir.

– Où suis-je?

– Tu es dans ta chambre, au palais.

Elle vit la terreur soudaine dans mes yeux.

– N'aie pas peur. Tu es en sécurité.

Je la dévisageai d'un œil égaré, tout en essayant de rassembler mes esprits. Que faisait-elle ici? Comment savait-elle que j'avais rêvé? Elle parut deviner mes pensées.

– Je t'ai entendu appeler en passant dans le corridor.

Le corridor. Je frémis. Etait-ce vraiment Didon, et non point Asherat?

– Donne-moi la main, murmurai-je.

Elle me la donna. Une chaîne d'or ceignait son poignet délicat. Ses doigts chargés de bagues étaient longs et blancs, avec des ongles soigneusement coupés. Je la contemplai en silence, puis soulevai sa main jusqu'à mes lèvres et y déposai un baiser. Elle eut un petit cri de surprise. L'instant d'après, elle m'entourait de ses bras.

– Raconte-moi ton rêve, mon chéri. Ensuite, tu en seras libéré et tu pourras te rendormir.

J'hésitais:

– C'était un mauvais rêve. Sans doute est-ce Asherat qui me l'a envoyé. Je crois qu'elle nous hait.

– Pourquoi veux-tu qu'elle vous haïsse, puisqu'elle vous a envoyés ici? objecta doucement Didon. N'est-ce pas sa ville? Ne vous ai-je pas accueillis ici en amis?

Rassuré par ses paroles, réconforté par sa présence, je lui racontai mon rêve. Elle m'écoutait en me caressant les cheveux.

– Tu as dû voir quelque mauvais esprit, déclarat-elle finalement. Ils viennent souvent nous tourmenter après une maladie; mais ils ne peuvent nous

causer aucun mal. N'aie pas peur d'Asherat, Ascagne. Elle est si bonne, si magnanime!

Elle se tut un instant.

– J'ai une statue d'elle. Viens, je vais te la donner;
ainsi tu ne la craindras plus.

Je sortis du lit et glissai mes pieds dans mes
sandales. Elle ôta son ample manteau et m'en
enveloppa soigneusement.

– Soyons silencieux comme des conspirateurs,
me chuchota-t-elle.

Une lueur rieuse illuminait son regard. Puis elle
ramassa sa lampe et nous sortîmes furtivement de
la chambre pour nous engager dans l'étroit corridor. Mon cœur battait sauvagement sous l'effet de
l'excitation.

– Où allons-nous? murmurai-je.

Didon ne répondit pas. Nous franchîmes deux
passages voûtés, puis je vis une porte sculptée
devant nous qui s'ouvrit dès que Didon l'effleura de
la main. Elle se glissa dans la pièce, puis me fit signe
de la suivre. Je me retrouvai dans une vaste chambre faiblement éclairée. Je sentais sous mes pieds la
douceur des peaux d'antilope qui jonchaient le sol.
Aux poutres dorées du plafond pendait une grande
lampe d'argent en forme de navire, dont la faible
clarté dessinait des ombres sur les murs recouverts
de tapisseries et sur le grand lit blanc qui se
dressait à l'autre extrémité de la pièce, sur quatre
pieds d'ébène délicatement sculptés, et drapé d'un
dais bleu pâle sur lequel était brodé un croissant de
lune entouré d'étoiles dorées. Il y régnait une douce
chaleur alanguie de senteurs exquises. A l'arrière-
plan au delà d'une porte cintrée, résonnait faiblement la retombée d'un jet d'eau dans une vasque de
marbre.

Je regardais tout autour de moi avec stupéfaction,

ne pouvant croire que Didon m'avait conduit dans sa propre chambre. Toutes mes rancœurs et mes craintes antérieures s'étaient évanouies. Je n'éprouvais plus qu'une confiance totale et absolue en elle, ainsi qu'un dévorant amour. Comment la déesse qu'elle vénérait pourrait-elle désormais m'épouvanter?

Elle tendit la main et prit la mienne.

– Viens, Ascagne, je vais te montrer sa statue. Mais nous devons tout d'abord ôter nos sandales en signe de respect pour elle.

Avant que j'aie pu bouger, elle s'était penchée et avait dénoué mes sandales comme Caieta l'aurait fait. Elle défit sa chevelure blonde, qui retomba sur ses épaules comme un ruisseau, et ôta ses bagues. Puis, ayant quitté ses sandales, elle me mena par la main jusqu'au sanctuaire d'Asherat, dans le coin le plus reculé de la chambre. La statue était parée de verdure et de fleurs, et devant elle brûlait une petite lampe.

– Regarde, Ascagne, murmura Didon. Vois-tu comme elle est belle?

Je voyais devant moi la statue d'une grande et belle femme. Le voile qu'elle portait sur la tête retombait de part et d'autre de son visage jusqu'à sa taille. Une rangée de mèches légères qui s'en étaient échappées suivait la ligne de son front. Elle portait des boucles d'oreilles coniques en or, telles que j'avais vu Didon en porter. Sa robe, retenue à la taille par une fine ceinture, descendait jusqu'à ses pieds chaussés de sandales. Sa main gauche s'élevait, la paume tournée vers l'extérieur en geste de bénédiction; sur son bras droit pressé contre son sein elle tenait un petit enfant. Son ravissant visage rayonnait d'une expression grave et sereine, et de tout son être émanait une impression de paix.

Pouvait-ce être là Asherat de la Mer, qui m'avait forcé à pénétrer dans sa caverne la nuit où nous avions abordé en Afrique, et qui s'était moquée de moi avec ce rire cruel? Pouvait-ce être là l'implacable ennemie de Troie?

– De même que tous les dieux, Asherat présente de nombreux aspects, m'expliqua doucement Didon, mais c'est celui-ci qu'elle m'a toujours montré et que j'aime le plus.

Elle adressa une prière à la déesse d'une voix tendre et claire. Quand elle eut fini, elle se tourna vers moi :

– Tu peux à présent regagner ton lit sans plus craindre de mauvais rêves, me dit-elle. J'ai prié Asherat de te protéger comme si... comme si tu étais mon propre enfant.

Sa voix trembla.

– Te confierai-je pourquoi je ne pourrai jamais me remarier, jamais avoir d'enfants, Ascagne?

Je gardai le silence.

– Seule Anna le sait. J'ai juré à mon époux bien-aimé que jamais je n'appartiendrais à aucun autre homme que lui. Ce serait un péché mortel que de rompre mon serment; mais, oh, que je me sens seule!

Soudain, elle fondit en larmes.

Ce fut plus que je n'en pouvais supporter. Je me retrouvai à genoux devant elle, à lui baiser les mains en répétant inlassablement : « Je t'aime », à la supplier de me laisser rester. Je me souviens comme si c'était hier de la douce tiédeur de ses mains sur mes lèvres, de la finesse de ses doigts. Je ne sais plus ce qu'elle répondait. Je me souviens seulement qu'elle céda à mes supplications et me mena à son lit. Dans l'obscurité elle défit sa robe et, prenant son sein entre ses mains, l'approcha de mes lèvres. Cette nuit-là, en dépit d'elle-même, elle me laissa devenir son amant.

Mon tendre amour dormait contre moi. Comme elle respirait doucement, cependant que la lueur de l'aube venait caresser son oreiller et faire briller ses cheveux! Je m'émerveillais de son front lisse et calme, de ses longs cils, de sa gorge délicate. Comme elle était précieuse, mais ô combien fragile! Elle était mienne à présent, mais comment un être aussi jeune et ignorant que moi pouvait-il la protéger? Même avec Anna pour alliée, je ne pouvais faire que très peu de chose. Je devais tout sacrifier pour elle. Je devais tuer Iarbas en combat singulier. Je devais aiguillonner mon père afin qu'il fît l'impossible pour elle. Je devais devenir carthaginois et adorer Asherat. Je devais parcourir les mers en quête d'objets précieux pour elle; je lui rapporterais les plus beaux bijoux pour orner sa chevelure. Elle était ma bien-aimée, ma reine et ma déesse. Jamais elle ne vieillirait; elle demeurerait à jamais belle, gracieuse et tendre. Comme nous allions nous aimer, jusqu'au dernier jour; car une nuit nous nous endormirions dans les bras l'un de l'autre, pour ne plus nous réveiller. Mais nos esprits resteraient unis à jamais dans les îles des Bienheureux.

Hélas, pauvre Didon, tu étais née sous une mauvaise étoile!

10

Désormais, Didon ne donna plus de banquets.

Chaque soir, elle dînait de bonne heure avec Anna dans la partie du palais réservée aux femmes. Lorsqu'elle avait dîné, elle se rendait aussitôt dans sa chambre où ses servantes la dévêtaient. Dès qu'elles avaient fini, elle les congédiait puis prenait un bain et s'oignait le corps d'huile douce et d'un parfum délicat qu'elle savait que j'aimais. Elle revêtait ensuite une simarre blanche, dénouait sa chevelure blonde et ôtait ses bijoux. Puis, quand tout avait sombré dans le silence, elle se glissait dans le corridor pour venir me chercher.

Quelle souffrance que ces heures d'attente après le coucher du soleil! Didon m'avait dit que ses servantes devaient ignorer que j'allais dans sa chambre. Je devais attendre qu'elle vînt me chercher, et même alors je ne devais ni la saluer ni l'embrasser avant d'être arrivé dans sa chambre. Bien qu'elles lui fussent dévouées, ses servantes n'auraient guère manqué de bavarder, et l'histoire se serait aussitôt répandue : sa réputation en aurait été ternie et son peuple aurait cessé de l'aimer; peut-être même aurait-il cessé de lui obéir et de la reconnaître pour sa souveraine. Je savais que pour sa sécurité je devais lui obéir aveuglément et que je devais maîtriser mon impatience jusqu'à l'instant de joie ineffable où je pouvais la prendre dans mes bras. Son corps souple s'offrait docilement au mien tandis qu'elle se laissait glisser sur le lit. Je la couvrais de baisers en lui disant combien je l'aimais et combien elle m'avait manqué, et elle m'enlaçait en murmurant que j'étais son Adonis, son tendre amour, sa seule joie. Parfois nous faisions aussitôt l'amour; nous le faisions presque toujours à la lueur de la lampe, afin que je puisse admirer son incomparable beauté. Comme son corps était gracieux et blanc, et sa chair délicate! Son buste était un rêve de sculpteur.

J'avais si souvent vu des hommes et des femmes faire l'amour, pendant ma jeunesse, qu'il me parut tout d'abord étrange d'y voir un art. Je n'avais jamais imaginé que cela pût requérir de la subtilité et de la science. Au début, je me montrai gauche et impatient comme un jeune taureau. Peu à peu, Didon commença de m'enseigner :

– Pas si rapidement, mon amour. Nous avons tout notre temps, la nuit entière nous appartient. L'amour est un don d'Astarté. Elle est ici avec nous à Carthage, avec ses colombes. Prenons-en le plus extrême plaisir.

Elle prenait mes mains dans les siennes et me montrait comment la caresser. Son exquis visage semblait alors transfiguré, son sein blanc se soulevait dans un soupir très doux et ses yeux plongeaient dans les miens avec une tendresse infinie. Bien souvent, elle me caressait avec une telle délicatesse que je pouvais à peine croire qu'elle ne fût point la déesse de l'amour. Parfois elle me guidait jusqu'en elle en murmurant de tendres encouragements, et ensuite elle me serrait très fort en me disant comme je l'avais rendue heureuse. Bienaimée Didon, tu m'as si souvent parlé du bonheur que je te donnais! Je ne compris que longtemps après comme ce n'avait dû être que bien rarement.

Quelquefois, quand nous parvenions dans sa chambre, elle me dissuadait doucement de lui faire l'amour; mais si j'insistais, elle cédait toujours.

– Ne souhaites-tu pas parfois que je sois simplement ta mère, me demandait-elle mélancoliquement, comme quand tu me regardais, pendant le banquet? Je sais que je ne suis pas une vraie mère, mais ne puis-je faire semblant?

J'étais à certains moments tellement ému par ses paroles et par sa beauté, que je cédais aussitôt à sa tendresse maternelle sans affirmer ma virilité. Sans doute étaient-ce là les moments de plus grand bonheur pour Didon, quand je devenais son enfant.

Quand je songe à la joie qu'elle éprouvait à me bercer dans ses bras et m'allaiter de son sein sans lait, un sentiment d'adoration m'étreint. Je me souviens aussi de ses baisers, si passionnés, et pourtant frais et doux comme la rosée. Jamais amour de femme ne fut plus tendre, plus pur et plus simple, plus généreux et plus poignant.

Une nuit, après une assemblée du peuple devant le temple d'Asherat, Didon était si fatiguée quand elle vint me chercher qu'elle pouvait à peine tenir debout.

– Je ne peux pas t'aimer cette nuit, Ascagne, chuchota-t-elle. Me pardonnerais-tu, si je dormais seule?

Elle m'implorait du regard. J'acquiesçai d'un air boudeur. Voyant comme j'étais déçu, son visage s'adoucit et elle me tendit la main.

– Alors, viens, fit-elle. Mais il faut me laisser dormir, mon chéri. Je suis si fatiguée!

Sa tête avait à peine touché l'oreiller que déjà elle dormait dans mes bras. Je demeurai immobile auprès d'elle, écoutant son souffle calme et régulier, osant à peine bouger par crainte de la réveiller. Au milieu de la nuit, je sentis ses bras tendres m'entourer et l'entendis murmurer dans son sommeil que j'étais son Adonis et qu'elle me désirait. Enveloppés dans une brume dorée, nous fîmes l'amour et, au-dessus de nous, Astarté sourit. Lorsque je la pénétrai, nos corps s'unirent dans une lente et merveilleuse extase, et nous devînmes une seule chair. Pendant ces brefs instants rien ne pouvait plus nous séparer, car nous étions devenus immortels. Ma bien-aimée était toutes les femmes de tous les temps; le mystère et la beauté de son corps étaient le mystère et la beauté de toute la Création. Elle était la Porte de la Vie.

Seule Anna connaissait notre secret. Didon le lui avait elle-même révélé après notre première nuit ensemble. Chaque matin, avant que l'aube vînt poindre dans la nuit, elle venait m'éveiller et me dire de regagner ma chambre. Il était dur de quitter la chaleur moelleuse du sein de mon amante, de me libérer de la tendre prison que formaient ses bras. Tout en me débattant pour quitter les profondeurs du sommeil et arracher du lit mon corps inerte, je sentais sur moi le regard compatissant d'Anna. Didon gisait, immobile, profondément endormie. Anna relevait sa lampe afin d'éclairer son visage l'espace d'un instant, et je pouvais ainsi porter toute la journée son image en moi.

– Regarde-la, mais ne la réveille pas, me chuchotait-elle si je faisais mine de l'embrasser.

J'adressais un adieu silencieux à ma bien-aimée, avec chaque jour l'impression que je la quittais pour une éternité. Parfois, quand je regagnais ma chambre, les dieux faisaient preuve de clémence et le sommeil descendait aussitôt sur mes paupières. Le plus souvent, je demeurais éveillé et pensais à Didon en attendant le lever du soleil. Les pas légers de ses servantes passaient dans le corridor, mais je savais qu'elles la laisseraient dormir jusqu'à ce qu'Anna leur enjoignît d'aller la réveiller. Peut-être gisait-elle encore comme je l'avais laissée; peut-être sa chevelure était-elle répandue sur la blancheur de l'oreiller, sa main gracieusement posée près de sa tête, révélant en partie la paume, les doigts délicatement recourbés.

Tout d'abord, un désert d'ennui m'attendait. Chaque jour le désir de sortir du palais devenait plus fort. J'aspirais à retourner voir mes compagnons troyens, à explorer la ville. Ce fut Anna qui m'avertit que lorsque mon père apprendrait que j'avais quitté l'enceinte du palais, il en conclurait que je me portais suffisamment bien pour regagner la demeure du grand-prêtre. Etait-ce là ce que je voulais?

— Mais je ne peux pas rester ici toute la journée, protestai-je.

Anna me contempla pensivement.

— Malchus, le fils de l'intendant, doit être de ton âge, dit-elle. Tu pourras le voir chaque matin. Imilce te conduira. Mais il faut que ton père te trouve ici chaque fois qu'il viendra te voir. Sinon, il lui viendra des soupçons.

Ce n'était pas la première fois que j'avais conscience de beaucoup devoir à Anna. Elle aurait si facilement pu éprouver de la jalousie parce que j'étais l'amant de Didon! Au contraire, elle faisait l'impossible pour m'aider. Qu'avais-je fait pour mériter une telle amitié?

Je commençai à la remercier, mais elle me coupa tranquillement la parole.

— Je t'aide pour l'amour de Didon, Ascagne. Je crois qu'elle a besoin de toi. J'espère ne pas me tromper.

Soudain, elle explosa avec une véhémence passionnée:

— Je veux qu'elle oublie son époux, qu'elle oublie son serment envers lui. C'est cela qui a empoisonné sa vie, qui l'a affamée d'amour et de tendresse.

197

Maintenant, te voici pour lui en prodiguer. Elle est si belle, si généreuse; elle en a tellement besoin.

– Tu étais là, toi, pour l'aimer, répondis-je, souhaitant donner à Anna son dû.

– Moi? répliqua Anna avec mépris. Quelle importance puis-je avoir? Je ne suis que sa sœur. Me crois-tu capable de rendre Didon heureuse?

– Personne d'autre ne l'aime donc comme nous l'aimons, Anna?

Elle secoua la tête.

– Personne. Tous les serviteurs du palais voient uniquement en elle la reine. Et quel amour lui portent donc ses prétendants? Ils ne veulent que ses richesses et son corps. Les sénateurs lui resteront fidèles aussi longtemps que cela leur conviendra. Le peuple la vénère comme une véritable déesse. Mais nul ne semble se rendre compte du fait qu'elle est un être humain – pas même ton père.

– Mais il fait tout ce qu'il peut pour l'aider! m'écriai-je.

– Parce qu'il est reconnaissant à Didon de son hospitalité, et à moi de t'avoir soigné pendant ta maladie, répondit simplement Anna. Ce sont là les seules raisons.

Je me rappelais comme mon père avait invariablement appelé Didon « la reine » dans toutes nos conversations. Il apparaissait manifestement que depuis le banquet leurs relations étaient devenues plus formelles, et que, même s'il admirait son courage et compatissait à ses difficultés, il la considérait toujours comme une reine, une souveraine. Il concentrait tout son intérêt sur Anna. Trois fois il m'avait prié de lui raconter comment elle s'était enfuie du palais de son frère; et chaque fois il avait hoché la tête avec compassion en songeant à sa jambe brisée.

— Didon sait-elle que mon père est à moitié phénicien? demandai-je soudain.

Anna rougit.

— Non, je ne le lui ai pas dit. (Elle hésita.) Il suffit bien déjà qu'elle l'admire autant qu'elle admire tous les héros. Mais c'est toi qu'elle aime, Ascagne. Elle t'aimera toujours, désormais, quoi qu'il arrive. Elle a toujours été ainsi.

Je me tus, évoquant en moi-même la tendresse des baisers de Didon quand je lui avais demandé si elle voudrait m'épouser.

— Je crains que tu ne sois encore trop jeune, mon chéri, avait-elle dit. Soyons heureux ensemble pendant que nous le pouvons, et ne pensons point à l'avenir.

Mais son attitude changerait sûrement, décidai-je soudain, quand j'aurais tué Iarbas et que je serais moi-même devenu un héros. Je parlerais alors le punique couramment. J'étais déjà grand et vigoureux pour mon âge. Chaque jour qui passait me rapprochait de l'âge d'homme. La pensée de Didon portant mon enfant dans son sein, de son bonheur rayonnant dans la maternité, me parut d'une indicible beauté. J'observai Anna :

— Malchus sait-il lutter?

Elle parut étonnée.

— Je l'ignore, Ascagne. Pourquoi?

— J'ai besoin de quelqu'un avec qui lutter chaque jour. Mes muscles se sont amollis.

Anna hésita.

— Nous verrons demain.

— Pourquoi pas aujourd'hui? protestai-je aigrement. Je ne suis pas une mauviette. J'ai besoin d'exercice.

Fidèle à sa réserve habituelle, elle ne me questionna pas davantage.

– Très bien, déclara-t-elle finalement. Mais il faut être raisonnable, Ascagne, et ne pas trop te dépenser. Si tu retombes malade, je refuserai de te soigner.

Je me mis à rire, sachant qu'il s'agissait là d'une menace en l'air, et vis Anna me sourire pour la première fois avec une affection non déguisée.

– Comme tu ressembles à ton père, quand tu ris, dit-elle.

Chaque matin désormais, Imilce me faisait franchir le poste de garde et me conduisait à la cour centrale du palais, où Malchus m'attendait. A l'arrière du palais, entouré d'entrepôts, s'étendait un vaste espace sableux abrité du vent. Au centre se dressait un palmier. C'est là que nous nous exercions à la lutte. Malchus était de deux ans mon aîné, mais je ne tardai pas à découvrir que j'étais le plus fort. Il ne constituait cependant pas un adversaire négligeable. Il m'enseigna diverses ruses et il lui arrivait de me jeter à terre. Une amicale rivalité se développa entre nous. Il parlait mal le grec et corrigeait patiemment mes fautes dans sa langue; en peu de temps je sus parler le punique avec une relative aisance et pus enfin aborder le sujet qui me tenait à cœur. Quel genre de guerriers étaient les Numides? Quelles armes employaient-ils? Ils étaient les meilleurs cavaliers de la terre, m'indiqua Malchus. Ils montaient leurs bêtes sans selle ni bride et les guidaient avec une badine entre les oreilles. Leurs chevaux étaient de petite taille, mais extrêmement mobiles, et avaient le pied sûr. Les Numides étaient trop primitifs pour posséder des chariots ou des armures et ils ne combattaient jamais au sol comme nous le faisions. Ils arboraient de petits boucliers ronds en cuir d'éléphant. Leurs chefs portaient parfois des sabres achetés aux Carthaginois et tous étaient armés de longs couteaux pour le combat corps à corps, mais leur arme favorite était un javelot léger. Ils s'élançaient sur l'ennemi au grand galop, déchargeaient sur lui une pluie de dards d'une mortelle précision, puis ils se dispersaient et revenaient à la charge, d'une direction différente. C'était un peuple farouche, fier et combatif, ajouta-t-il pensivement. Je demandai à Malchus s'il pourrait me procurer des javelots numides. Il acquiesça :

– Bien sûr. Nous nous en servons pour la chasse, tout comme eux.

– Veux-tu dire que vous chassez à cheval? m'étonnai-je, car cette idée m'était étrangère.

Il eut un sourire de pitié.

– La reine possède cinquante chevaux, Ascagne. Elle chasse toujours à cheval. Ne le savais-tu pas?

Je secouai la tête, honteux de mon ignorance.

– Chaque fois, elle m'emmène avec elle, et mon père aussi, ajouta-t-il fièrement.

Une vague de jalousie m'envahit. Pourquoi Didon ne me l'avait-elle jamais dit? Croyait-elle donc que je ne savais pas monter, que j'ignorais tout de la chasse? Je sentis que Malchus me contemplait avec dédain. Je l'empoignai par la taille et le jetai à terre. Il me saisit la jambe et je tombai sur lui. Nous roulâmes furieusement sur le sol, nous battant avec une rage sincère, jusqu'au moment où je parvins à lui coincer les bras avec mes genoux et le clouai au sol. Nous haletions, tous deux à bout de souffle. Ma colère s'évanouit, car je savais qu'il avait en quelque sorte compris et que nous étions désormais meilleurs amis que jamais. Nous nous relevâmes en haletant encore et échangeâmes un sourire d'amitié.

– Je vais chercher des javelots et un bouclier pour sevir de cible, déclara Malchus. Tu es peut-être le meilleur pour la lutte, mais au javelot tu n'as aucune chance de gagner.

Nous fixâmes un bouclier rond au palmier, et pendant les jours suivants il m'entraîna sans répit. Je lançais un javelot après l'autre, inlassablement, d'une main comme de l'autre, tout d'abord immobile, puis en courant. Chaque jour je devais les lancer de plus loin, ou d'un angle différent. Toutes les fois que mon javelot manquait le bouclier ou le heurtait sans le transpercer, Malchus me manifestait son mépris.

– La prise est toujours mauvaise et ton lancer manque de force, observait-il d'une voix sarcastique. Ces javelots sont plus courts et plus légers que des lances normales. Il faut te servir de l'épaule et du poignet. Regarde.

Il ajustait sa prise, dressait la pointe de bronze et donnait à son bras une puissante impulsion derrière laquelle se tendait tout son corps. Le javelot s'élançait dans l'air et s'enfonçait en frémissant au centre de la cible.

Chaque jour je sentais croître ma dextérité et mes muscles devenir plus forts. Par bonheur, mon père était de plus en plus occupé à réorganiser la défense de la ville, et Anna parvenait à le dissuader de venir me voir, à l'exception de quelques rares moments. J'ignore quels prétextes elle avançait, mais en tout cas il s'en contentait et me croyait encore insuffisamment rétabli pour regagner la maison du grand-prêtre; et jamais il n'eut connaissance de mes séances de lutte avec Malchus. Elles n'échappèrent pas à l'attention de Didon, en revan-

202

che, car elle ne tarda pas à remarquer mes contusions. Je me souviens de m'être vanté de mes exploits, gisant entre ses bras. Je lui fis sentir mes muscles et lui rappelai que j'étais à présent presque aussi grand qu'elle. Pas un seul garçon de Troie ne pouvait me battre à la lutte et j'étais de tous le coureur le plus rapide. J'avais escaladé d'innombrables falaises. J'étais excellent archer et navigateur et j'apprenais maintenant à manier le javelot numide. Dès que j'y serais expert et que j'aurais appris à monter les chevaux à la manière des Numides, je lancerais un défi à Iarbas. Il était peut-être plus fort, mais je serais plus agile et les dieux viendraient à mon aide. Je le tuerais certainement. Lorsque j'eus achevé le récit de ma victoire sur Iarbas, les acclamations de tout Carthage me résonnaient aux oreilles, cependant que Didon elle-même ceignait mon front d'une couronne de laurier.

— Et là, conclus-je triomphalement, je te demanderai en mariage. Je ne serai plus trop jeune pour toi, et tu m'aimeras d'autant plus que je serai un héros; nous serons très heureux et Asherat nous donnera des enfants.

— Je ne pourrais pas t'aimer plus que je t'aime maintenant, mon chéri, murmura Didon en me serrant contre elle.

Soudain, je vis que des larmes coulaient sur ses joues.

— Didon, qu'y a-t-il? m'exclamai-je, stupéfait, en redressant la tête pour la regarder.

— Je ne peux pas te le dire, Ascagne, répondit-elle d'une voix incertaine. Tu ne comprendrais pas.

Je l'embrassai.

— Ne crois-tu pas que je tuerai Iarbas?

Elle secoua la tête.

— Ce n'est pas cela.

– Anna le sait-elle?

– Nul ne le sait sauf... sauf mon défunt époux. Oh! je voudrais être morte aussi.

Elle se mit à pleurer passionnément, le corps agité de sanglots. Désemparé, je la pris dans mes bras pour m'efforcer de la consoler. Elle s'agrippa à moi comme pour implorer ma protection. Je priai Astarté de m'aider à chasser son défunt époux de sa mémoire pour toujours et à guérir sa peine par mon amour. Peu à peu ses larmes se tarirent. Elle s'assit et s'essuya les yeux avec un pan de sa simarre.

– Je crains de ne guère t'avoir donné de bonheur cette nuit, mon chéri, dit-elle avec un sourire triste. Veux-tu que je te presse contre mon sein? Ou bien préfères-tu faire l'amour?

Je vois bien à présent qu'elle cherchait uniquement à me rassurer en me faisant plaisir, après avoir vu mon effroi. Mais j'étais alors trop jeune pour m'en rendre compte.

– Je veux faire l'amour, répondis-je, déjà en proie au désir.

D'un seul mouvement gracieux, elle ôta sa simarre et s'allongea auprès de moi, nue. J'entrepris de la caresser et de couvrir tout son corps de baisers. Elle demeurait immobile et me souriait tendrement, se pliant à tous mes désirs mais étrangement dépourvue de réaction.

Lorsque j'eus terminé, elle m'embrassa et me demanda si j'étais heureux. Je m'endormis aussitôt, la tête posée sur son sein. Pendant la nuit, je sentis qu'elle s'agitait.

– Pourquoi ne dors-tu pas? murmurai-je d'une voix ensommeillée. Es-tu encore malheureuse?

Elle me serra contre elle :

– Ne t'inquiète pas pour moi, Ascagne. Je n'ai

plus jamais bien dormi depuis la mort de mon époux. C'est pour cela que je me lève seulement après le lever du soleil. Rendors-toi.

Je me souvins que j'avais oublié de lui dire quelque chose.

— Il me faudra un cheval, Didon, pour combattre Iarbas.

— Tu en auras un, mon chéri. Nous en parlerons demain.

— Je veux te protéger, Didon, et rester auprès de toi pour toujours. C'est pour cela que je dois t'épouser. J'annoncerai à mon père que nous allons nous marier et il restera aussi.

— Ne le lui dis pas encore, me recommanda doucement Didon, nous avons le temps. Il m'a dit qu'il resterait jusqu'au printemps.

Elle commença à me caresser le front du bout des doigts.

— Dors, mon chéri, sans quoi tu seras fatigué demain. Ferme les yeux et ne te préoccupe plus de l'avenir. La seule chose qui compte, c'est notre amour. Tu es en sécurité dans les bras de ta mère, maintenant, et nul ne pourra nous séparer.

Le lendemain, je consacrai plusieurs heures à m'entraîner au javelot. Pour la première fois, Malchus exprima son approbation :

— Tu fais des progrès, Ascagne, sans aucun doute, admit-il à contrecœur. Il est temps que tu commences à t'entraîner à cheval. Es-tu bon cavalier ?

Je lui décrivis la part que j'avais prise au tournoi des funérailles de mon grand-père. Comme je l'avais prévu, cela ne l'impressionna guère, car la notion de jeu lui était entièrement étrangère.

— Mais c'étaient tous des enfants et l'on ne combattait pas ! Non, Ascagne, il va falloir t'entraîner plus sérieusement que cela si tu veux devenir un vrai cavalier. En attendant, plus tu iras chasser, et mieux cela vaudra.

Nous avions fini de nous laver et de nous oindre d'huile et il était temps que je regagne ma chambre au cas où mon père viendrait. Je regagnai la cour centrale en songeant lugubrement que, si Malchus disait vrai, il s'écoulerait plusieurs mois avant que je fusse en mesure de provoquer Iarbas. En outre, je n'avais jamais monté sans bride. Pour la première fois, je pris conscience de ma témérité. Je ne redoutais pas d'être tué, car la mort d'un héros est toujours glorieuse et ce serait pour l'amour de Didon, mais je m'inquiétais à l'idée d'être tourné en ridicule. Iarbas risquait de me désarçonner d'emblée et de dédaigner ensuite le combat avec moi. Je deviendrais alors la risée de Carthage. Et comment Didon pourrait-elle ensuite m'épouser, malgré tout l'amour qu'elle m'aurait voué? Elle s'efforcerait de me consoler, car sa tendresse était infinie, mais comment pourrais-je survivre à une telle honte? Et que penserait de moi mon père?

Pendant tout le reste de la journée, je piaffai furieusement contre mon inaction forcée et à maintes reprises je contredis rageusement Anna qui tentait de m'enseigner le punique. Combien de temps allais-je devoir attendre encore avant de sortir du palais, avant que Didon me donne un cheval, avant que je puisse aller chasser? Toutes ces ruses et manœuvres pour dissimuler notre relation étaient devenues insupportables et humiliantes. Les Troyens devaient me prendre pour une poule mouillée, de rester si longtemps à me faire dorloter par les femmes du palais. Je n'allais désormais plus le tolérer. Demain, dès avant l'aube, je me glisserais hors du palais et ne reviendrais qu'à la nuit tombée. Il existait une issue secrète et non gardée, m'avait révélé Malchus, qui menait des entrepôts aux écuries. Je prendrais l'un des chevaux de Didon et galoperais farouchement à travers bois et collines. Quelle panique ce serait, quand on s'apercevrait de ma disparition! On enverrait sûrement des patrouilles fouiller la campagne environnante, mais je leur échapperais. Alors, ils reviendraient avouer qu'ils n'avaient pas retrouvé ma trace. J'imaginai le visage de mon père tendu d'anxiété, Anna se tordant les mains, Didon sanglotant; puis soudain, à cette pensée, ma colère s'évanouit. Comment pouvais-je souhaiter causer un moment de désespoir à ma bien-aimée? Ne s'était-elle pas agrippée à moi la nuit précédente pour que je la protège, quand je tentais de tarir ses larmes sous mes baisers? Déjà le crépuscule était tombé. Bientôt elle viendrait me chercher, silencieuse dans la pénombre du corridor. Ma porte serait entrouverte afin qu'elle pût voir la lueur de la lampe par l'entrebâillement. Je l'attendrais, prêt pour elle, haletant d'impatience. Pendant un bref instant elle se révélerait à moi dans l'encadrement de la porte, telle une exquise apparition. Aussitôt j'éteindrais ma lampe. Ni l'un ni l'autre ne prononcerions un seul mot, tandis que dans l'obscurité elle ouvrirait sa robe et me prendrait contre elle. Pendant un instant d'extase, j'étreindrais sa fine taille entre mes bras et je sentirais le parfum capiteux de son corps. Puis elle prendrait ma main dans la sienne et me conduirait vers le havre béni de son lit.

Cette nuit-là, quand Didon me prit dans ses bras, j'eus conscience d'un mystérieux changement en elle. Elle se montrait aussi tendre et aimante qu'auparavant, mais ses pensées me paraissaient lointaines. Son air absent me mit mal à l'aise. Je devins d'autant plus anxieux de posséder son corps, afin que son esprit ne m'échappât plus. Presque aussitôt j'entrepris de lui faire l'amour. Elle sentit mon inquiétude et tenta de me rassurer en me couvrant de tendres baisers. Rapidement, elle se mit à répondre à mes caresses et je compris que je l'avais amenée à me désirer. Je brûlais d'amour pour elle et priai Astarté pour que le désir ne l'abandonne plus jamais. Et puis, dans un instant atroce, je sentis que je ne répondais plus à son attente.

Tout d'abord, je ne pus y croire. Nous nous immobilisâmes. Je ne pouvais plus regarder Didon. Il me semblait l'avoir trahie. Je me détournai brusquement d'elle et me couvris le visage de mes mains.

Elle éteignit alors la lampe placée près du lit et, dans l'obscurité, me prit entre ses bras. Je me mis à sangloter comme un enfant, de honte et d'humiliation.

— Cela n'a aucune importance, mon chéri, chuchota-t-elle en découvrant son sein. Ce n'est pas ainsi que je t'aime. Je l'ai toujours su.

— Mais tu m'as laissé te faire l'amour, persistai-je.

Elle soupira et me serra plus fort.

— Tu es si jeune, si beau; que tu puisses m'aimer semblait incroyable. Tu apportais tant de joies dans mon cœur. Comment aurais-je pu te refuser — toi, qu'Asherat m'avait envoyé par compassion pour ma solitude? Je me disais que je demeurais malgré tout fidèle à la mémoire de mon défunt époux, que ce n'était point pécher que te donner ce que tu désirais. Mais pendant tout ce temps, je savais que ce n'était pas vrai.

Sa voix trembla.

– J'ai trahi mon époux bien-aimé, et pour cela je serai punie.

J'avais à présent retrouvé mon sang-froid.

– Ton mari n'aurait-il pas voulu que tu sois heureuse?

– Tu ne comprends pas, Ascagne. Mon mari est toujours avec moi. Quand mon père m'a donné à lui en mariage, nous avons été unis à jamais. Je lui ai juré fidélité éternelle. Mon corps appartient à lui seul. Je ne puis en disposer pour l'offrir.

– Mais il est mort, Didon! criai-je.

Elle se mit à trembler sous l'effet de l'émotion.

– Oui, son corps est mort, mais son pauvre spectre hante mes rêves. Chaque fois je vois son ombre flotter dans l'air. Son visage est tourné vers moi, exsangue et pâle comme l'argile. Chaque fois il me montre les cruelles blessures que mon frère lui porta. Chaque fois je me souviens comme il fut honteusement laissé sans sépulture, et je sais que son esprit solitaire ne peut trouver le repos. Chaque fois il me rappelle tristement comme nous étions heureux et me répète que je lui appartiens. Pendant toutes ces années je lui suis demeurée fidèle, Ascagne. Aucun autre homme que lui, jamais, ne m'a connue. Chaque jour je me rends seule à mon oratoire et je dépose des fleurs fraîches devant son autel. Et chaque jour j'y renouvelle mon serment de mariage, je baise son image et je me présente comme son épousée. Chaque fois mon cœur déborde d'amour pour lui, et l'espace d'un instant, il vit de nouveau. Oh! pourquoi les dieux ont-ils permis qu'il me soit si cruellement arraché et m'ont-ils volé mon bonheur? Mais comment puis-je lui rester éternellement fidèle, quel que soit mon amour pour lui? Qu'adviendra-t-il de Carthage, si je ne me remarie jamais?

Sa voix vibrait d'un atroce désespoir que je ne lui avais encore jamais entendu. Les terribles paroles d'Hélénos me revinrent. Se pouvait-il, me dis-je, que les dieux déchaînent ainsi leur colère contre ceux qui aimaient trop passionnément? Avaient-ils voulu punir Didon comme ils avaient puni Andromaque, en lui arrachant son époux?

Mais pourquoi fallait-il qu'elle fût châtiée maintenant? Comment Asherat pouvait-elle souhaiter que Didon ne se remarie point? Elle était la déesse du mariage et la protectrice de Carthage. Je pensai une fois de plus à Andromaque. Elle n'avait pas été condamnée au veuvage éternel; elle avait pris mon père pour amant afin d'avoir un enfant. « Hector comprendrait », avait-elle répondu à mon reproche. Pourquoi l'époux mort de Didon devait-il donc la torturer ainsi en lui rappelant ses devoirs envers lui? Sa tâche première ne concernait-elle pas plutôt Carthage et son peuple?

Je pris ma bien-aimée dans mes bras et fis de mon mieux pour la consoler. Son amour pour moi ne constituait nullement un péché, lui expliquai-je, et je lui relatai l'histoire d'Andromaque. Elle écouta avec compassion. Puis je lui parlai d'Andromaque et de mon père. Elle fut tout d'abord trop surprise pour parler.

– Ainsi donc, elle t'aimait autant que moi, prononça-t-elle enfin. Mais tu ne lui as jamais demandé de t'épouser, n'est-ce pas, Ascagne?

Je sentis qu'elle me souriait dans l'obscurité et compris que je l'avais enfin réconfortée. Elle garda le silence un moment, puis reprit d'une voix hésitante :

– Ton père aimait-il Andromaque?

Je secouai la tête.

– Je ne le pense pas. Il ne parle jamais d'elle.

– Et elle l'a laissé devenir son amant alors qu'elle ne l'aimait pas? Jamais je ne pourrais faire une pareille chose. Pour moi, l'amour est sacré.

Elle retomba dans le silence, puis m'entoura de ses bras.

– Tu m'as rassérénée, mon chéri. Je réfléchirai à tout ce que tu m'as révélé. Et maintenant, je dois te dire une chose.

Avec douceur, elle m'informa que sa période d'impureté approchait. Pendant une semaine elle devrait demeurer dans l'isolement. Si elle manquait à cette obligation, le malheur s'abattrait sur nous et sur tout son peuple.

– Alors, pendant tout ce temps, je ne pourrai pas te voir? demandai-je, consterné.

– Non, Ascagne, répondit-elle tristement, je crains que ce ne soit pas possible. (Elle se tut un moment, puis ajouta :) Tu devras quitter le palais demain.

– Tu veux dire que je dois retourner chez le grand-prêtre? Mais alors, nous ne pourrons plus jamais être ensemble!

– Je trouverai quelque bonne raison pour te faire revenir ici, répondit Didon avec douceur. Malchus est ton ami, n'est-ce pas? Au delà de mes appartements, à l'extérieur du quartier des femmes, se trouve une autre chambre où tu pourrais dormir.

Je me taisais, pris de vertige, comme si le sol avait soudain cédé sous mes pieds, envahi par le pressentiment que je la perdais à jamais.

– Tu me manqueras aussi, reprit-elle doucement, devinant mes pensées. Comme mon lit sera vide, sans toi! Mais ne nous laissons pas aller à la désolation. J'ai demandé à mon palefrenier numide de choisir un cheval pour toi, et il t'apprendra à monter et combattre comme les Numides. Il ne porte pas Iarbas dans son cœur, ajouta-t-elle en

souriant, et il devrait donc être un excellent maître.

Je m'illuminai à cette perspective et lui demandai
quand nous pourrions aller à la chasse. Elle me
répondit qu'elle avait déjà donné des instructions
pour organiser une partie de chasse en mon honneur, à laquelle mon père et tous les notables
troyens seraient conviés.

– Et Malchus y sera également invité, ajouta-
t-elle. Si les dieux nous accordent du beau temps,
nous passerons une joyeuse journée ensemble et
laisserons derrière nous tous nos soucis.

Elle soupira.

– Que je serais heureuse d'oublier les affaires de
la cité, pour une fois! Même pendant mon isolement, je ne puis guère y échapper.

Pour la première fois, je me rendis compte qu'elle
ne m'en avait jamais parlé. Le nom de mon père
était rarement mentionné. De sa tâche de souveraine, j'ignorais tout. Je ne savais rien des problèmes quotidiens qui l'attendaient, des décisions
qu'elle avait à prendre, des mesures qu'elle devait
approuver, arrêter et faire apliquer pour le bien
de sa cité. Elle était le cœur et l'âme de Carthage;
tout reposait sur son courage, sa compétence et sa
sagesse. Rien d'important ne pouvait se faire sans
elle : la construction de murs et de bâtiments, le
creusement de ports, le paiement de salaires aux
ouvriers, l'expédition de navires de commerce, les
négociations avec les princes voisins ou les marchands d'autres colonies; toutes ces questions et
bien d'autres absorbaient jour après jour son
temps et son énergie. Et voilà que cette femme
merveilleusement belle et brave m'avait prodigué
sans compter toute sa tendre sollicitude et son
amour, à moi, un garçon de douze ans. Je voyais

enfin tout ce qu'elle avait fait pour moi, et cette pensée m'émut à tel point que je demeurai muet.

Je sentis qu'elle fixait sur moi un regard interrogateur, dans la nuit.

– Qu'y a-t-il, Ascagne? me demanda-t-elle enfin. Pauvre enfant, es-tu donc si malheureux?

Je ne répondais toujours pas.

– Allons, allons, mon chéri, ce ne sera pas long, reprit-elle en se méprenant sur mon silence, et puis regarde : j'ai un cadeau pour toi.

Elle ralluma une nouvelle fois la lampe posée à côté du lit et prit sur la table une coupe en or massif.

– Voici la coupe dans laquelle j'ai bu lors du banquet, Ascagne. T'en souviens-tu? J'aimerais que tu l'acceptes, en gage de mon amour.

Je l'ai toujours, cette relique sacrée. Jamais personne d'autre que moi n'y touchera; et à ma mort, elle m'accompagnera dans la tombe.

11

Inutile de décrire le douloureux sentiment d'abandon que j'éprouvai pendant les jours suivants. Ce ne fut qu'en retournant chez le grand-prêtre que je compris combien j'appartenais totalement à Didon. Jamais encore je n'avais ressenti une telle impatiente ardeur, ni eu conscience d'un tel vide en moi. Elle avait pris possession de mon cœur et en avait exclu tous les autres; plus personne ne comptait qu'elle et Anna.

Chez le grand-prêtre, je partageais une chambre avec mon père. Chaque nuit, pendant qu'il dormait, je restais éveillé en songeant à Didon, et son exquise image m'apparaissait. Parfois elle venait dans sa simarre blanche et me prenait dans ses bras; d'autres fois, je la voyais nue, étendue sur son lit. Une nouvelle fois je sentais la magie de ses caresses et la douceur de ses baisers. La pièce entière s'emplissait de sa présence et du parfum de son corps. Comment mon père pouvait-il ne pas savoir qu'elle était là? Souvent j'imaginais qu'elle était allongée auprès de moi, qu'il me suffisait d'étendre le bras pour découvrir son sein blanc. Peut-être était-ce la vision de son sein qui me hantait le plus. Je me souvenais d'avoir posé ma tête sur sa poitrine et entendu battre son cœur. Sa poitrine était le sanctuaire dans lequel se trouvait son être intime. Dans ce précieux sanctuaire vibrait tout son amour pour moi.

J'avais cru que j'éprouverais, au moins, du plaisir à revoir mes compagnons troyens. Au contraire, je me surprenais à les éviter. Ils m'étaient devenus étrangers, tous. Ils voyaient Didon et sa ville d'un œil étranger. Aucun d'entre eux ne parlait le punique; aucun d'entre eux n'éprouvait la moindre dévotion à l'égard d'Asherat. Ils avaient commencé à trouver normale l'hospitalité de Didon, et à critiquer son peuple en le comparant défavorablement aux simples Elymiens. Dans toute cette critique transparaissait une note d'envie. Les Carthaginois étaient trop habiles, ils avaient rencontré trop de succès. Nul ne pouvait nier leur ingéniosité et leur diligence, non plus que leur compétence de marins; mais ils étaient trop savants et trop sophistiqués, trop rusés dans leurs entreprises commerciales, trop peu guerriers, trop profondément absorbés par le commerce. Nul ne pouvait nier que la ville fût admirablement gouvernée : chaque corporation avait constitué une fraternité, afin de protéger ses

214

intérêts; même les ouvriers les plus humbles avaient leurs représentants élus, ayant droit d'accès auprès de la reine. Toutes les classes, et même les esclaves, étaient unies par un sentiment de patriotisme. Ils étaient fiers de Carthage et dévoués à leur souveraine. Mais il leur manquait sa vision grandiose ou sa compassion pour les autres. Ils ne comprenaient pas pourquoi elle nous avait accueillis si librement et tendaient à nous marquer de la jalousie. Ils éprouvaient un respect forcé à l'égard de mon père, à cause de son rang et de sa réputation, mais ses compagnons ne représentaient rien à leurs yeux. Nous étions des étrangers; nous ne parlions pas leur langue, nous ignorions tout de leurs traditions; nous étions des vagabonds vivant de la charité de leur reine et nous étions plus de deux cents.

Je ne savais encore presque rien de Carthage et de son peuple, mais j'avais déjà commencé à m'identifier à eux. La plus vague plainte de la part des Troyens m'emplissait d'une rancœur instinctive, bien que j'eusse généralement le bon sens de tenir ma langue. Mais ce qui me faisait enrager le plus, c'étaient les plaisanteries joviales d'Ilionée et de divers autres chefs troyens sur l'affection de Didon pour moi. Ils ne lui manquaient jamais de respect dans leurs propos mais me mettaient mal à l'aise. Plus d'une fois ils tentèrent de m'interroger sur elle et sur Anna. Je répondais froidement que je ne les avais guère vues pendant ma maladie et me réfugiais dans un silence hautain. Mon indifférence à leur égard confondait mes camarades. Quant à Caieta, je l'évitais. Même mon père me semblait presque étranger. Mon admiration pour lui se nuançait à présent de jalousie. Il était tout ce que je souhaitais mais ne pouvais être. Il faisait pour

Didon tant de choses que jamais je ne pourrais faire! Et pourtant, il était prompt à la critiquer – devant moi, sinon devant les autres.

Chaque matin, il partait faire la tournée des défenses de la ville en compagnie d'un conseiller de Didon pour surveiller les travaux qu'il avait entrepris. Il ne manquait jamais de louer tout ce qu'elle avait fait pour développer le port de Carthage mais se plaignait amèrement de l'insuffisance des fortifications. On voyait encore des trous en plusieurs endroits de la muraille; ailleurs, aucun créneau n'avait été construit; deux tours de guet avaient été érigées sur des emplacements mal choisis; les remparts tels qu'ils existaient manquaient d'efficacité; les réserves d'armes s'épuisaient dangereusement; quant à la citadelle, sa construction venait à peine de commencer.

– Comme c'est bien d'une femme, déclara-t-il un jour d'une voix amère, de croire que son palais compte plus que la défense de sa cité. Si Iarbas voulait attaquer maintenant, il pourrait s'emparer de Carthage en une heure.

– Comment pourrait-elle s'y connaître en fortifications? m'écriai-je indigné. Elle n'avait personne pour la conseiller, et elle a tant d'autres choses à faire.

Mon père parut surpris de ma réaction.

– La reine a accompli des prodiges, reprit-il calmement, mais elle vit de manière trop opulente. C'est là sa faiblesse. Je ne m'étonne pas qu'Iarbas tienne tant à l'épouser. Avec de telles richesses, elle représente une tentation pour tout homme. Il est fou de sa part de les exhiber ainsi, quand elle est si mal protégée contre ses voisins envieux. Elle doit bien s'en rendre compte.

Soudain il me regarda.

– Ce magnifique gobelet que j'ai vu parmi tes affaires, Ascagne, pour quelle raison te l'a-t-elle donné? Je sais qu'elle t'aime beaucoup, mais tu n'es encore qu'un jeune garçon.

J'avais essayé de lui cacher le gobelet et fus pris de court.

– Elle me l'a donné quand j'ai quitté le palais, dis-je en rougissant. Sans doute était-ce parce que je suis ton fils et que j'avais été son hôte. Tu sais comme elle est généreuse. Tout le monde le dit.

A mon vif soulagement, ma réponse parut le satisfaire.

– Elle est très généreuse, acquiesça-t-il, généreuse jusqu'à l'excès. (Il se tut un moment, puis ajouta inopinément :) Pauvre femme! Elle a bien besoin de tout son courage. Sa vie ne doit pas être facile.

Fidèle à sa nouvelle politique consistant à me traiter en adulte et à former en moi son successeur, mon père m'encouragea vivement à l'accompagner dans la tournée quotidienne d'inspection. Il savait qu'Anna avait commencé à m'enseigner le punique et avait donné son accord avec circonspection. Pour sa part, il ne voulait pas l'apprendre et je ne devais révéler à personne qu'il était à demi phénicien; mais que j'apprenne à le parler, c'était une tout autre affaire. Tous les notables carthaginois savaient le grec, mais je pouvais cependant me révéler utile comme interprète; et puis j'avais beaucoup à apprendre sur les fortifications. Peut-être voyait-il aussi en moi un futur espion.

A sa grande surprise, je refusai de l'accompagner. Une expédition de chasse devait bientôt avoir lieu, expliquai-je gauchement : la reine m'avait donné un cheval et je devais m'entraîner le plus possible. Mon père sourit. Il était lui-même excellent cavalier et savait combien je manquais d'expérience. Il avait appris qu'une partie de chasse s'organisait et se souciait tout autant que moi de me voir faire bonne figure. Il ne me posa pas davantage de questions et me laissa à mes activités. Je ne le voyais à peu près jamais avant la tombée de la nuit. J'en éprouvais un vif soulagement. J'avais déjà eu à esquiver les questions sur mon séjour au palais et à dissimuler mon amour pour Didon en prétendant l'avoir fort peu vue. Comment mon père pouvait-il parler d'elle avec un tel détachement? Ne voyait-il donc pas comme elle était belle? Oui, j'étais l'enfant de Didon, je le savais à présent, car hors du cercle de ses bras je ne rencontrais que solitude. Ma seule consolation était de monter le cheval qu'elle m'avait donné et de m'entraîner secrètement pour devenir son champion. Elle seule connaissait mon secret. Je n'en avais rien révélé, même à Anna.

Chaque matin, je gagnais de bonne heure les écuries du palais où Soubas, le palefrenier numide, m'attendait – un petit homme à la peau basanée et aux jambes arquées, avec des yeux perçants comme des poignards. Il était fier, taciturne et méfiant; mais il haïssait Iarbas, et Didon s'était acquis sa dévotion à force de tact et de gentillesse. Je me rendis compte très vite que je n'aurais pu souhaiter meilleur maître. Chaque jour nous nous rendions dans un champ non loin du palais, et là il m'exerçait à monter comme les Numides. Rien n'échappait à sa vigilance. Je montais toujours à cru, et le plus souvent sans bride – tout d'abord sur une jument docile, puis sur le poulain vif que Didon m'avait offert. Je l'appelai Aristo.

Mais ce fut surtout l'art de la communication avec ma monture que j'appris de Soubas. L'influence de la parole et de l'intonation, les différentes pressions de la jambe ou du talon, le subtil emploi de la badine : aucun autre peuple n'a une maîtrise si intuitive de ces moyens que les Numides. Après quelques jours d'humiliants échecs, je découvris qu'Aristo répondait de bonne grâce à mes instructions. Et bientôt nous commençâmes à franchir des obstacles sans nous fausser compagnie.

Comme Didon allait admirer mon aisance à cheval ! me dis-je un soir après plusieurs heures d'exercice acharné. Peut-être même Malchus en serait-il secrètement impressionné ? L'expédition de chasse devait avoir lieu dans trois jours et je pressais Soubas de questions passionnées. Il me montra le destrier noir que devait monter mon père, ainsi que l'élégant cheval blanc de Didon. Je le flattai et le caressai comme chaque jour en imaginant comme elle serait belle en caracolant – si belle que l'envie me prendrait de tomber à genoux pour l'adorer. Elle se montrerait charmante avec tout le monde, mais ses yeux s'attarderaient plus longuement sur moi. Pendant toute la journée, je ne quitterais pas ses côtés. Par miracle, nous nous trouverions séparés des autres. Peut-être serait-elle fatiguée et je l'aiderais à descendre de cheval. Pendant quelques instants délicieux, je tiendrais son poids précieux dans mes bras, puis sa bouche exquise se poserait sur la mienne et elle m'embrasserait avec une merveilleuse tendresse.

Je ne pouvais penser qu'à Didon et, disant adieu à Soubas, je repris mon chemin le long des entrepôts du palais, en direction de la demeure du grand-prêtre. Le soleil sombrait derrière les lointaines collines, tel un navire en flammes. Comme j'approchais du passage couvert qui menait à la cour principale du palais, j'aperçus Imilce qui venait vers moi. Je devinai qu'Anna l'avait envoyée me cher-

cher et mon cœur bondit de joie. Je n'avais plus
revu Anna depuis mon départ du palais; peut-être
avait-elle enfin un message de Didon pour moi.

Je rejoignis Imilce en courant et la saluai. Oui,
dit-elle, sa maîtresse désirait me voir. Elle me
conduisit non pas au quartier des femmes, mais
dans une petite pièce donnant sur la salle des
banquets. Là, j'attendis dans la pénombre du crépuscule avec une impatience croissante. Enfin, la
porte s'ouvrit et Anna parut, seule et portant une
lampe. Elle la posa sur une table sans rien dire puis
referma la porte et se tourna vers moi. Je l'embrassai impulsivement.

– Quand pourrai-je voir Didon?

Elle me contempla gravement.

– Je n'en sais rien, Ascagne. Je m'inquiète à son
sujet.

La peur me vrilla le cœur.

– Est-elle malade?

Anna secoua la tête.

– Non, elle n'est pas malade, et n'est pas non plus
en isolement. Mais elle ne veut voir personne.
Jamais je ne l'ai vue ainsi. On dirait qu'elle a
soudain abdiqué. (Elle se tut un moment, puis
reprit :) J'ai dû faire annuler la chasse.

Elle lut la consternation sur mon visage, et ajouta
doucement :

– Je suis navrée, Ascagne, mais Didon n'est plus
elle-même. Elle ne quitte pas sa chambre. Nous
devons prier les dieux pour elle. Elle est très
malheureuse.

– Malheureuse? répétai-je, incapable de maîtriser
le tremblement de ma voix. Pourquoi est-elle malheureuse?

– Ce n'est guère facile à expliquer, Ascagne. (Elle
hésita.) Oui, pourquoi ne te le dirais-je pas? Cela te

concerne, et tu l'aimes. La nuit dernière, je ne pouvais pas dormir tant je m'inquiétais à son sujet. Elle était restée toute la journée dans son appartement et refusait d'y laisser entrer quiconque. Depuis deux jours, je ne l'avais pas vue. Soudain, comme je gisais sans dormir, j'entendis ses pas approcher de ma chambre. Tout d'abord je crus qu'elle venait me voir, comme elle le faisait parfois quand elle se sentait seule; mais au lieu de s'arrêter, elle passa devant ma porte. Je la suivis prudemment, me demandant où elle allait ainsi. A ma vive surprise elle s'engagea dans le passage qui mène à la salle des banquets. Nous n'avions de lampe ni l'une ni l'autre, mais elle arriva finalement à la porte et l'ouvrit. Toute la salle des banquets s'étendait devant nous, vide, silencieuse et inondée de clair de lune. Je demeurai dans l'ombre du couloir, à l'observer. Elle s'approcha de sa couche et s'y étendit. Elle y demeura un moment sans bouger puis soudain se mit à parler, et je me rendis compte qu'elle s'adressait à vous – à toi et ton père. Rêvait-elle du banquet ou le revivait-elle? Je l'ignore encore à présent. Elle posait d'inlassables questions sur Troie, sur vos aventures, sur ta mère, Ascagne, sur Hector et Andromaque. Je n'entendais pas tout ce qu'elle disait; mais après chaque question elle attendait, comme pour écouter une réponse. Elle commença par parler d'une voix douce, mais peu à peu elle devint agitée. Puis soudain elle poussa un cri, comme si tu t'étais éloigné. Sa voix était si désespérée que je décidai de la réveiller. Je commençai à m'approcher d'elle. Elle avait le visage pâle comme la mort et contemplait farouchement la couche proche de la sienne. Elle ne me voyait pas approcher et je l'atteignais presque quand elle se retourna brusquement et me dévisagea. Je crus alors qu'elle m'avait vue, mais ses yeux ne semblaient pas me reconnaître. C'était ton père qu'elle voyait, et non moi. « J'aime Ascagne, déclara-t-elle, mais je ne te le prendrai pas. Je ne suis qu'une veuve sans enfants. Je sais que je n'ai aucun droit sur lui ni sur toi. Mais ne demeure pas davantage ici. Quitte Carthage, ou nous souffrirons tous. Emmène-le avec toi en Italie avant qu'il ne soit trop tard. »

» Puis soudain elle fondit en larmes. Je n'ai pu en supporter davantage. Je voyais bien qu'elle ne se contrôlait plus et je la pris dans mes bras. Elle se laissa reconduire jusque dans sa chambre et me laissa rester auprès d'elle. J'ai fait tout ce que je pouvais pour la réconforter. Mais je ne puis soigner son désespoir; seuls les dieux le peuvent.

Sa voix tremblait d'émotion. Elle se tut.

Je bondis sur mes pieds.

— Conduis-moi auprès d'elle, Anna. Il faut que je la voie.

Anna secoua la tête.

— Si elle te voit maintenant, elle s'accablera davantage encore de reproches. Elle pense que c'est par sa faute que tu l'aimes.

— Par sa faute? répétai-je, incrédule.

— Essaie de la comprendre, Ascagne. Elle t'aime comme une mère, mais elle considère qu'elle n'en a pas le droit; et ton amour pour elle l'effraie. Elle est terrifiée à l'idée de te séparer de ton père. Que se passera-t-il quand il s'embarquera à destination de l'Italie, au début du printemps?

— Jamais je ne la quitterai, répondis-je aussitôt.

— Elle craignait précisément que tu dises cela, m'expliqua tristement Anna, et crois-tu que ton père acceptera de te laisser ici, toi, son fils unique?

Je gardai le silence. Comment Didon pourrait-elle me retenir à Carthage contre la volonté de mon père? Quel que fût son amour pour moi, je savais que jamais elle ne ferait cela.

– Elle ne peut pas supporter de te rendre malheureux, Ascagne, mais elle ne sait que faire. Elle t'aime plus que jamais, mais elle redoute de gâcher ta vie. Pauvre Didon! Elle semble prise dans un piège.

Mais pourquoi Anna était-elle si sûre que mon père comptait quitter Carthage dès la fin de l'hiver? Il n'avait encore rien dit de tel aux Troyens. Il s'absorbait de plus en plus dans la construction des défenses de la ville et je savais comme il prenait ses responsabilités au sérieux. Je savais également, car il me l'avait dit, qu'il restait encore beaucoup à faire; et j'avais senti qu'il se considérait comme le gardien de la cité contre Iarbas. Je ne pouvais pas croire qu'il envisageât de prendre la mer en laissant sa tâche inachevée et en abandonnant Carthage à la merci de Iarbas. Qu'il pût trahir Didon et Anna de cette manière était inimaginable.

– Comment sais-tu que mon père partira si tôt? demandai-je d'un ton brusque.

– Il me l'a dit aujourd'hui, répondit tranquillement Anna. (Puis elle ajouta d'une voix hésitante :) Il m'a demandé si je viendrais avec lui.

Je la dévisageai.

– Oui, Ascagne. Il m'a demandé de l'épouser. J'ai refusé. Il était très déçu, mais je pense qu'il a compris.

Soudain, elle éclata en sanglots.

Profondément ému, je lui pris la main.

– L'aimes-tu donc? demandai-je.

– Oui, je l'aime, répondit-elle simplement en s'essuyant les yeux. Il est le seul homme que j'aie jamais souhaité épouser. Peut-être, s'il était resté ici... Mais c'est Didon que j'aime avant tout. Jamais je ne la quitterai. Tu vois, nous nous trouvons dans la même situation, toi et moi. Oh! que l'amour est cruel! Il nous fait tous tellement souffrir!

Elle se leva.

– Prions Asherat de faire rester ton père à Carthage. Elle seule peut nous aider. Demain, Didon et moi nous rendrons de bonne heure au temple pour lui offrir des sacrifices. Elle nous a toujours protégées. Peut-être écoutera-t-elle nos prières.

– Pourrai-je vous accompagner? demandai-je vivement.

Elle secoua la tête.

– Non, Ascagne. Nous devons nous y rendre seules. Nos prières seront secrètes et nul ne doit en deviner le but. Tu ne dois rien répéter à personne de ce que je t'ai dit. Prie et prends patience; et rappelle-toi que, quoi qu'il arrive, Didon t'aimera toujours.

Elle m'embrassa, prit sa lampe et disparut.

Ce soir-là, j'observai que mon père avait le visage las et tiré. Comme d'un commun accord, nous gardâmes le silence. Pendant la nuit, tandis que je pensais à Didon sans pouvoir dormir, je l'entendis marmonner dans son sommeil.

Pendant encore dix jours, Didon s'abstint de toute apparition en public. L'ajournement de la chasse royale suscita peu de commentaires; mais lorsqu'une assemblée du peuple qu'elle devait présider fut annulée sans explication au dernier moment, un sentiment d'inquiétude se répandit sur la ville. Il ne s'était jamais rien produit de semblable. Tout le monde savait que la reine était de santé fragile, mais tout le monde savait aussi comme elle se dévouait à son peuple. En diverses occasions antérieures, lorsqu'elle avait été empêchée d'assister à une assemblée ou à une cérémonie publique, une explication avait toujours été fournie. Cette fois, aucune explication n'était donnée. La reine n'avait pas non plus repris ses audiences habituelles. Même les sénateurs et ses conseillers demeuraient tenus à l'écart. Il circulait partout de vagues rumeurs sur les raisons de cette attitude. On disait que de mauvais rêves et des insomnies la troublaient, qu'elle ne mangeait plus, qu'elle passait des heures entières dans son oratoire, que la nuit elle parcourait le palais comme un esprit privé de repos. Maintenant, la nouvelle se propagea qu'on l'avait vue un matin, de fort bonne heure, se rendre au temple d'Asherat en la seule compagnie de sa sœur. On ne tarda pas à savoir, ensuite, qu'elles s'y rendaient quotidiennement pour implorer une faveur de la déesse. Quelle était donc cette faveur qu'elles désiraient si ardemment? Nul n'en savait rien, pas même le grand-prêtre. Certains supposaient qu'elles sollicitaient la protection d'Asherat contre Iarbas. D'autres pensaient que l'ombre de son défunt époux hantait la reine : peut-être lui enjoignait-il de venger sa mort. Tout le monde savait quelle dévotion elle réservait à sa mémoire, mais aussi que l'ignoble crime de son frère était resté impuni.

Quel que fût le motif de ces visites répétées et secrètes au temple, leur importance ne pouvait faire aucun doute : sinon, pourquoi la reine aurait-elle personnellement pris part aux cérémonies sacrificielles compliquées? C'était elle et non le prêtre, d'après la rumeur, qui versait le vin de la coupe sacrée entre les cornes des génisses blanches qui étaient chaque jour sacrifiées à Asherat. C'était chaque jour elle qui accomplissait les rites et les cérémonies devant l'autel, sous la statue de la déesse. Pourquoi devait-elle le faire jour après jour? N'était-ce point qu'elle souhaitait désespérément obtenir quelque faveur personnelle d'Asherat?

Les échos de ces rumeurs ne tardèrent pas à me parvenir. Le grand-prêtre lui-même ne disait rien; mais dans sa maison et au palais j'entendais fréquemment les serviteurs bavarder et je souffrais mille tourments. Je priais Asherat; je priais Astarté, ma protectrice. Cela ne faisait aucune différence. Les jours se succédaient sans que j'eusse aucune nouvelle ou message de Didon ni d'Anna; et le nuage des rumeurs s'épaississait sans cesse.

Mon père se plaignait que le travail avait presque cessé sur les remparts à cause de l'absence prolongée de la reine. Les ouvriers avaient perdu courage et n'obéissaient plus à ses ordres qu'avec une extrême lenteur. Sur certains sites, ils avaient complètement arrêté de travailler. Les échafaudages s'interrompaient à mi-hauteur, le bruit des marteaux s'était éteint et les hautes grues dressées dans le ciel demeuraient immobiles et silencieuses.

Le désespoir m'avait envahi. Mon père avait déjà tenté de voir Anna pour l'avertir de ce qui se produisait. Je décidai de me mettre sur leur chemin à la porte du temple, mais je les manquai dans l'obscurité. Je me mis à questionner chaque matin Soubas pour savoir s'il avait appris quand aurait lieu la chasse. Il secouait toujours la tête. Pendant le reste de la journée, je m'efforçais de chasser Didon de mes pensées en m'entraînant au lancer du javelot à cheval. Aristo se montrait assez docile. C'était moi qui visais mal. Chaque fois, mon impatience me faisait tirer trop hâtivement. Je me rendais compte avec découragement que je progressais fort peu; puis enfin, à ma joie incrédule, je reçus un message d'elle. Un matin, l'une de ses servantes m'attendait lorsque je pénétrai dans la grande salle du palais. La reine et sa sœur souhaitaient me voir : si je voulais bien la suivre, elle me mènerait auprès d'elles.

La reine et sa sœur : Didon devait donc enfin se porter mieux. Pourquoi voulaient-elles me parler toutes les deux? Je me souvins que je ne les avais encore jamais vues ensemble et me sentis soudain mal à l'aise. Qu'elles voulussent me voir ensemble paraissait de mauvais augure. Qu'avaient-elles à me dire, la reine et sa sœur? Ces mots me semblaient à présent froids et distants. Allais-je voir la reine de Carthage, ou bien Didon? Oserais-je seulement l'embrasser? Il y avait si longtemps que j'avais été son amant. Mais à présent j'étais soudain redevenu un jeune garçon effrayé, aussi gauche et embarrassé que lorsque je l'avais rencontrée pour la première fois. Nous nous étions toujours vus de nuit. Nous nous étions enlacés à la lueur d'une lampe, ou dans la mystérieuse douceur de l'obscurité. Elle m'avait aimé, alors. Mais maintenant, dans la lumière dure et froide du matin, nous allions nous paraître étrangers. Elle me verrait tel que j'étais réellement – un garçon en cours de croissance, gauche et dégingandé, pâle copie de mon père héroïque; et elle comprendrait alors que tout cela n'avait été qu'un rêve et qu'elle, la reine de Carthage, ne m'aimait plus.

La servante me conduisit par un grand escalier à une vaste pièce proche du quartier des femmes où Didon recevait habituellement ses conseillers. Elle se tenait près de la fenêtre ouverte et se retourna quand j'entrai. Elle avait le visage fort pâle, avec de fins traits bleus sous ses yeux adorables, et sa peau paraissait transparente; sous sa robe, je devinais la délicatesse de son corps. Elle m'apparut intolérablement fragile et infiniment précieuse.

Mon amour pour elle m'empêchait d'articuler la moindre parole. J'oubliai Anna, j'oubliai toutes mes craintes. Je me jetai aux pieds de Didon et me mis à baiser ses mains bien-aimées avec une dévotion passionnée en lui disant que je ne pouvais pas vivre sans elle. Elle pressa ma tête contre ses cuisses sans rien dire. Puis je sentis ses doigts dans mes cheveux.

— Pauvre Ascagne, murmura-t-elle doucement, m'aimes-tu donc tant?

Je levai les yeux vers elle.

— Je mourrais pour toi.

Elle frissonna.

— Non, mon chéri. Tu ne dois jamais faire cela. Les dieux nourrissent d'autres projets pour toi. Un jour, tu seras un grand homme. Ton père en est assuré. Anna et moi en sommes également certaines. Mais regarde, tu ne l'as pas encore saluée et elle s'est comportée en sœur avec toi. Comment puis-je t'embrasser quand tu n'en as encore rien fait?

Je me relevai et embrassai timidement Anna. Didon m'adressa ensuite un sourire exquis et me prit dans ses bras; j'oubliai une fois encore le reste du monde.

— Quand pourrai-je revenir au palais? finis-je par demander.

Didon hésita.

— Demain, Ascagne, si ton père accepte, se hâta de répondre Anna. Didon le lui demandera pendant la chasse. Il ne pourra guère le lui refuser, à ce moment-là.

Je pouvais à peine en croire mes oreilles.

– La chasse aura donc lieu demain? demandai-je à Didon.

– Oui, mon chéri. Asherat nous a enfin parlé. Si la chasse a lieu demain, ton père restera à Carthage comme elle le souhaite. Bien sûr, je lui obéirai, quoi que dise le peuple.

– Mais pourquoi..., commençai-je.

– Pourquoi le peuple grognerait-il? Parce qu'il pensera que je néglige mes charges si je vais à la chasse. Oh! je sais très bien ce qui s'est dit sur moi. Je sais également que certains n'aiment guère les Troyens. Mais ils sont comme des enfants, Ascagne : ils ne comprennent pas. Tout cela changera si ton père reste à Carthage. Nos deux peuples s'uniront. Par son héroïsme, ton père nous encouragera à vaincre Iarbas; et Carthage deviendra de plus en plus puissante, jusqu'à être invincible, la plus grande et la plus riche ville du monde. Voilà ce que m'a révélé Asherat dans sa bonté. Comment y parviendra-t-elle? Elle ne m'en a rien dit. Mon devoir consiste à lui obéir, et non à la questionner. Peut-être auras-tu un rôle à jouer pour rendre ma cité puissante et prospère. Qui sait?

Sur son visage resplendissait un enthousiasme presque mystique. Pendant un moment, elle fut plus qu'une femme très belle; elle fut une prophétesse inspirée et contemplant l'avenir. J'avais pour la première fois conscience de sa force de volonté, de sa stature héroïque, du pouvoir et de la passion de sa personnalité. Puis la lumière s'éteignit de ses yeux.

– Il faut t'en aller, à présent, Ascagne, reprit-elle d'une voix douce. J'ai été malade trop longtemps, et j'ai beaucoup à faire. Anna et moi voulions te faire savoir que tout va de nouveau bien. Ne crains rien.

Je te verrai demain. Ton père restera à Carthage. Asherat elle-même me l'a promis.

Elle mit ses bras autour de mon cou et me regarda dans les yeux.

– Et tu seras heureux, mon chéri, n'est-ce pas? Une partie de moi sera toujours à toi, toujours, toujours.

Elle me baisa le front avec une solennité étrangement grave. Puis soudain elle posa ses lèvres sur les miennes et m'embrassa avec une passion possessive qu'elle ne m'avait jusqu'alors jamais laissé voir.

– Au revoir, mon chéri, dit-elle doucement, tu m'es infiniment précieux. Que les dieux te protègent.

12

Je passai le reste de la journée à aider Soubas et ses compagnons à préparer les chevaux que Didon destinait à l'usage de mon père et des autres Troyens. Ce faisant, je la servais et en éprouvais une joie accrue. Pendant que nous travaillions, Soubas m'expliquait comment serait organisée la chasse. Le rassemblement aurait lieu à l'aube dans la grande avant-cour du palais – chiens, traqueurs, piqueurs équipés de filets, et puis les notables de Carthage et leurs fils, la reine et sa suite, et nous-mêmes. Les traqueurs et les chiens se disperseraient sur les collines boisées qui s'étendaient à l'ouest de Carthage afin de rabattre le gibier dans une vallée orientée au nord et dont le terrain plat permettait de le poursuivre aisément à cheval.

Bien que Malchus m'eût déjà parlé des parties de

chasse de la reine, j'étais impressionné d'entendre qu'il y participerait tant de gens. Je me souvenais des simples expéditions que nous faisions à pied, avec mon père et Achate, à Buthrote – sans chevaux, ni chiens, ni rabatteurs. Je savais que notre gibier serait le daim, ici comme alors; mais n'y avait-il pas d'autres animaux à chasser et autrement plus féroces, dans la région de Carthage – des lions et des éléphants, par exemple?

Soubas secoua la tête.

– Dans mon pays, oui, mais pas ici. (Il eut un sourire amer.) Si tu veux pratiquer la vraie chasse, il faut aller en Numidie. Nous y chassons les autruches pour leurs plumes, et aussi les ânes sauvages. Ils ont le pied plus agile encore que le cerf. Là-bas, la chasse est un vrai sport.

Puis son visage s'éclaira.

– Mais on trouve néanmoins des sangliers, dans des forêts peu éloignées de la ville. Peut-être en rencontrerons-nous demain? Quand ils sont traqués et désespérés, ils deviennent farouches comme des lions.

Je le dévisageai pensivement. Ce n'était pas la première fois que je ressentais son aversion pour Carthage, sa nostalgie des grands espaces de sa terre natale. Je savais que parmi son peuple il avait été un chef local, propriétaire de troupeaux. Pourquoi s'était-il querellé avec Iarbas? Pourquoi avait-il choisi de venir à Carthage, un an auparavant, et d'entrer au service de Didon à un niveau si humble? Pourquoi avait-il laissé femme et enfants derrière lui? J'avais tenté de découvrir tout cela, mais sa réserve s'était révélée impénétrable. Ses dieux n'étaient pas ceux des Carthaginois, mais je ne mettais pas en doute sa loyauté envers Didon.

Cette nuit-là, je ne pouvais pas trouver le sommeil

tant mon amour pour Didon m'emplissait l'esprit. J'entendais mon père se retourner sans répit. Il rêvait de nouveau. A deux reprises, je l'entendis murmurer le nom de mon grand-père. Peut-être la pensée de l'Italie le hantait-elle toujours. Mais demain, il lui serait révélé clairement et sans erreur possible qu'il devait rester à Carthage. Quelque chose se produirait qui le lui révélerait; peut-être Asherat lui apparaîtrait-elle en personne. Elle avait causé la tempête qui nous avait jetés sur la côte africaine. Elle avait vaincu les désirs de Zeus lui-même. Nos propres dieux nous avaient abandonnés. Même mon père l'avait compris, car ne les avait-il pas maudits en voyant nos compagnons se noyer devant nos yeux? Malgré lui, il avait tout de même continué à leur faire confiance. Mais comment pourrait-il encore garder foi en eux, lorsque Asherat aurait parlé? Il comprendrait alors que sa parole faisait loi et qu'il serait fou de lui désobéir. Il s'inclinerait joyeusement devant sa volonté, s'établirait à Carthage et épouserait Anna. Et Didon m'appartiendrait à jamais. Je me remémorai une nouvelle fois la passion avec laquelle elle m'avait embrassé. Demain soir, nous serions de nouveau ensemble et je lui donnerais un plaisir comme elle n'en avait jamais éprouvé. Elle comprendrait alors que j'étais son époux prédestiné, et Sychée cesserait de la tourmenter. Bientôt, le grand-prêtre nous unirait devant Asherat qui nous accorderait le bonheur d'avoir des enfants. Que ma bien-aimée serait heureuse de devenir mère! Oh, comme je l'aimais, comme je l'aimais!

L'étoile du matin s'était levée et brillait timidement lorsque je me glissai hors de la maison du grand-prêtre après avoir pris un repas rapide et réveillé mon père, ainsi que les chefs troyens conviés à venir chasser. De l'enceinte du temple nous parvenait le roucoulement ensommeillé des colombes. La lune avait disparu et l'aube ne pointait pas encore, mais déjà l'obscurité de la nuit se dissipait peu à peu. Un vent frais et joyeux soufflait de la mer, annonçant tumultueusement la naissance d'un jour nouveau. Bientôt l'Aurore quitterait son lit d'océan pour monter dans son chariot d'or et faire avancer ses blancs coursiers. Dans le lointain apparaîtrait alors au-dessus de l'horizon, sur la mer, une ligne d'éclatante lumière annonçant son approche. Les oiseaux nichés dans le bosquet de chênes verts la salueraient de leurs pépiements et la ville entière, tellement inanimée maintenant, s'éveillerait sous l'effet de sa radieuse présence tandis qu'elle traverserait l'orient sur son char.

Dans les écuries toutes chaudes de la présence des bêtes, Soubas et ses compagnons travaillaient déjà, à la lueur des torches. J'allai voir la monture de la reine, qui me salua d'un hennissement. Je la brossai soigneusement, la peignai, caressai ses flancs luisants, massai ses jambes et inspectai ses sabots avant de la confier à Soubas. Je n'avais guère le temps d'en faire plus, car il me fallait aussi préparer Aristo afin que Didon pût l'admirer. J'étais déjà habillé pour la chasse mais devais encore aller chercher mes armes à l'armurerie. Deux javelots légers, un couteau de chasse, mon épée? Non, ce ne serait sans doute pas nécessaire, et les serviteurs de la reine transporteraient une provision de lances à bout plat; mais je prendrais mon arc et mes flèches.

Comme je quittais l'écurie, mon père y entra en compagnie d'autres Troyens. Je tentai de passer vite mais il m'arrêta pour me demander de lui servir d'interprète. Lequel était son cheval? demanda-t-il.

Il l'inspecta d'un œil averti et posa un certain nombre de questions péremptoires, sans se rendre compte du fait que mon maître était bien plus qu'un simple palefrenier. Je voyais que son intonation fâchait Soubas, bien que ses questions fussent parfaitement anodines. Je finis par m'écarter d'eux avec le sentiment que mon père s'était fait un ennemi.

Lorsque je parvins dans la vaste avant-cour du palais, l'aube pointait. Les chiens, les rabatteurs et les piqueurs commençaient déjà à s'agiter dans un joyeux vacarme d'aboiements et de claquements de sabots. L'air piquant était chargé d'excitation et de joie de vivre. Un certain nombre de Carthaginois portant des vêtements colorés s'étaient déjà rassemblés, parmi lesquels Malchus et son père. J'allai les saluer. Les Carthaginois commencèrent bientôt à s'aligner comme pour une procession sur la gauche du portail principal. Mon père apparut ensuite, à cheval, à la tête de ses Troyens. Ils prirent place de l'autre côté de la cour, face aux Carthaginois. Divers serviteurs suivaient à cheval et se portèrent près du centre; enfin parut en dernier Soubas, les cheveux nattés, la barbe taillée, menant le cheval blanc de la reine, magnifiquement caparaçonné de pourpre et d'or; même la bride et la gourmette s'ornaient de breloques d'or. Sur son dos était fixée une selle capitonnée et richement décorée.

Je vis mon père contempler fixement le cheval de Didon. Puis il capta mon regard et me fit signe de prendre place derrière lui. Je secouai la tête. Il ne savait pas que cette chasse avait lieu en mon honneur. Didon l'avait dit, bien que j'eusse oublié de le lui rappeler. Je ne me tiendrais pas derrière lui. Je me tiendrais aux côtés de la reine. Et non seulement cela, mais je l'escorterais depuis le palais jusqu'à sa monture.

Le soleil était levé, à présent. Il illuminait l'assemblée richement vêtue qui se trouvait dans la cour. Il illuminait les flancs blancs et le harnachement du cheval de Didon, tenu par Soubas au milieu de la cour. Je levai les yeux vers la fenêtre de la chambre à coucher de ma bien-aimée et adressai une prière à Astarté. Puis je descendis de cheval, posai mes armes contre un pilier, y attachai Aristo par son licou de roseau tressé et traversai la cour en direction du grand portail du palais. Une cinquantaine de regards curieux me suivaient. Je me frayai un chemin parmi le groupe de serviteurs qui bavardaient sur les marches et pénétrai dans la grande salle. La première personne que je vis fut Anna, accompagnée d'Imilce.

Elle tressaillit d'étonnement à ma vue et m'entraîna à l'écart.

– Que fais-tu ici? me demanda-t-elle vivement en grec. S'est-il passé quelque chose?

Je lui expliquai pourquoi j'étais venu et elle sourit.

– Bien sûr, je comprends. Didon est encore dans son sanctuaire mais elle ne va plus tarder.

Elle priait donc son défunt époux avant de partir pour la chasse. Je me sentis soudain mal à l'aise. Les minutes passaient et je commençai à m'inquiéter. Didon ne viendrait-elle jamais?

Je la vis enfin descendre l'escalier, telle la déesse de la chasse, les cheveux relevés et tenus par une agrafe d'or ciselé. A ses épaules pendait un manteau de pourpre brillante à l'ourlet richement brodé, fermé sous la gorge par une broche en forme d'étoile, incrustée de perles et d'améthystes. Sa tunique était également pourpre, et une large ceinture ornementale lui ceignait la taille. Elle avait presque l'air d'un jeune garçon, avec ses bottes de chasse colorées et fixées à ses jambes fines par des brides dorées; mais aucun garçon n'aurait su évoluer avec cette grâce incomparable.

Je vis le visage d'Anna s'illuminer à sa vue et Didon lui répondre par un sourire. Elle s'approcha d'Anna, lui mit les bras autour du cou et l'embrassa, son exquis visage resplendissant de profonde affection. Pendant un bref moment, elle avait tout oublié sauf sa sœur. Puis, pour la première fois, elle m'aperçut à ses côtés.

– Eh bien, Ascagne, déclara-t-elle en souriant, je vois que tu es venu pour m'escorter.

Je lui offris mon bras et elle posa sa main blanche et délicate sur mon poignet où elle demeura, légère comme un papillon. La foule des serviteurs nous ouvrit un chemin et nous franchîmes lentement la porte, descendîmes les marches de marbre et traversâmes la cour. J'eus confusément conscience des applaudissements et des saluts des gens tout autour de nous et des gracieux signes de tête que leur adressait Didon. Comme nous arrivions au milieu de l'immense cour, mon père s'avança pour lui présenter ses respects. Il nous dominait de sa haute taille et je compris que je l'avais mécontenté à la manière dont il fit mine de m'ignorer. Je pense que Didon s'en rendit compte car elle le complimenta de manière charmante sur ma galanterie. Nous étions arrivés près de sa monture et elle avait ôté sa main de mon poignet. Soubas s'approcha pour l'aider à monter en selle.

– Je vais t'aider à monter, chuchotai-je. Me laisseras-tu rester à tes côtés?

Avant qu'elle ait pu répondre, mon père était intervenu.

236

– Tu peux retourner à ta monture, Ascagne, à présent. J'aiderai la reine à monter en selle. Me le permets-tu, ô Souveraine?

Il prit sa taille délicate entre ses deux mains puissantes et la hissa sur son cheval. J'entendis Didon pousser un petit cri de surprise. Puis il s'inclina courtoisement devant elle et retourna monter sur son destrier.

J'étais trop aveuglé par la rage pour regarder Didon et je fis aussitôt demi-tour pour lui cacher mon visage. J'avais envie de saisir mon père par son manteau et de le frapper au visage. Mais non, je ne devais rien faire de tel. Mon père était roi, et l'invité de la reine. Pour l'amour d'elle, je devais me comporter comme s'il ne s'était rien passé.

Je retournai auprès de mon cheval, le détachai d'une main tremblante, ramassai mes armes et montai vivement. L'assemblée commençait à s'ébrouer maintenant, à la suite de la reine et de mon père. Il me fit signe de prendre place derrière lui et Didon me lança un rapide coup d'œil en passant. Etait-ce de la pitié que je discernais dans son regard? Oh non, pas de pitié, je ne pouvais pas le supporter. « Pauvre Ascagne, m'aimes-tu donc tant? » m'avait-elle dit hier seulement. Oui, je l'aimais: comment aurais-je pu m'en empêcher? Mais elle ne devait pas me prendre en pitié à cause de mon humiliation. Je ne chevaucherais pas auprès d'elle et je n'obéirais pas à mon père. Je prendrais place auprès de Malchus, en queue du cortège.

Il manifesta de l'étonnement quand je le rejoignis.

– Je pensais que tu serais parmi le groupe de la reine, comme ton père.

Je secouai la tête.

– Je fais ce qui me plaît.

Il posa sur moi un regard railleur.

– On dirait que quelque chose t'a mis en colère.

Je fis mine de ne pas l'entendre et entrepris de le questionner au sujet de la chasse.

Nous parcourûmes une étroite rue bordée de gens curieux et flanquée de hautes maisons puis franchîmes la porte occidentale de la ville. A une brève distance en contrebas s'étendaient des vergers, des champs et des jardins parsemés de cabanes. Au delà, dominée de chaque côté par des collines partiellement boisées, s'étirait une longue vallée herbeuse en direction du nord. Le soleil escaladait les toits derrière nous pour s'élever dans le ciel bleu. Le vent jouait avec mon manteau, et ébouriffait la crinière d'Aristo. Il frémissait d'excitation et je sentais peu à peu s'évanouir ma colère. Le cortège avait commencé à se disperser dans plusieurs directions. Malchus était impatient de suivre une piste vers le haut des collines. D'un instant à l'autre, disait-il, des chèvres de montagne poussées par les rabatteurs descendraient en bondissant depuis les sommets rocheux et on lâcherait les chiens. Les bois situés en contrebas regorgeaient de gibier. Son enthousiasme me tentait mais je lui demandai où serait la reine.

– Elle restera dans la vallée. Elle aime beaucoup la chasse mais se fatigue vite.

Je me rappelai comme j'avais imaginé de l'aider à descendre de cheval. Et pourquoi cela ne se réaliserait-il pas? Peut-être en me voyant dirait-elle aimablement à mon père qu'il pouvait désormais s'estimer libre de la laisser, car j'allais maintenant l'escorter un moment. Peut-être aurais-je l'occasion de la sauver des griffes d'un sanglier. Même mon père m'admirerait alors.

— Je ne veux pas manquer la mise à mort, déclarai-je à Malchus. Je crois que je vais rester dans la vallée.

Il parut peiné et commença à discuter, mais je refusai de l'écouter. Il s'éloigna finalement d'un air fâché. Dès qu'il fut parti, j'enfonçai vigoureusement mes talons dans les flancs d'Aristo. Il se mit au galop. C'était la première fois que je le montais hors de notre champ habituel, et nous en éprouvions tous les deux la même sensation grisante de liberté. Il ne tarda pas à galoper de toute sa force, le cou raide et tendu. Nous étions maintenant arrivés dans la vallée et dépassions des cavaliers dispersés. J'entendais les chiens aboyer sur les hauteurs et les cris des rabatteurs et des piqueurs se répercutaient parmi les arbres et les sous-bois. Devant moi, j'aperçus mon tendre amour avançant au petit galop et mon père toujours auprès d'elle. Son manteau de pourpre flottait au vent derrière elle et mon père monté sur son cheval noir semblait la dominer. J'envisageai un instant de les rejoindre. Mais si mon père me traitait en intrus? Deux fois déjà je lui avais désobéi ouvertement. Je redoutais sa colère froide, son silence dédaigneux. Ma coupe d'humiliation serait alors comble. Je n'allais point accompagner Didon maintenant; je la rejoindrais plus tard. Je dépassai mon père au galop en faisant mine de ne pas le voir. Je ne tardai pas à voir ensuite de hauts filets tendus de part et d'autre de moi, en travers des chemins perpendiculaires, mais malgré les aboiements des chiens, aucun gibier n'apparaissait encore.

Soudain, un peu plus loin à gauche, tout un troupeau de daims apparut parmi les arbres, au pied de la colline, se bousculant entre eux dans leur course affolée. Bondissant au travers des fourrés, ils s'élancèrent sur le sentier poussiéreux que je suivais et disparurent dans une boucle de la vallée. Je me précipitai à leur poursuite, fier d'avoir été le premier à les voir, mais m'attendant toutefois à trouver un filet tendu en travers du chemin pour leur barrer la voie.

Mais quand j'arrivai au méandre de la vallée, il n'y avait ni filet ni personne. Sur ma droite, un sentier sablonneux montait en serpentant dans un bois de pins. Sur ma gauche se dressait une grande roche nue en forme de croc de loup. Devant moi s'étendait la mer.

Les daims avaient disparu. Ils avaient dû s'enfuir dans la forêt. Il eût été insensé de les poursuivre, car la forêt était dense et, sans le secours des autres, jamais je n'aurais pu les retrouver. J'allais donc faire demi-tour quand soudain je sus, oui, je sus, que je devais les suivre. Il semblait qu'un dieu m'eût parlé.

Je ne pouvais pas emmener Aristo avec moi. Je l'attachai à un petit arbrisseau et m'engageai sur le sentier qui montait. Je ne tardai pas à pénétrer dans la forêt, cependant que la vallée disparaissait. Ma progression fut d'abord aisée; puis le sentier disparut. Quant aux daims, je n'en voyais ni n'en entendais plus le moindre signe. La forêt entière était sombre et semblait inanimée. Je finis par m'arrêter, haletant, refusant d'aller plus loin. Chaque pas m'éloignait de Didon. Il fallait que je regagne immédiatement la vallée, que je retrouve Aristo, pour la rejoindre au galop. Je me mis à courir, me frayant un chemin parmi les pins serrés, mais je n'avais pas fait beaucoup de chemin quand je compris que j'étais perdu. Du monticule où je me tenais, n'apparaissaient ni la mer ni la vallée. Le ciel avait viré au gris, le vent était tombé, le soleil avait disparu. Tout autour de moi, je ne voyais que des collines boisées.

Je regardai alentour avec désolation, cherchant en vain quelque repère familier, et c'est alors que je revis les daims. Oui, j'étais sûr qu'il s'agissait du même troupeau. Ils paissaient dans une clairière à quelques centaines de mètres, sur le versant d'une colline. J'avais laissé mes javelots avec mon cheval, pensant qu'ils me gêneraient, mais pour chasser le daim il suffisait d'un arc et de flèches. Je me déplaçai dans les taillis avec précaution, suivant un parcours parallèle, puis commençai à me rapprocher d'eux contre le vent, tantôt accroupi et tantôt dissimulé derrière les arbres. J'étais parvenu presque à portée de flèche quand je sentis le ciel rapidement s'obscurcir. Une brusque rafale de vent cingla les arbres, un éclair acéré déchira les cieux et le troupeau, pris de panique, franchit la crête de la colline. Au-dessus de ma tête grondait le tonnerre menaçant, et l'instant d'après l'orage éclata. Une peur farouche s'empara de moi. Les dieux étaient en colère; il fallait que je me cache de leur vue. Je me mis à courir aveuglément pour échapper à leur courroux.

J'ignore combien de temps je courus, me heurtant aux arbres et aux branches mouvantes dans la sinistre fureur de l'orage, tombant et trébuchant; mais je parvins finalement dans une clairière bordée d'oliviers sauvages. Le vent hurlait comme une bête de proie et il commençait à tomber de la grêle. Un terrible éclair zébra le ciel. Pendant un instant le bosquet tout entier fut illuminé par cette effrayante lumière, et pendant un instant je la vis. C'était la stèle que mon père et moi avions vue, le lendemain du jour où nous avions débarqué.

Je me jetai à terre et enfouis mon visage dans mes

bras. Si Asherat voulait ma mort, que ce soit maintenant! J'étais là, prostré devant sa stèle. Je ne bougerais pas. Elle pouvait faire de moi ce qu'elle voulait.

Au bout d'un moment, je me rendis compte que quelqu'un se tenait près de moi. Je relevai la tête. C'était un garçon. Non, une femme. Elle portait des bottes de chasse et sa robe lui remontait au-dessus des genoux. Je me relevai, dérouté, et tentai de distinguer ses traits, mais il faisait trop sombre pour que je puisse y parvenir.

– Tu es perdu, me dit-elle en punique. Viens, je vais te guider jusqu'à un abri.

Elle me prit fermement par la main. Je la suivis sans parler, le long d'un sentier qui descendait. En dépit de l'obscurité et de la grêle, elle semblait connaître fort bien le chemin car elle n'hésitait jamais. Non, ce n'était pas un chemin ni un sentier; c'était un torrent tourbillonnant. Plus d'une fois, je glissai; chaque fois elle m'aida à me relever. Et pendant tout ce temps le vent mugissait, les éclairs se succédaient et la pluie fouettait les arbres nus et désolés. Nous continuâmes ainsi, descendant toujours, jusque sur un terrain régulier où elle s'arrêta et me lâcha la main. Le vent avait cessé et j'entendais au loin les vagues se briser sur le rivage.

– Où allons-nous? demandai-je d'une voix hésitante.

– Il y a sur la plage une grotte où nous pourrons nous abriter.

– Une grotte? répétai-je.

– Tu y seras en sécurité. La reine s'y trouve en ce moment même.

– La reine... Comment le sais-tu? bégayai-je.

– C'est moi qui l'ai guidée jusque-là. Que se passe-t-il? La crains-tu parce qu'elle est reine?

242

— Oh! conduis-moi jusqu'à elle! m'écriai-je.

Je me mis à pleurer à l'idée de la voir.

Mais mon guide ne parut pas s'en apercevoir. Elle se remit en marche d'un pas rapide, et je dus courir pour ne pas me laisser distancer.

Les arbres se clairsemaient à présent. En peu de temps nous eûmes quitté le couvert des bois et je me retrouvai en bordure d'une grève de sable. Le grondement des vagues était devenu assourdissant. Je devinais confusément les crêtes blanches d'énormes lames qui se dressaient avant de s'abattre avec une rage déchaînée sur le rivage. Soudain le ciel s'illumina d'un violent éclair : un rugissement de tonnerre se répercuta d'un bout à l'autre de l'horizon, puis une nuit infernale descendit sur nous comme un linceul. Je me mis à appeler. Comment pourrais-je trouver cette grotte sans le secours de mon mentor? M'avait-elle abandonné ici pour que j'y meure? Je restais là, essayant de percer l'obscurité.

Soudain m'apparut une lointaine lueur vacillante. J'entrepris de m'en approcher et découvris qu'elle brûlait vivement. Je l'avais presque atteinte quand mon pied buta sur un rocher. Je m'arrêtai et commençai à tâter tout autour de moi dans la nuit. Je me trouvais entre deux rochers. J'écoutai intensément. Malgré le vacarme des vagues, je discernai faiblement le bruit de l'eau qui tombait, au-dessus de moi. Je savais où je me trouvais, à présent. Je le savais et j'avais peur.

La pluie avait presque cessé mais il faisait noir comme dans un puits. Glissant et dérapant, je me dirigeai à tâtons vers la flamme que j'apercevais à quelque distance au-dessus de moi. C'était une torche que l'on avait enfoncée dans une fissure de la paroi rocheuse. Je la pris et la brandis au-devant de moi pour scruter l'obscurité. Il n'y avait personne, mais sur une plaque de sable qui se trouvait à l'entrée de la grotte béante, je distinguai des traces de pas, brouillées par la pluie mais indubitables. Il y en avait plusieurs. Evidemment, les serviteurs qui accompagnaient Didon devaient être là aussi, ainsi que mon père, sans doute.

Ma bien-aimée était donc là. Comment pouvais-je craindre d'aller là où elle se trouvait? La torche avait été fixée dans la fissure afin que je pusse me diriger jusqu'à elle. Mon guide avait dû me devancer pour lui annoncer mon arrivée. Elle m'attendait sûrement avec anxiété.

Toute peur me quitta. Moitié marchant, moitié courant, je m'avançai dans le tunnel noir en tenant de la main droite la torche et en pataugeant parfois dans de l'eau peu profonde. Puis le cours d'eau s'évanouit et je vis au-devant de moi briller un feu. Sans doute ses serviteurs l'avaient-ils allumé. Ils devaient être tous rassemblés là autour du feu, occupés à sécher leurs vêtements. Que ma bien-aimée serait heureuse de me revoir! Elle se dresserait d'un bond et me tendrait les bras, et nous nous embrasserions comme des amants.

Je me mis à courir en criant son nom. J'étais maintenant arrivé enfin près du feu; mais il n'y avait là qu'une seule personne. C'était une femme, mais ce n'était pas Didon. Qui était-ce? Elle me tournait le dos. Puis elle tourna lentement la tête et, voyant son visage, je lâchai la torche.

– Me reconnais-tu, à présent? me demanda-t-elle.

J'acquiesçai, incapable de rien dire.

– Qui suis-je?

– Tu es la chasseresse que mon père et moi avons rencontrée, murmurai-je.

244

– Et cette fois ton père n'est plus avec toi. Mais tu le verras.

– Où est-il? m'enquis-je en m'efforçant de maîtriser le tremblement de ma voix.

– Il est ici dans cette grotte, avec la reine.

Je me mis à regarder éperdument tout autour de moi. En dehors du petit cercle de lumière que projetait le feu, tout n'était qu'obscurité, mais quelque part s'élevait un bruit de mouvement et de respiration lourde.

Je voulus ramasser ma torche, mais la chasseresse s'en était déjà emparée. D'un geste rapide, elle l'éteignit dans le sable.

– Montre-les-moi, criai-je.

– Oui, je vais te les montrer, mais ils sont sous l'influence d'un charme et ne pourront ni te voir ni t'entendre. Regarde.

Elle jeta quelque chose dans le feu et aussitôt de grandes flammes jaillirent jusqu'au toit. La grotte entière se trouva soudain illuminée. Non, ce n'était point celle de mon rêve mais il y avait là cette roche plate en forme d'autel devant laquelle Didon était allongée sur le sable, immobile, avec son manteau de pourpre étalé tout autour d'elle. Un homme se tenait au-dessus d'elle, le corps agité d'un mouvement convulsif. C'était mon père. Oh, ciel, il la violait!

Je poussai un grand cri et tirai mon couteau pour le tuer.

– Assassinerais-tu son époux, Ascagne? Volerais-tu le bonheur de ta bien-aimée? Elle est en extase. Si tu le touches, elle mourra.

– Son époux? dis-je abasourdi. Il n'est pas son époux.

– Ils ont uni leurs mains et se sont voués l'un à

l'autre ici même, en ce lieu sacré. Asherat, déesse du mariage, la lui a donnée.

Tandis qu'elle parlait, les grandes flammes s'éteignirent et la nuit retomba sur la grotte.

Un immense désespoir s'empara de moi. Je me jetai à terre et me mis à sangloter éperdument. Enfin je m'aperçus que la chasseresse s'était penchée au-dessus de moi et me secouait l'épaule, une torche allumée à la main. Lentement, je me relevai.

– L'orage est fini, maintenant. Prends ta torche, et va-t'en.

Je la pris machinalement.

– Tu trouveras ton cheval attaché à un arbre tout près d'ici. Tu verras également un piqueur. Dis-lui que tu es perdu, et il te guidera jusque chez toi.

– Chez moi?

– Tu seras désormais chez toi au palais. Jamais tu ne quitteras Carthage. N'est-ce pas là ce que tu voulais?

Je demeurai muet à la dévisager, comprenant enfin qu'elle me haïssait.

– Va-t'en, répéta-t-elle avec colère. Ne sais-tu pas qui je suis? Oseras-tu me défier?

Tandis qu'elle parlait, ses yeux étincelaient et son visage semblait luire dans la nuit. Je poussai un cri de terreur et m'enfuis en courant. Je savais à présent qui elle était. Elle m'avait poursuivi comme du gibier et m'avait pris dans ses filets. J'étais la victime sacrificielle qu'elle avait choisie. Elle était toute-puissante et rien ne pouvait lui résister.

13

L'aveugle férocité de l'orage et la menaçante obscurité qui l'avait suivi avaient semé la terreur dans Carthage. Tout le monde avait couru s'abriter de cette violence surnaturelle et de ces ténèbres sépulcrales. Lorsque enfin l'obscurité se dissipa, les gens commencèrent à sortir peureusement des maisons où ils s'étaient réfugiés. Un pâle soleil dissimulé dans la grisaille du ciel les éclairait furtivement. Partout où l'on pouvait porter les yeux, ce n'était que dévastation.

Les navires s'étaient brisés ou abîmés dans les flots, de précieuses cargaisons s'étaient répandues dans la mer, les installations portuaires avaient été emportées ou déchiquetées par de gigantesques lames. A l'intérieur de la ville, les rues étaient jonchées de gravats. Des pans du mur presque terminé s'étaient effondrés, les toits de nombreuses constructions étaient démolis. Le palais lui-même n'avait pas été épargné; mais le pire de tout, c'était que la foudre était tombée sur le temple d'Asherat. Un grand trou béait dans le toit et tout le mur décoré de fresques racontant la guerre de Troie était noirci par le feu. Asherat devait être courroucée contre son peuple. Elle avait déchaîné ce cataclysme pour le punir.

Maintenant les premiers groupes épars de cavaliers commençaient à regagner la ville par la porte occidentale, trempés et abattus, encore sous le choc des épreuves qu'ils venaient de subir. D'autres suivaient à pied, épuisés et crottés de boue, après avoir perdu leurs montures. Pendant tout l'après-midi, les traînards continuèrent à arriver. Mais où se trouvait donc la reine? A la nuit tombée, elle n'était toujours pas revenue. Soudain la ville entière fut prise de panique. La reine avait disparu. On ne l'avait plus revue depuis qu'avait éclaté l'orage. Personne ne savait ce qui lui était arrivé.

Malgré l'heure tardive, une foule nerveuse et affolée envahit l'avant-cour du palais en réclamant des nouvelles de leur reine. Une petite silhouette apparut alors au balcon et tenta de les calmer. C'était la sœur de la reine. Mais elle-même se laissait parfois submerger par les larmes et elle n'avait rien de nouveau à leur révéler, à l'exception d'une chose : le chef troyen qui accompagnait la reine n'avait pas reparu non plus.

Une vague de colère contre les Troyens parcourut la foule. Tout allait fort bien jusqu'à l'arrivée de ces étrangers. Ils avaient apporté le malheur sur Carthage. C'était à cause d'eux qu'Asherat avait déchaîné sa fureur. C'était à cause d'eux que leur reine était perdue. Leur maudit chef avait dû l'enlever. Peut-être Carthage l'avait-elle perdue à jamais.

Une voix de stentor proclama qu'il fallait traîner les Troyens dans les rues et les massacrer. Des cris d'approbation s'élevèrent et la foule se précipita vers le portail d'entrée. Mais à cet instant survint un nouvel événement. Deux silhouettes à cheval émergèrent du bosquet de chênes verts dans la clarté lunaire et se dirigèrent lentement vers le palais. Le silence s'abattit sur la foule qui s'immobilisa pour les contempler. La plus petite des deux silhouettes montait un cheval blanc. Etait-ce réellement la reine, ou bien son spectre? Non, c'était bien elle, elle leur était revenue, elle était saine et sauve!

Des cris de joie et de soulagement s'élevèrent et les gens des premiers rangs coururent à sa rencontre. Mais en arrivant auprès d'elle, ils s'arrêtèrent, déconcertés. Ses vêtements étaient en désordre, son visage taché de boue et sa blonde chevelure décoiffée. Elle regardait droit devant elle et ne semblait pas les voir. Tandis qu'elle franchissait le portail d'entrée en compagnie du chef troyen, la foule commença à murmurer. La reine était-elle sous l'effet d'un sortilège? Pourquoi ne les regardait-elle pas, ne leur parlait-elle pas?

Enfin les chevaux s'arrêtèrent devant la grande porte du palais. Elle regarda lentement autour d'elle comme pour tenter de comprendre où elle se trouvait; puis elle parla, d'une voix étrangement lointaine :

– J'appartiens au roi Enée. Asherat nous a unis.

Un silence stupéfait s'instaura. Le chef troyen descendit de sa monture et la souleva de sa selle. A cet instant, le visage de la reine s'illumina d'une expression extatique. Elle noua ses bras autour du cou d'Enée et posa sa tête sur son épaule.

– Porte-moi dans notre chambre, mon bien-aimé, dit-elle.

Il la prit dans ses bras sans répondre et se dirigea vers la porte. Elle se serrait contre lui, les yeux clos. Puis, tandis qu'il franchissait le seuil, il trébucha. Un cri de consternation s'éleva dans la foule. Il parut hésiter un instant, les yeux baissés sur elle. Mais elle restait immobile entre ses bras comme s'il ne s'était rien passé, les yeux toujours fermés, et le visage radieux de bonheur. Il n'hésita plus. Avec une prudente lenteur, il la transporta dans la grande salle puis gravit l'escalier de marbre, et ils disparurent.

De tout ce qui se produisit à Carthage en ce jour fatal et du retour au palais de Didon en compagnie de mon père, je ne vis rien. Ce fut seulement par la suite que j'en eus connaissance – par les récits d'Anna, d'Imilce et de plusieurs Carthaginois. Je n'ai aucun souvenir non plus de mon propre retour au palais. Je crois me rappeler qu'Imilce me trouva comme je quittais l'écurie, une heure avant le coucher du soleil, et qu'elle me conduisit à la chambre qu'Anna avait choisie pour moi. Elle dominait une petite cour plantée d'herbe, avec une fontaine en son milieu. Toutes mes possessions s'y trouvaient déjà. Je restai un long moment à les regarder stupidement en me rappelant combien Anna semblait sûre que Didon voulait me faire revenir au palais. Elle avait cru que mon amour était nécessaire à Didon. Elle se trompait. Didon n'avait plus aucun besoin de moi désormais. Plus personne n'avait besoin de moi.

Imilce me prodigua beaucoup de gentillesse. Bien sûr, elle avait aidé Anna à me soigner pendant ma fièvre, mais alors je ne savais pas encore le punique et Imilce ne connaissait pas le grec. Nous ne nous étions guère parlé; mais elle commençait à me parler maintenant comme si elle me connaissait bien. Elle m'apporta immédiatement de la nourriture et du vin, m'aida à ôter mes vêtements sales et trempés et me demanda anxieusement si j'avais vu la reine en regagnant Carthage. Sa maîtresse s'inquiétait vivement à son sujet, comme tout le monde. Je secouai la tête et parvins à articuler que je ne pouvais rien lui dire, que je ne voulais voir personne. Elle devait bien voir à mon visage que j'étais à moitié fou. Sans doute pensa-t-elle que l'orage m'avait épouvanté. En tout cas, elle sortit et me laissa seul avec mon désespoir.

Le lendemain matin, Imilce revint m'apporter du lait caillé, des fruits et du pain d'orge. Elle m'annonça tout d'une traite que la reine avait regagné le palais en compagnie de mon père bien après la tombée de la nuit, en annonçant qu'ils étaient mariés. Elle s'était comportée d'une manière fort étrange. Tout le monde pouvait voir qu'elle était passionnément éprise de lui. Il l'avait transportée jusque dans sa chambre à coucher et ils y avaient passé la nuit ensemble. Tous deux dormaient encore. Carthage frémissait de rumeurs. Nul ne savait que penser.

– Tu dois être heureux pour ton père, Ascagne, ajouta-t-elle. Avoir une épouse riche et belle qui l'adore passionnément – que pourrait-il souhaiter de plus? Et nul ne semble avoir deviné qu'elle l'aimait, pas même ma maîtresse. C'est étrange. Elles sont si proches, la reine et ma maîtresse, et pourtant elles se dissimulent des choses l'une à l'autre.

Elle se tut comme si elle craignait d'en avoir trop dit et fixa sur moi un regard incertain.

– Comment cela? demandai-je vivement.

– Je pense que la reine l'aimait depuis longtemps, Ascagne. Je pense qu'elle essayait de s'en empêcher. Je crois que c'est la raison pour laquelle elle s'est enfermée sans vouloir parler à personne. Personne ne pouvait comprendre ce qui lui arrivait; mais je l'ai deviné. Je l'ai connue toute ma vie, ainsi que ma maîtresse.

Je regardai le visage sans grâce d'Imilce en me souvenant qu'elle avait aidé Didon et Anna à s'enfuir de Tyr. Elle était à peu près de l'âge d'Anna mais avait déjà été à leur service au temps de leur père. Disait-elle vrai? Se pouvait-il que Didon l'eût caché de tous et que même Anna ne l'eût pas deviné? Je songeai à cette nuit où Didon avait sangloté si désespérément sans vouloir m'en révéler la raison. Seul le savait son défunt époux, m'avait-elle dit. Elle aimait donc alors déjà mon père. Je le savais à présent. Je n'avais jamais été autre chose qu'un jouet, un pitoyable substitut.

— Ma maîtresse n'a jamais compris la reine, reprit Imilce. Elle l'aime si aveuglément. Elle n'a jamais compris cette dévotion à son défunt mari. Elle n'a jamais compris pourquoi elle refusait de se remarier. Elle n'a jamais compris quelle sensibilité et quels scrupules l'habitent.

Elle soupira.

— J'espère que ton père sera bon pour elle, Ascagne. Et elle t'aime comme un fils. Souvent, quand tu délirais, elle venait s'asseoir auprès de toi et te tenir la main. Elle était la seule personne qui parvînt à t'apaiser.

— Je ne l'ai jamais su, murmurai-je. Je me détournai vivement.

Quand je regardai de nouveau, Imilce était partie.

Lorsque j'eus terminé mon repas, je sentis que je ne pourrais plus demeurer longtemps dans ma chambre. J'envisageai un moment d'aller voir Anna. Non, il eût été cruel de lui infliger mon désespoir quand elle-même devait être si malheureuse. Imilce n'avait sûrement pas décelé qu'elle aimait mon père. J'irais plutôt travailler aux écuries; toute activité ferait l'affaire, pourvu qu'elle m'empêchât de penser. Peut-être irais-je avec Aristo dans le champ pour m'entraîner au javelot. Là, personne ne me parlerait. Et ensuite, et ensuite? O dieux, que pourrais-je bien faire pour parvenir à me guérir de mon désespoir? Elle lui appartenait, désormais. Il me l'avait prise. Elle ne serait plus jamais mienne. Et elle l'aimait, elle l'aimait.

Curieusement, les écuries n'avaient pas subi de

sérieux dommages, mais plusieurs chevaux manquaient encore et je ne trouvai aucun signe de Soubas. Le cheval de Didon était là. Elle avait chevauché jusqu'au palais pendant la nuit. A présent elle dormait dans sa chambre. Comme elle devait être belle! Il fallait que je la voie. Je deviendrais fou si je ne la voyais pas. Mais pas avec mon père. Il fallait qu'elle le renvoie. Si je le voyais avec elle, je le tuerais – avec mon couteau; exactement comme le frère de Didon avait tué son mari. Non, je ne pouvais pas, je ne pouvais pas. Ce serait la tuer aussi.

Je me retrouvai une fois de plus dans ma chambre et me jetai sur mon lit. Au bout d'un moment, je m'assis et commençai à regarder par la fenêtre. Soudain, j'entendis une voix près de moi. Je levai les yeux. C'était Imilce :

– Que t'arrive-t-il, Ascagne? s'enquit-elle d'une voix anxieuse. Ne m'as-tu pas entendue te parler? Es-tu malade?

Je marmonnai que je me portais fort bien et fis un effort pour lui sourire. Elle m'annonça que la reine avait demandé de mes nouvelles dès son réveil. Elle et mon père avaient manifesté une vive joie en apprenant que j'étais sain et sauf. A présent, elle voulait me voir.

– Mon père est-il auprès d'elle?

– Non, elle est seule.

O dieux, qu'aurions-nous à nous dire? Il avait passé la nuit avec elle. Chaque nuit, il partagerait sa couche et jouirait de sa beauté. Comment pourrais-je jamais la voir ou lui parler à nouveau?

Imilce me conduisit par un corridor jusqu'à une petite porte inconnue, toute proche. Je compris qu'il s'agissait d'une autre entrée menant à l'appartement de la reine et que ma chambre devait être celle dont m'avait parlé Didon lors de notre dernière nuit ensemble. J'ouvris brutalement la porte et la vis qui m'attendait, debout.

A sa vue, mon corps sembla se dérober sous moi. Elle m'entoura de son bras sans rien dire et m'entraîna dans une autre pièce où brûlait un feu. Il y avait là sur une table des restes de repas, et devant le feu quelques coussins épars. Elle y prit place et m'attira auprès d'elle, puis posa ma tête sur ses genoux.

— Nous t'aimons, commença-t-elle. Nous t'aimons tous les deux. Nous remercions les dieux de t'avoir ramené sain et sauf. Ton père souffre d'avoir éprouvé de la colère contre toi.

Je ne répondis rien. Elle se mit à me caresser les cheveux.

— Quand nous nous sommes aperçus de ta disparition, nous avons été très inquiets. Nous avons commencé à te chercher sur le rivage où l'on avait retrouvé ton cheval errant. Où étais-tu, mon chéri? Nous n'avons pas trouvé la moindre trace de toi.

— Je me suis perdu dans une forêt, murmurai-je en la dévisageant.

— Et comment as-tu retrouvé ton chemin jusqu'ici?

— Je n'en sais rien. Peu importe. Dis-moi ce qui vous est arrivé. Vite!

Elle vit sur mon visage une expression de souffrance et ne me questionna pas davantage.

— Quand éclata l'orage, toute notre compagnie se dispersa, prise de panique. Ton père et moi cherchions en vain un abri quand une chasseresse nous apparut, nous guida jusqu'à une grotte et nous laissa là. Jamais nous n'avons vu son visage. La grotte paraissait vide, mais un grand feu y flambait et l'on pouvait voir un rocher en forme d'autel.

Nous pensions sans cesse à toi, mon chéri, et nous nous désolions de t'avoir perdu. Je priai à voix haute Asherat de te conduire jusqu'à nous et ton père répéta mes paroles après moi. Il me précisa que c'était la première fois qu'il parlait en langue punique. Et puis, sans me quitter des yeux, il me déclara qu'il était né d'une mère phénicienne, que · Carthage était devenue sa patrie et qu'il m'aimait.

Elle s'interrompit.

– Je ne puis t'en dire plus, Ascagne. C'était trop sacré, trop beau. Nous nous retrouvâmes main dans la main devant l'autel. J'entendis la voix d'Asherat. J'entendis les nymphes entonner notre hymne de mariage. (Elle ferma les yeux.) Maintenant encore j'entends sa voix telle que je l'entendis quand elle me donna à lui – si pure, si grave, si pleine d'amour et de paix.

Oh! comme elle était belle, plus belle qu'aucune déesse. Et je l'avais perdue à jamais. Quelle cruauté, quelle méchanceté chez cette déesse qu'elle véné-rait pour me la voler ainsi, me conduire à cette grotte, me les montrer ainsi unis en une transe passionnée! Il s'était couché sur elle comme une bête, jouissant, grognant de plaisir comme un porc; et elle, elle avait chaviré dans une extase que jamais je ne lui avais donnée. Des larmes de rage et d'humiliation me montèrent aux yeux. Je commen-çai à me débattre furieusement pour me dégager d'elle.

– Ne t'en va pas, Ascagne, dit-elle doucement en me retenant. Nous avons besoin de toi.

– Vous avez besoin de moi?

– Tu es notre fils, mon chéri. Je suis vraiment ta mère, désormais. Ne m'aimes-tu donc plus?

Soudain, les vannes de mon désespoir cédèrent.

Je jetai mes bras autour de son cou et sanglotai, m'abandonnant totalement à ma désolation.

Je sentis ses baisers sur mon visage et perçus qu'elle ouvrait sa robe. Doucement elle attira ma tête et commença à me faire téter comme l'avait fait Astarté avec Adonis.

– Je t'ai dit qu'une partie de moi t'appartiendrait toujours, murmura-t-elle en me pressant contre elle.

Une bienheureuse illusion de bonheur et de paix m'envahit. Ne me suffisait-il pas d'être simplement son enfant? Ne me suffisait-il pas qu'elle fût ma mère? Une mère si tendre, si divinement belle que maintenant, pressé contre son sein, mes prétentions à l'état d'homme ne comptaient plus pour rien? A cet instant, j'entendis la voix de mon père qui l'appelait, et le bruit de ses pas qui approchaient.

Je sentis Didon se raidir soudain. Elle écarta vivement son sein de mes lèvres, recouvrit cette poitrine qu'elle m'avait offerte en gage d'amour, referma sa robe et se leva. Pauvre Didon, je ne te blâme pas; mais au cours de ce bref instant, toutes mes illusions tombèrent.

Je me précipitai farouchement vers la porte; il était trop tard. Je me trouvai face à mon père. Je vis à mon grand étonnement qu'il était vêtu en noble carthaginois. Il m'embrassa chaleureusement.

– Que je suis heureux de te voir, mon fils! déclara-t-il. Que les dieux soient loués de t'avoir ramené sain et sauf!

Puis il se tourna vers Didon. Elle lui noua les bras autour du cou et leva les yeux vers lui, le visage transfiguré d'adoration. Il lui passa le bras autour de la taille et l'attira vers lui, de sorte que leurs corps se plaquèrent l'un contre l'autre. Toujours dressé dans l'ouverture de la porte, il courba la tête et posa ses lèvres sur celles de Didon dans un baiser passionné, oubliant totalement ma présence.

– Epoux bien-aimé, murmura-t-elle tendrement.

Puis elle se dégagea à regret et me regarda.

– Le lui as-tu dit? demanda mon père en posant la main sur mon épaule.

– Oui, je le lui ai dit, répondit-elle. Il sait que nous l'aimons tous deux. Il sait qu'il est notre fils et qu'il est ici chez lui. Il sait que nous désirons le voir demeurer ici pour toujours – n'est-ce pas, Ascagne?

Elle m'entoura de ses bras et m'embrassa tendrement. Je restai interdit, les yeux rivés sur eux, incapable de bouger.

– Notre fils était perdu dans la forêt, Enée. Voilà pourquoi nous ne le trouvions pas. Mais Asherat exauça nos prières et le ramena sain et sauf.

Didon, ma bien-aimée, si j'étais resté, je serais mort d'amour pour toi. Il fallait que je parte, ma chérie. Il fallait que je m'enfuie, car tu ne m'appartenais plus.

Manifestement, tout cela était prémédité. Malgré ma jeunesse, je le ressentais alors. Elle lui avait suggéré de me voir seule à seul pour m'expliquer que tout cela résultait des instructions d'Asherat. Mon père avait accepté. Je suis certain que jamais il ne devina avec quelle passion désespérée j'aimais Didon; mais il ne pouvait guère manquer d'observer que j'éprouvais à son égard une certaine jalousie. Non pas qu'il le prît très au sérieux. J'étais jeune, mais précoce pour mon âge, et je grandissais vite. On pouvait s'attendre à quelque jalousie et quelque rébellion de ma part. Didon saurait bien comment me manier. Elle avait l'intuition, la finesse, la patience.

Ma bien-aimée avait fait de son mieux. Mais il était revenu trop tôt revêtu de ses vêtements carthaginois et elle, consciente de notre jalousie mutuelle, s'était trouvée contrainte de choisir entre nous deux. Tu nous aimais tous deux, ma chérie. Jamais tu n'as souhaité choisir entre nous. Chaque fois que tu as eu à le faire, tu en souffris.

Je me rappelle, lors du banquet donné en l'honneur de ton mariage, comme tes yeux se posaient parfois sur moi, et ton visage jusqu'alors radieux de bonheur se voilait d'anxiété. Tu me souriais avec une timide tristesse implorante : « Je ne puis m'en empêcher, Ascagne, j'aime ton père passionnément. Je t'aime aussi, mais pas comme je l'aime.» En tout cas, jamais tu ne découvris qu'Anna l'aimait. Imilce avait raison. Anna ne te comprenait pas; mais sa dévotion pour toi ne connaissait pas de limites, et elle vit immédiatement que tu étais embrasée d'amour pour lui.

Tout le monde s'en rendit compte bientôt. Tu ne pouvais pas le cacher. Tu l'étreignis passionnément devant tout ton peuple en leur annonçant qu'il était désormais ton consort et leur roi, lui qui hier encore était inconnu et dépourvu de richesses. Comment auraient-ils pu bien accueillir ce mariage mystérieux et soudain que nul n'avait prévu? Comment auraient-ils pu ne pas sentir que c'était là de mauvais augure pour Carthage? Toute la ville savait que mon père avait trébuché en te faisant franchir le seuil du palais. Tu expliquas à ton peuple qu'Asherat vous avait unis, mais le grand-prêtre refusa de se prononcer. Aucun mortel n'en avait été témoin et l'on savait que de mauvais augures avaient accompagné cette union surnaturelle.

Si Asherat souhaitait cette union, pourquoi la foudre avait-elle frappé son temple? Pourquoi les fresques troyennes avaient-elles été noircies par le feu? Comment la déesse protectrice de Carthage aurait-elle pu te donner en mariage à un Troyen? Il est vrai que c'était un roi; mais un roi sans royaume, qui ne parlait pas un mot de punique. Il est vrai que c'était un héros; mais l'infortune l'avait pourchassé tout au long de son errance. Il n'était qu'un oiseau de mauvais augure, un porteur de malchance. Même le fait que sa mère eût été phénicienne ne jouait guère en sa faveur; car qui avait-elle donc été, cette mère qu'il n'avait jamais connue? Une prêtresse enfuie qui avait encouru le courroux d'Astarté et qui était morte en le mettant au monde. Cela ne constituait-il pas d'autres mauvais augures? N'allais-tu pas, toi aussi, mourir en mettant son enfant au monde – toi à qui Carthage entière devait l'existence? Cet étranger deviendrait alors le seul maître de ta cité. Etait-ce là ce que voulait Asherat?

Mais n'en était-il pas déjà le seul maître – en fait, sinon en titre? Ton peuple te voyait rarement, désormais. Tu semblais avoir perdu tout intérêt pour lui, ne plus te soucier de ta cité. Tu restais toute la journée dans ton palais, telle une épouse soumise, à broder un manteau de pourpre afin que tous pussent reconnaître le rang royal de ton époux. Tu ne pensais plus qu'à lui – à lui et aux plaisirs du lit conjugal.

Tu devais être folle, disait-on, folle ou ensorcelée, pour lui abandonner ainsi ton pouvoir, pour le couvrir de riches présents, ainsi que ses compagnons, pour donner d'innombrables banquets jusque tard dans la nuit, afin que tous puissent une nouvelle fois entendre le récit de ses aventures. Tu t'allongeais avec lui sur la même couche, côte à côte sous un dais, tu pressais ton corps contre le sien, tu enroulais tes bras blancs autour de son cou et l'étreignais passionnément. Parfois, tu prenais sa forte main entre les tiennes et l'embrassais comme une femme esclave. O mon tendre amour, qu'est-ce donc qui te possédait, pour t'abaisser ainsi – toi, la fleur et la flamme de Carthage, que tous vénéraient et adoraient, toi toute grâce et toute dignité?

Je le sais à présent, ma bien-aimée. Tu étais l'impuissante victime des dieux. Ce n'était point une déesse amie qui m'avait guidé vers toi. Ce fut moi qui éveillai ton désir assoupi, moi qui fis en sorte que plus jamais il ne te quitte. Qu'étais-tu pour Astarté et Asherat, en qui tu plaçais toute ta confiance? C'était Carthage qu'elles aimaient, et non toi. Jamais tu ne fus autre chose que leur instrument. Dès que tu eus servi leur propos, elles furent prêtes à te détruire. Elles te détestaient pour ta beauté; elles te trompèrent et te dupèrent. Elles te volèrent les joies de l'amour, puis te tourmentèrent de désirs. Elles te parlèrent de ton vœu solennel, puis t'incitèrent à te remarier. Elles réveillèrent ton désir d'enfant, te torturèrent en te rappelant ta stérilité. Elles te désignèrent le héros dont tu avais accueilli les compagnons d'infortune avec une telle humanité. Comme il était brave et malheureux et de noble allure, comme il était grand et fort et beau, comme il t'était reconnaissant de ta bonté, comme il aspirait à t'être utile! Asherat l'envoya sans doute à Carthage pour te protéger de Iarbas. Ta ville et toi-même étiez en sécurité aussi longtemps qu'il demeurait là. Mais quand il repartirait avec ses Troyens, au printemps, que se passerait-il alors? Iarbas serait toujours là, danger permanent. Tu serais toujours confrontée à Iarbas.

Oh! comme elle était lasse – lasse et solitaire! Iarbas insistait pour l'épouser, et la plupart des sénateurs le soutenaient. Ils disaient que ce serait pour le bien de Carthage. Ils avaient estimé qu'elle devait se sacrifier, rompre son serment et épouser un brutal barbare. Comment pouvait-elle supporter cela? Elle devrait bientôt l'accepter ou le repousser. Jamais elle ne l'accepterait; elle eût préféré mourir. Mais elle serait seule. Le roi troyen aurait alors quitté Carthage. Il n'y avait personne d'autre qui eût son prestige, son autorité, sa loyauté envers elle, son expérience militaire. Il n'y aurait personne vers qui elle pût se tourner, personne pour la protéger. Elle était seule. Elle serait toujours seule. Elle se trouvait par son vœu condamnée au veuvage perpétuel, sans enfants...

Elle avait commencé à s'éprendre de lui, mais elle résistait, il fallait qu'elle résiste. C'était à cause de son fils. Il lui ressemblait tant. Pauvre enfant – il avait perdu sa mère. Elle avait senti son cœur s'émouvoir pour lui quand elle l'avait vu la dévorer des yeux pendant le banquet. Elle avait senti le besoin de le prendre dans ses bras; elle avait éprouvé pour lui des sentiments de mère. Dieu qu'il était beau, avec ses grands yeux gris et ses longs cils, et le fin duvet de ses joues! Et maintenant il s'était épris d'elle. Il était tellement incroyable qu'il l'aimât, tellement touchant qu'il lui avouât son désir. Elle n'avait pas souhaité le laisser devenir son amant, mais elle ne pouvait pas le lui refuser. Asherat le lui avait envoyé pour la consoler de sa solitude. Comment pouvait-elle mal agir en se donnant à lui? Cela le rendait tellement heureux. Bientôt son père l'emmènerait en Italie, et elle le perdrait à jamais. Comme il était charmant! Et comme il l'adorait! Si seulement elle pouvait le garder auprès d'elle! Elle lui enseignait l'art de l'amour afin qu'ils puissent y prendre goût ensemble, mais il n'était encore qu'un jeune garçon. Il y avait si longtemps qu'elle n'avait éprouvé de plaisir – si longtemps, si longtemps!...

Oh! et pourquoi lui était-il interdit d'épouser le père d'Ascagne? Il était le seul homme qu'elle pût jamais épouser. N'étaient-ils pas faits l'un pour l'autre? Et pourtant, il semblait indifférent à sa beauté. Malgré toute sa courtoisie, il gardait toujours ses distances. Il ne quittait jamais ses pensées. Son amour pour lui la maintenait éveillée. Sa seule vue lui était devenue un tourment. Comment pouvait-elle, elle, la reine de Carthage, la veuve vertueuse, reconnaître sa passion pour cet étranger, lui dire qu'elle l'aimait, lui demander de l'épouser? Ce serait répudier son époux bien-aimé dont le spectre pitoyable la hantait encore. Mais, si elle ne disait rien, l'occasion serait perdue à jamais. Le temps passait. Bientôt il s'embarquerait pour l'Italie. Il fallait qu'elle sacrifie à Asherat et qu'elle implore son aide. Qu'elle aille chaque jour en secret au temple, sans rien révéler à personne de ses intentions. Elle accomplirait elle-même les rites nécessaires et prierait sans cesse pour obtenir quelque secours – un songe, un signe...

Cela vint enfin. Elle rêva qu'ils partaient chasser ensemble avec toute leur suite. Puis tout le monde disparaissait. Elle devenait le gibier et il la poursuivait; puis il la rattrapait et elle devenait sienne.

Non, ma bien-aimée, tu ne m'as pas révélé tout cela. Comment pouvais-tu expliquer ta tendre compassion pour la peine de mon père quand vous aviez tous deux cru m'avoir perdu? Tu te trouvais seule avec lui dans la grotte. Tu l'entouras de tes bras parce que tu ne pouvais t'en empêcher et lui avouas ton amour; puis tu te donnas à lui et devins son esclave.

Ensuite, tu ne pouvais plus penser à rien qu'à l'amour – l'amour et son expression charnelle. Tu étais dévorée par la passion. Tu perdis bientôt tout contact avec la réalité. Il t'arrivait de passer la journée entière à faire l'amour avec lui, refusant de t'en séparer un seul instant, insouciante des affaires de la cité, ne quittant plus ta chambre. Quant à lui – oui, pendant un temps il se trouva aussi pris dans une tourmente passionnée. Jamais il n'avait pensé qu'une femme pût lui donner autant de plaisir. Tu savais comment aiguiser son appétit paresseux, comment multiplier son plaisir. La variété de tes caresses était infinie. Tu lui enseignas à prolonger les moments les plus exquis, jusqu'à presque mourir d'extase. Ensuite il s'endormait et gisait là, vautré, ronflant comme un ivrogne.

Je le vis. T'en souviens-tu? C'était la veille du jour où vous êtes retournés à la chasse. Cette fois, vous n'aviez invité que fort peu de gens – les quelques sénateurs qui ne s'étaient pas emportés contre votre mariage; aucun Troyen à l'exception d'Achate. En inviter davantage eût causé de violentes protestations, et d'ailleurs les Troyens n'éprouvaient plus guère de respect ni pour l'un ni pour l'autre.

Tu m'avais invité à me joindre à vous pour me prouver que tu m'aimais toujours et me faisais confiance; mais mon père s'y opposa. Il n'était jamais heureux de nous voir ensemble – tu avais bien dû le remarquer? Il avait éprouvé une immense joie à me retrouver sain et sauf, mais il demeurait néanmoins jaloux de moi. En outre, je l'encombrais, ma présence le mettait mal à l'aise, comme un élancement de sa conscience. Il savait fort bien qu'il me négligeait et ne souhaitait pas se le voir rappeler. Je t'embarrassais également. Après cette matinée, tu pouvais à peine supporter de me regarder. Tu ne savais que trop comme j'étais accablé de désespoir, et il n'était plus en ton pouvoir de m'en guérir. Il était courageux de ta part de m'inviter à la chasse, mais mon père t'imposa son autorité. Le courage de me le dire te manqua, à l'idée de ma jalousie enragée, et tu chargeas Anna de m'en informer.

J'aiguisais mes flèches à l'armurerie quand le message me parvint qu'Anna voulait me voir. J'en tenais une à la main et quelque mauvais esprit me la fit emporter sans réfléchir.

Je compris aussitôt que quelque chose n'allait pas, à la manière dont Anna me regarda. Elle avait le visage pâle et fatigué.

– Je suis navré, Ascagne, mais tu ne peux pas aller à la chasse demain. Didon m'a priée de te le dire.

– Mais elle m'a invité, répondis-je, la voix tremblante.

– Il y a un changement dans les plans. Ton père et elle-même iront seuls. Je sais qu'elle regrette. Elle voulait t'emmener.

J'enfonçai sauvagement ma flèche dans son bras. Elle poussa un cri de douleur, mais ne pleura pas. Elle resta là à me dévisager, tandis que le sang coulait de son bras blessé. Imilce accourut pour voir ce qui se passait. Horrifié, je m'enfuis.

Ce fut Imilce, et non Anna, qui le rapporta à mon père. Elle avait dû me croire fou – fou et dangereux. Mon père fut pris d'une grande colère. Il avait déjà perdu toute affection pour moi. Il ne prit même pas la peine de me voir. Sur ses instructions, on me confisqua toutes mes armes et je fus confiné dans ma chambre. Ce soir-là, quand Imilce m'apporta mon dîner sous la protection d'un garde, elle m'annonça que j'allais être chassé du palais.

– Quand?

– Demain matin.

– Où m'enverra-t-on?

– Dans une maison où sont logés d'autres Troyens. Deux capitaines s'occuperont de toi.

– La reine le sait-elle?

– Oui, elle le sait. Elle était bouleversée et voulait te voir, mais ton père n'a pas voulu en entendre parler. Pauvre maîtresse! Mais qu'est-ce qui t'a donc pris de faire une chose pareille? Tu peux remercier les dieux que la blessure ne soit pas plus grave.

Je ne pus rien répondre. Elle me regarda et son visage s'adoucit.

– Je regrette que tu sois si malheureux, Ascagne. Aucun de nous n'est heureux. Peut-être les dieux veulent-ils nous punir.

Elle sortit, me laissant seul.

Je demeurai assis, à réfléchir. J'avais retrouvé mon calme, à présent. Personne d'autre que toi et Anna ne pourriez jamais comprendre pourquoi je l'avais blessée. J'aurais voulu implorer son pardon, mais ce n'était pas possible en ce moment. Bientôt, j'allais me tuer; mais pas encore. Je n'avais aucune arme. Je devais attendre que les dieux m'en fournissent l'occasion. Quand elle se présenterait, je m'y cramponnerais. Mon père pouvait me faire confiance; sur ce point, je ne le décevrais pas. Mais avant de mourir, avant de quitter le palais, il fallait que je te dise adieu même si mon père se trouvait là, même si un garde tentait de m'en empêcher – parce que je t'avais aimée un jour, parce que je t'avais aimée.

J'ouvris la porte et constatai que le couloir était désert et plongé dans l'obscurité. Tout le monde devait dîner : toi et mon père aussi, peut-être, car même les amants les plus fous doivent se nourrir. J'avais vu les restes d'un repas, dans cette pièce de ton appartement où brûlait alors un feu, mais tu étais seule. Peut-être étais-tu seule aussi maintenant. Peut-être prendrais-tu ma tête sur tes genoux. Tu n'aurais qu'à m'embrasser et je mourrais de bonheur. Vous seriez ainsi débarrassés de moi, tous les deux.

La porte de ton appartement n'était pas verrouillée. Peut-être avais-tu simplement oublié ? Je l'ouvris en silence et entrai. Une petite lampe brûlait dans une niche. Je la pris. Un feu flambait dans la pièce voisine, et sur la table étaient posés de la nourriture et du vin, mais la pièce était vide. Je la traversai pour passer dans une chambre plus petite. C'était ta garde-robe. Il y flottait un parfum envoûtant. Des robes et des tuniques chatoyantes pendaient aux murs, retenues à des chevilles, et retombaient en plis diaphanes. Et toutes ces choses délicates, féminines, avaient orné ton corps exquis. Je savais que si je m'attardais là je deviendrais fou. J'ouvris l'autre porte et fis irruption brusquement dans ta chambre. Mon père gisait en travers du lit, profondément endormi. Il avait la bouche entrouverte et ronflait, rassasié tel un porc. Tu te tenais légèrement redressée, tes blanches épaules appuyées sur l'oreiller. Tu lui caressais doucement les cheveux comme tu avais naguère caressé les miens. Ton visage exprimait la sérénité. Au bruit que je fis, tu levas les yeux en tressaillant. Voyant que c'était moi, tu tressaillis encore puis posas le doigt sur tes lèvres.

– Ne le réveille pas, chuchotas-tu en me dévisageant anxieusement. Il serait furieux s'il te voyait. Qu'y a-t-il, Ascagne? Pourquoi es-tu venu?

Je continuais à le contempler, immobile.

– Il t'a fait l'amour?

– Oui, Ascagne. Nous nous aimons. Je lui appartiens. Il est mon époux.

– Mais tu lui laisses faire ce qu'il veut. Tu ne te comportes plus en reine... Didon, qu'y a-t-il? Que t'est-il arrivé?

Tes yeux s'emplirent de larmes.

– Je l'aime, Ascagne. Je ne puis m'en empêcher. Et je souhaite désespérément avoir un enfant. Il sera peut-être bientôt trop tard.

– Trop tard? répétai-je.

– Je n'ai jamais porté d'enfant. Crois-tu que ton père veuille une épouse stérile? Suppose qu'il me quitte un jour?

– Mais il t'aime, Didon, déclarai-je malgré moi en fixant sur elle un regard incrédule.

– Oui, il m'aime en ce moment. Je m'efforce de lui plaire, mais quelque chose l'inquiète... Tant que je lui plais... J'essayais de te donner du plaisir, Ascagne, mais ton père ne devra jamais le savoir... Je sais ce qui s'est passé, avec Anna. La blessure n'est pas grave. Elle t'a pardonné. C'était ma faute; j'avais peur de te le dire moi-même. Je suis navrée, mon chéri, je n'ai pas été une bonne mère pour toi, mais tu n'es pas mon fils et je ne peux pas te protéger. Maintenant, pars. Il peut s'éveiller d'un instant à l'autre.

O Didon, comme tu étais devenue soumise! Comme tu étais tombée de ton piédestal royal!

– Je suis venu te dire adieu, chuchotai-je.

– Adieu? Mais tu reviendras bientôt au palais. Ton père est un homme bon, mais quelque chose le trouble. Il ne veut pas me dire ce que c'est... Tant qu'il reste avec moi... Je ne pourrais plus vivre sans lui. Au revoir, mon chéri. Je comprends pourquoi tu étais furieux. Regrettes-tu vraiment ce que tu as fait? Alors viens ici, et laisse-moi t'embrasser.

O ma bien-aimée, jamais nous ne nous sommes revus.

14

Je me tus, incapable de poursuivre.

Toute la clairière baignait dans le silence. Les arbres étaient immobiles, témoins muets du réveil de cette ancienne douleur.

– Pendant toutes ces années, tu n'as jamais cessé de l'aimer, dit Anna doucement.

– C'est vrai, murmurai-je en fixant ses yeux aveugles. Je n'ai jamais pu l'oublier. Jamais.

Je me tus de nouveau, pensant à Didon dans toute sa beauté. J'étais à présent un vieil homme. Mes cheveux s'étaient clairsemés et mes épaules s'étaient voûtées. Mes fils étaient des hommes. Bientôt je mourrais, sachant que j'avais été le docile serviteur du Tout-Puissant Zeus, pieux fils d'un père pieux. Pourtant, en cet instant, plus rien ne m'importait que Didon, qui nous avait tous maudits avant de mourir, qui avait tenté de contrecarrer notre mission. Elle avait échoué. Nous avions quitté Carthage et atteint l'Italie. Les oracles, la prophétie d'Hélénos, tout s'était accompli. Mon père avait fondé une seconde Troie; et maintenant, trente ans après, j'avais fondé une nouvelle capitale comme Zeus nous l'avait ordonné. Nous avions fait tout ce qu'il nous avait commandé. Pourtant, cela ne comptait plus. Rien ne comptait que Didon, qui avait souffert à cause de nous : il fallait qu'Anna me parlât de ses derniers jours sur la terre, afin que je puisse être avec elle jusqu'à l'extrême fin.

– Elle n'a jamais voulu être votre ennemie, me dit Anna, elle n'a jamais voulu faire échouer la mission de ton père. C'était Asherat, votre ennemie. Didon ne lui servait guère que d'instrument. Oui, je le dirai, bien qu'elle soit ma déesse. Que lui importait alors de faire souffrir ma sœur ? La seule chose qui comptait pour elle était d'empêcher ton père d'aller en Italie. A la fin, elle l'a abandonnée exactement comme ton père. Didon n'avait pu servir ses projets, on pouvait la laisser mourir.

Elle n'était jamais heureuse bien longtemps, après son mariage avec ton père, Ascagne. Même quand tout semblait aller bien, je la voyais anxieuse, inquiète pour l'avenir. Elle s'accablait toujours de reproches à ton sujet. Plus que jamais, elle redoutait Iarbas. Elle l'avait haï dès le premier instant de leur première rencontre, sentant qu'il la convoitait, qu'il attendait son heure pour la posséder un jour. Mais désormais le courage avec lequel elle lui avait fait face l'avait quittée. Il apprit la nouvelle de son mariage presque immédiatement – ce fut sans aucun doute Soubas qui l'en informa. Il devint fou de rage et de jalousie. Il lui envoya un message méprisant et insultant pour lui rappeler qu'il demeurait son suzerain. Il la menaçait d'attaquer Carthage pour la punir d'avoir repoussé sa demande et d'avoir préféré s'unir à un misérable aventurier. Elle n'en parla à ton père que quand il fut trop tard ; mais elle se cramponna davantage encore à lui pour être protégée.

Elle aimait ton père avec la violence du désespoir, Ascagne. Elle supportait à peine de le laisser échapper à sa vue. Chaque fois je voyais ses yeux le suivre avec une sorte d'angoisse, comme si elle avait toujours redouté qu'un jour il ne revienne pas, bien qu'il fût son époux. Elle lui appartenait; mais il ne semblait être vraiment à elle que lorsqu'ils faisaient l'amour ensemble. La pensée qu'il pourrait un jour cesser de l'aimer la hantait; et l'Italie ne disparaissait jamais de l'arrière-plan. Se donner à lui autant qu'il le désirait, l'entourer de luxe et d'agréments, partager avec lui le pouvoir, exalter son prestige, céder à tous ses désirs, s'incliner devant ses décisions, couvrir ses compagnons de présents – tout cela n'allait pas suffire à le retenir. Il fallait qu'elle soit mère, qu'elle lui donne des enfants. Alors seulement elle se sentirait plus certaine de son emprise sur lui.

Bien sûr, elle avait toujours souffert de demeurer sans enfants – pour elle-même aussi bien que pour Carthage. Mais à présent cela devenait une obsession. Chaque fois qu'ils avaient fait l'amour, elle suppliait secrètement Asherat de la rendre féconde. Les semaines se succédaient et elle commença à désespérer. Elle offrait chaque jour des sacrifices, consultait des guérisseuses, pratiquait des rites secrets; et pendant tout ce temps, son anxiété croissait. Finalement, elle devint presque folle. Il lui semblait que ses serviteurs la dévisageaient, chuchotaient entre eux, se demandaient si elle était enceinte. Elle ne pouvait plus supporter de paraître hors du palais, excepté pour se rendre au temple. Elle savait que tout son peuple jugeait son mariage de mauvais augure et supposait qu'on la disait stérile.

Ses sujets lui étaient encore attachés à leur manière, bien que le mécontentement s'amplifiât. Ils trouvaient abject et indigne son amour pour ton père. Ils se plaignaient de la voir trop rarement. Mais elle était encore la reine, précieuse, irremplaçable. Ils lui obéissaient encore. C'était pour elle seule qu'ils supportaient les Troyens, malgré leur antipathie. C'était à cause d'elle qu'ils obéissaient aux ordres de ton père. Mais ils voyaient en lui un usurpateur, quoi qu'elle pût en dire.

Cela se produisit peu de temps après ton départ du palais. Ton père était sorti de bonne heure pour surveiller les travaux de la citadelle. Didon était restée dans ses appartements. Avant de partir, il l'avait embrassée avec une grande tendresse; et elle lui avait demandé doucement si tu pourrais revenir au palais. Tu étais son fils, lui dit-elle. Ce n'était pas la première fois qu'elle le lui demandait, mais jusqu'alors il l'avait repoussée. Touché, ton père promit qu'il accepterait de te voir. Elle en éprouva une grande joie, espérant toujours que vous pourriez vous réconcilier.

Peu après qu'il fut sorti, j'allai la voir. Elle jouait de la harpe en chantant pour elle-même, et je sus que pour une fois elle était heureuse. Tu ne l'as jamais entendue chanter, mais elle avait la voix pure et fraîche comme celle du rossignol. Je me souvins comme elle chantait des mélodies d'amour pour son époux, il y avait de cela bien longtemps, à Tyr, et comme il l'écoutait avec émerveillement. Après sa mort, elle avait fait le serment de ne plus jamais chanter, mais depuis son mariage avec ton père elle avait recommencé. Pauvre Didon, elle n'imaginait guère quel prix exorbitant il lui faudrait payer pour avoir renié ses vœux.

Près d'elle, étalé sur une chaise, se trouvait le manteau qu'elle avait tissé pour ton père. Elle avait fini de le broder plus tôt dans la matinée. C'était le plus exquis travail que l'on pût concevoir, et elle s'était donné un mal infini pour le réaliser. Je le vois encore, ce magnifique manteau de pourpre bordé d'une tresse d'or. Jamais je ne l'oublierai. Il symbolisait tout le changement intervenu en elle depuis son mariage.

Elle sourit en me voyant, mais ses pensées voguaient au loin. Je m'assis un moment auprès d'elle pour l'écouter chanter, et soudain cela se produisit. Imilce fit irruption dans la pièce, toute haletante, pour annoncer que les Troyens s'apprêtaient à quitter Carthage. Elle les avaient elle-même vus charger leurs navires, tous fort joyeux.

Avant qu'elle eût achevé son récit, Didon s'était élancée hors de la pièce. L'instant d'après, je la vis traverser en courant l'avant-cour, sans manteau, appelant désespérément le nom de ton père. Tout le monde la suivit du regard avec stupeur. Je criai à Imilce de la suivre, mais il était trop tard.

Elle traversa toute la ville, parcourant les rues, fendant le marché plein de monde, jusqu'au port, en cherchant ton père partout. Elle l'appelait en pleurant et arrachait ses beaux cheveux. Les gens la regardaient avec effroi, croyant qu'elle était devenue folle. Elle courut jusqu'à l'endroit où étaient amarrés les navires troyens et vit de ses propres yeux qu'en effet on les chargeait. Des gardes avaient été postés pour tenir les Carthaginois à distance. Ils ne la laissèrent pas approcher des navires ni ne lui révélèrent où se trouvait ton père. Ils se contentèrent de lui dire qu'ils agissaient sur ses ordres.

Pendant ce temps, je m'inquiétais mortellement à son sujet. J'avais envoyé des gardes la chercher et l'escorter jusqu'au palais, craignant que dans sa folie elle ne se soit blessée. Je l'attendais avec angoisse à l'entrée de l'avant-cour. Je la vis revenir lentement vers le palais, soutenue par deux soldats et entourée d'une foule hébétée. Elle était épuisée et tenait à peine debout. Sa jupe était tachée, ses cheveux en désordre et son visage couvert de poussière. Elle me regarda sans paraître me reconnaître. Puis tout à coup elle se raidit, ordonna aux deux soldats de la lâcher et se redressa. Je vis qu'elle avait les yeux fixés sur la rue qui menait à la place du marché. Un homme sortait d'une maison proche. C'était ton père. Il ne parut pas la voir et commença de descendre en direction du port. Elle cria son nom et il s'arrêta. Puis il se retourna à contrecœur et s'approcha d'elle.

Les yeux étincelants de rage, elle lui hurla qu'il était un traître. Pensait-il qu'avec ses Troyens il pourrait quitter Carthage clandestinement, sans un seul mot d'excuse ni d'explication? Puis soudain son amour l'emporta sur sa colère et les larmes se mirent à ruisseler sur son visage. Comment pouvait-il envisager de partir maintenant, par un temps aussi orageux? Il s'exposerait inutilement à de terribles dangers. Avait-il donc une telle hâte de lui échapper? Leurs serments n'avaient-ils donc aucune valeur? Etait-ce là une façon de traiter une épouse aimante? Ne l'aimait-il plus?

Elle avait tout sacrifié pour lui. Elle avait perdu l'affection de son peuple et allumé la colère de Iarbas à cause de lui. Qui la protégerait désormais? Iarbas allait peut-être s'emparer d'elle et l'emmener captive. Ne se souciait-il donc pas de ce qui lui arriverait? S'il l'abandonnait maintenant, elle demeurerait totalement seule et désolée. Elle n'aurait même pas la consolation de porter un enfant de lui. Ne pouvait-il pas avoir pitié d'elle?

Sa voix s'était presque éteinte dans un chuchotement. Je regardai ton père qui l'écoutait en silence. Je ne sais pas comment il parvint à se laisser aussi peu émouvoir. On eût dit qu'il s'était déjà cuirassé contre tout ce qu'elle pouvait dire. Lorsqu'il répondit, ce fut d'une voix froide, presque solennelle.

Il lui serait à jamais reconnaissant de sa bonté, dit-il, et chérirait toujours sa mémoire. Il n'avait jamais eu l'intention de quitter Carthage sans l'en informer; mais rien ne l'obligeait à rester avec elle car il n'avait jamais rien promis de tel. Ils n'avaient jamais été mariés non plus. Ils s'étaient tous deux trouvés ensorcelés dans la grotte mais il n'avait eu conscience d'aucune présence autre que la sienne. Ils n'avaient échangé aucun serment. Nul ne les avait unis. Il n'y avait eu ni témoins ni hymnes de mariage. C'était à Zeus qu'il devait obéissance avant tout, non à Asherat. C'était Zeus qui lui avait ordonné d'entreprendre sa mission. Et Zeus lui avait ce matin même envoyé un signe, un terrible avertissement pour avoir à cause d'elle négligé sa tâche.

Il ne pouvait pas lui révéler quel avait été cet avertissement, mais il avait aussitôt ordonné à ses compagnons de se préparer à quitter Carthage immédiatement. Elle-même et sa cité lui étaient devenues chères, mais il devait se soumettre à Zeus comme elle se soumettait à Asherat. Elle avait toujours su que l'Italie constituait son ultime destination. Il était inutile de lui reprocher son départ. Il n'avait pas le choix.

Pendant tout le temps qu'il parla, Didon le regardait, l'examinait en silence de la tête aux pieds. Nul n'aurait su lire sur son visage combien cette indifférence glaciale à ses supplications devait la blesser. Je sais à présent ce qu'elle pensait. Elle, la reine de Carthage, avait pris cet homme pour époux et avait fait de lui le cosouverain. Pendant toutes ces semaines, il l'avait laissée l'appeler son époux; et à présent, avec une effronterie cynique, il niait qu'ils eussent jamais été mariés. Il l'avait répudiée publiquement en lui annonçant qu'il la quittait. Il avait fait d'elle un objet de risée.

Soudain, elle perdit son sang-froid. Prise d'un accès de fureur incontrôlable, elle commença de le maudire, lui et toute sa descendance. Elle le traita de menteur et de traître. Il avait un cœur de pierre. Il était un monstre de piété inhumaine. Il était arrivé à Carthage, naufragé et en loques, véritable mendiant, et elle l'avait accueilli en ami. Dans son aveugle folie, elle lui avait accordé sa confiance, l'avait comblé de présents, avait partagé son royaume avec lui. Et maintenant, il l'abandonnait lâchement. Eh bien, qu'il s'en aille donc vers sa précieuse Italie! Comme si les dieux pouvaient se soucier de l'y voir parvenir ou non! Mais s'il existait la moindre justice dans les Cieux, il serait châtié pour la manière dont il l'avait traitée. Ses compagnons et lui-même heurteraient quelque récif au milieu des mers et y mourraient de soif et de faim. Ils l'appelleraient alors, dans leur agonie, mais elle les abandonnerait à leur destin. Et quand elle mourrait, son spectre viendrait les hanter à jamais, telle une Furie vengeresse.

Elle resta un moment encore à le foudroyer du regard. Puis elle traversa en courant l'avant-cour et s'élança dans le palais en sanglotant à cœur perdu. Ton père resta à la suivre des yeux. Pour la première fois, il parut éprouver de la peine pour elle, mais il ne tenta pas de la suivre. Je le quittai sans un mot et me hâtai de rejoindre Didon. En arrivant dans la grande salle, je vis qu'elle s'était effondrée et évanouie. Ses servantes la transportèrent dans sa chambre et l'allongèrent sur son lit. Je voyais bien qu'elles étaient toutes inquiètes à son sujet, mais je les renvoyai. J'allai chercher de l'eau et lui lavai le visage et les mains. Elle commença ensuite à reprendre vie et s'assit lentement, l'air encore hébété. Je l'implorai de manger quelque chose. Elle secoua la tête et noua ses bras autour de mon cou.

" Tu es si bonne pour moi, Anna, dit-elle. Jamais personne ne m'a aimée comme tu m'aimes. " Puis elle se mit à pleurer. " Oh! que vais-je faire? Il ne voulait pas m'écouter. Est-il encore là? "

Je m'approchai de la fenêtre.

– Non, Didon, répondis-je doucement, il est parti.

" Il est retourné à ses navires, dit-elle amèrement. Ses hommes accrochaient des guirlandes, tant ils avaient de joie à partir. Et ils m'ont empêchée d'approcher. Ils ne voulaient pas me dire où il se trouvait. Je les avais accueillis et voilà comme ils me traitent. Dans ma propre ville. J'aurais pu dire à mon peuple de les attaquer et de brûler leurs navires. Et je n'ai rien fait. Rien. "

Elle se tut un moment, le visage empreint de désespoir. Puis elle explosa : " Je ne peux pas ordonner au peuple de les attaquer. Ils les détestent tant qu'ils les massacreraient. Mais je ne peux pas retourner à leurs navires. La manière dont ils m'ont traitée – ce fut trop humiliant. Enée refuserait sans doute même de me voir. Comment lui dire à présent combien je l'aime en dépit de tout? Il ne se soucie plus de moi. Mais si je ne fais rien, je le perdrai pour toujours. "

Soudain, elle me regarda : " Voudrais-tu y aller pour moi, Anna? Il t'écouterait plus volontiers. Il éprouvait tant de reconnaissance quand tu as soigné Ascagne. Il disait que tu lui avais sauvé la vie.

Ne peux-tu pas aller le trouver et le supplier de rester ? "

– Oui, Didon, bien sûr, j'irai. Tu sais que je ferais n'importe quoi pour toi. "

Elle m'embrassa : " Dis-lui que je ne suis pas son ennemie, Anna, et prie-le de pardonner ma colère. Ce fut un choc de découvrir si soudainement qu'il me quittait; et puis la manière dont il m'a parlé – comme si notre amour n'avait compté pour rien. Dis-lui que je ne l'empêcherai pas d'aller en Italie, je le jure. Supplie-le seulement d'attendre encore un peu et de rester auprès de moi. Demande-lui d'attendre que la mer soit calmée. Il a laissé ici tout ce qui lui appartenait – l'épée que je lui avais offerte, et le manteau... il faut qu'il les emporte quand il s'en ira. Dis-lui que je ne désire rien de plus. Je le lui demande comme une faveur. Je n'exige plus rien de lui. Maintenant qu'il ne me considère plus comme son épouse, je ne demande même pas à voir Ascagne. " Elle enfouit son visage dans ses mains.

Anna se tut un moment, trop émue, afin de se ressaisir. Elle reprit plus calmement :

– Je ne me souviens plus de tout ce que je dis alors à ton père. Sans doute l'aimais-je encore, mais pas aussi violemment que Didon. Je l'implorai de changer d'avis et lui rappelai toute la souffrance qu'il nous avait infligée. Je lui parlai de toi, que j'avais soigné pendant toute ta maladie, et j'observai qu'il éprouvait une vive émotion. Je crus presque qu'il allait céder, puis je dis quelque chose et son visage entier s'altéra.

Anna se tut soudain.

– Qu'était-ce donc, Anna? voulus-je aussitôt savoir.

– Je demandai à te voir, Ascagne, et il refusa. Et après cela, il refusa tout. Il refusa même de remettre les pieds au palais. Il se contentait de répéter qu'il devait quitter Carthage immédiatement. Finalement, je dus retourner auprès de Didon lui avouer que toutes mes supplications avaient échoué.

Tout d'abord, elle fut folle de chagrin et de désespoir. Puis soudain elle se calma. Elle se leva et se rendit dans son oratoire. Elle y demeura longtemps à prier. Quand elle reparut, elle semblait apaisée. Elle m'annonça qu'elle avait résolu de se libérer à jamais de son amour pour ton père et qu'elle avait prié son défunt époux de lui pardonner et de la guider. Elle savait exactement ce qu'elle devait faire, à présent, et l'on devrait obéir à ses ordres sans poser de questions. Il fallait ériger un bûcher funéraire dans la vaste cour intérieure du palais, et y déposer tout ce qui avait appartenu à ton père. Dès que la flotte troyenne aurait pris la mer, elle y mettrait le feu, et son amour pour lui périrait dans les flammes.

En fin d'après-midi, un énorme bûcher de bois de pin et de chêne s'élevait vers le ciel. Une échelle s'y appuyait, et au sommet se trouvait une imposante plate-forme. Quand elle apprit que le bûcher était prêt, Didon entreprit de rassembler toutes les affaires de ton père, ainsi que tous les objets susceptibles de le lui rappeler. Elle sanglotait passionnément mais refusait de laisser quiconque l'aider. Elle transporta elle-même tout dans la cour – les armes et les vêtements qu'il avait laissés derrière lui, le costume de chasse qu'il avait porté, l'épée et le ceinturon qu'elle lui avait offerts, le manteau qu'elle avait tissé et brodé pour lui, tout. Elle plaça tous ces objets sur la plate-forme, au sommet du bûcher, ainsi qu'une effigie de lui, en bronze, qu'elle avait fait exécuter peu de temps après leur mariage. Lorsqu'elle eut terminé, sa détresse et ses larmes étaient telles qu'il lui était impossible de rien dire.

Je la suppliai de s'étendre et de se reposer.

" Non, cria-t-elle, voici le lit. Nous l'avons partagé jusqu'à ce qu'il me désavoue." Et elle entreprit d'arracher le dais. Je ne pus la persuader de venir dans ma chambre que lorsque le lit eut également été emporté. Nous nous allongeâmes côte à côte, enlacées, et nous dormîmes près de la lampe allumée.

Les dieux l'avaient maudite, Ascagne. Ils voulaient la rendre folle. Toute la nuit, un hibou solitaire perché sur le toit émit des hululements menaçants. Des songes et des cauchemars la tourmentaient. Tout d'abord ce fut son époux qui l'appelait, d'une voix creuse et sépulcrale, comme s'il lui avait parlé de la tombe. Puis elle s'éveilla en hurlant que ton père la poursuivait, la pourchassait sans répit, le visage tordu par la colère. Ensuite, elle ne pouvait plus dormir. Elle était continuellement hantée par ses souvenirs; et soudain, un terrible désir de lui s'empara d'elle. Son corps entier se mit à trembler et palpiter et elle finit par se tordre sous l'effet de la passion. Elle commença à crier comme s'il avait pu l'entendre, le suppliant de revenir à elle car son désir de lui était intolérable. Il fallait qu'elle aille le trouver, qu'elle monte à bord de son navire pour le réveiller, afin qu'il puisse la satisfaire aussitôt, là, sur le pont. Elle abandonnerait tout par amour pour lui. Elle l'accompagnerait jusqu'en Italie, pour le servir et s'occuper de lui. Peu importait le mépris que lui marqueraient ses Troyens et lui-même.

Puis sa folie prit soudain une autre forme. Elle avait trahi son époux et s'était avilie : elle était corrompue et dépravée, obsédée par les plaisirs charnels, et ne valait pas mieux qu'une prostituée.

Je tentai désespérément de l'apaiser; mais elle ne me reconnaissait plus, ni ne savait ce qu'elle disait. Elle se dégagea ensuite de mon étreinte et se mit à parcourir fiévreusement la chambre. Elle retournait inlassablement à la fenêtre pour contempler la cité, en contrebas, encore noyée d'obscurité. Elle se tordait les mains et s'arrachait les cheveux en criant qu'elle avait perdu l'amour de son peuple; sa vertu était souillée, sa réputation détruite. Je l'entourai de mes bras et m'efforçai de la rassurer. Ce n'était pas vrai, lui disais-je. Ses sujets savaient qu'elle était une grande reine, car elle avait fondé Carthage. Ils l'aimaient toujours, leur fidélité restait inébranlable. Peu à peu, elle se calma et commença à m'écouter.

" C'est vrai, dit-elle, je fus une grande reine jusqu'à l'arrivée des Troyens... Et maintenant qu'ils s'en vont... " Sa voix s'éteignit. " Ecoute, Anna, l'aube pointe. Je dois monter à la tour de guet.

— A la tour de guet? répétai-je.

— C'est mon devoir. Je dois regarder partir nos ennemis.

— Je t'accompagnerai.

— Non, douce sœur. Je dois y monter seule. "

Je posai sur elle un regard incertain.

" Tu m'as promis d'obéir ", dit-elle, et elle m'embrassa tendrement. Elle me tint un instant serrée contre elle. Puis elle sortit.

Après son départ, je restai un moment indécise. J'éprouvais beaucoup trop d'inquiétude à son sujet pour ne point avoir d'appréhension quand elle me quittait, fût-ce pour un instant. J'avais promis de lui obéir et je devais la laisser monter à la tour de guet; mais attendre patiemment son retour dans ma chambre était au-dessus de mes forces. Soudain, une voix s'éleva en moi : je devais aller au temple en hâte et prier pour qu'elle pût guérir à jamais de son désespoir. J'hésitai un moment; mais la voix insistait trop pour que je puisse l'ignorer. Il me semblait que ce devait être la voix d'Asherat elle-même.

Je traversai la grande salle puis l'avant-cour dans les premières lueurs de l'aube et me dirigeai vers le temple. Des gens se rendaient déjà au marché. Soudain j'éprouvai un pressentiment et m'arrêtai. Je ne devais pas laisser Didon seule au palais. Il fallait que je retourne immédiatement auprès d'elle. Et à cet instant de terribles cris retentirent derrière moi – venant du palais. Immédiatement les cris furent repris tout autour de moi. La Reine, la Reine, elle mourait.

Je courus, Ascagne, tout infirme que je suis. Je traversai l'avant-cour et trébuchai dans la grande salle en criant son nom, bouleversée d'effroi. Le palais tout entier résonnait de cris et de lamentations. Quelqu'un me guida jusqu'à la cour, m'aida à me frayer un chemin parmi la foule atterrée qui sanglotait et me porta jusqu'à l'endroit où elle gisait. Elle était montée sur le bûcher, avait sorti de son fourreau l'épée qu'elle avait offerte à ton père et s'était jetée dessus. Elle était étendue sur le lit, transpercée, et le sang ruisselait de sa poitrine. Elle mourait devant mes yeux.

Je me penchai sur elle en sanglotant, m'efforçant d'arrêter le flot de son sang avec ma robe et gémissant qu'elle m'avait trompée. Ses yeux s'ouvrirent lentement, alourdis par l'approche de la mort.

" Ils sont partis, Anna, murmura-t-elle faiblement. Je ne pouvais plus continuer à vivre... J'ai été punie comme je le méritais pour avoir trahi mon époux... "

Je posai mes lèvres sur les siennes pour recueillir

son dernier soupir. Puis son esprit s'enfuit de son corps et elle mourut.

Nous restâmes un long moment sans rien dire. Tout d'abord, je ne pouvais penser à rien d'autre qu'à l'agonie de Didon et au dévouement sans borne d'Anna. Peu à peu mon esprit s'éclaircit et je me rendis compte que j'avais compris peu de chose. Certains faits demeuraient obscurs. Seuls les dieux savaient si Didon et mon père avaient vraiment été mariés dans la grotte, comme Didon le croyait fermement, et comme la chasseresse elle-même me l'avait dit. S'agissait-il de Junon ou d'Asherat, ou bien d'une mortelle dotée de pouvoirs surnaturels? Je ne le saurais jamais. Junon n'était plus notre ennemie, à présent. Mais qu'elle l'eût été ne pouvait être mis en doute. Pourtant, n'avait-elle pas aussi été l'ennemie secrète de Didon? Chaque impulsion, chaque émotion, chaque aspiration de nos vies quotidiennes était inspirée par les dieux. Ils étaient à la fois bons et mauvais, doux et cruels, bienveillants et impitoyables. Pour nous ils étaient enfin devenus bienveillants. Mais pour Didon ils s'étaient révélés sans pitié dès l'instant où elle nous avait accueillis. Elle n'avait cependant pas eu l'intention de nous détourner du but ultime de notre voyage, l'Italie. Elle nous avait accueillis ainsi par bonté et par humanité.

Je songeai à mon père avec qui je m'étais réconcilié depuis fort longtemps. Oui, je comprenais pourquoi il avait quitté Carthage. Ce n'était pas pour rien qu'on l'appelait le pieux Enée. Tôt ou tard, il aurait dû la quitter et elle l'avait toujours su. Pourtant, la dureté dont il avait fait preuve à son égard dépassait l'entendement. Envers les autres, il n'avait pas manqué d'humanité; mais envers elle, il s'était montré cruel et impitoyable. Quelque chose s'était produit, en l'espace d'un matin, qui avait provoqué ce brutal et terrible revirement contre elle. Par la suite, il m'avait parlé d'un commandement du Tout-Puissant Zeus. Mais à elle, il avait parlé d'un terrible avertissement. Il était resté sourd à toutes ses supplications et avait pris la mer dans les heures suivantes, malgré la tempête. Mais je ne me rappelais rien de notre départ. Je devais être inconscient... On avait dû me transporter à bord...

Un matin que je me trouvais seul, j'avais tenté de me tuer... J'avais entaillé mes veines avec un couteau... Mon père m'avait révélé par la suite qu'il m'avait lui-même découvert, mais n'avait rien dit de plus... Il s'était comporté comme si cela s'était produit par accident... Mais ensuite, il s'était toujours montré bon, extraordinairement bon envers moi... O dieux, c'était à cause de moi, qu'il l'avait traitée si brutalement! C'était à cause de moi, et elle n'en avait jamais su la raison. Et puis elle avait mis fin à ses jours – par chagrin, par désespoir, par humiliation. Elle était morte en déclarant qu'elle avait mérité ses souffrances pour avoir trahi son époux. Et c'était moi qui le lui avais fait trahir. Dans la tendresse de son cœur, elle avait cédé à mes prières et s'était donnée à moi. N'y avait-il donc pas de justice aux Cieux, pour qu'elle eût été ainsi châtiée tandis que je demeurais indemne? Depuis que nous avions quitté Carthage, la fortune m'avait souri. Mais je n'avais jamais oublié Didon. Sa tendre image s'était estompée avec les années mais avait continué à me hanter. Elle resterait désormais avec moi jusqu'à ma mort.

Je me tournai vers Anna, assise devant la grotte,

dans la moelleuse lumière de l'automne. Ses yeux aveugles étaient fermés et ses lèvres remuaient.

– Je dois la revoir, Anna, même si ce n'est que pour un bref instant. Je dois lui parler, même si elle ne peut me répondre.

– Elle viendra, dit Anna, elle est en paix, à présent, car nous avons raconté son histoire. Tu la révéleras à d'autres, Ascagne. Elle poursuivra son écho à travers les âges et vivra à jamais.

Elle tendit la main devant elle et soudain une colombe vint s'y poser. Elle semblait venir de nulle part. L'instant d'après, Didon était là. Elle se tenait devant moi. Elle me souriait avec une telle douceur, une telle tendresse! O ma bien-aimée, tu m'étais revenue, tu m'avais pardonné! Je t'aime, ma chérie, je t'aime!

L'apparition s'évanouit. Je vis qu'Anna gisait à terre, un sourire sur les lèvres. Elle était morte. Elle avait rejoint sa sœur, maintenant – cette sœur dont elle avait apaisé le spectre inquiet. Junon avait enfin pris pitié d'elles deux. Je lui dresserais un sanctuaire ici même, en ce lieu tranquille, devant la grotte. Et Anna serait ensevelie auprès d'elle. Mon peuple la tiendrait en grand honneur, et un jour elle serait vénérée à l'égal d'une déesse, elle aussi, génie tutélaire de ce bosquet sacré.

Mon tendre amour était heureuse, à présent. Longtemps après ma mort, les poètes chanteraient sa beauté et sa bonté. Ils célébreraient sa mémoire avec compassion. Ils l'aimeraient comme je l'ai aimée.

J'ai Lu Cinéma

*Une centaine de romans J'ai Lu ont fait l'objet
d'adaptations pour le cinéma ou la télévision.
En voici une sélection.*

Demandez à votre libraire le catalogue semestriel gratuit.

Alien (1115★★★)
par Alan Dean Foster
*Avec la créature de l'Extérieur, c'est la
mort qui pénètre dans l'astronef.*

Amityville II (1343★★★)
par John G. Jones
*L'horreur semblait avoir enfin quitté la
maison maudite : et pourtant... Inédit.*

Annie (1397★★★)
par Leonore Fleischer
*Petite orpheline, elle fait la conquête
d'un puissant magnat. Inédit. Illustré.*

Au delà du réel (1232★★★)
par Paddy Chayefsky
*Une terrifiante plongée dans la
mémoire génétique de l'humanité. Illustré.*

La Banquière (1154★★★)
Par Conchon, Noli et Chanel
Devenue vedette de la Finance, le Pouvoir et l'Argent vont chercher à l'abattre.

Beau père (1333★★)
par Bertrand Blier
*Il reste seul avec une belle-fille de 14
ans, amoureuse de lui.*

Cabaret (Adieu à Berlin)
(1213★★★)
par Christopher Isherwood
*L'ouvrage qui a inspiré le célèbre film
avec Liza Minelli.*

Chanel solitaire (1342★★★★)
par Claude Delay
La vie passionnée de Coco Chanel.

Le Choc des Titans (1210★★★★)
par Alan Dean Foster
*Un combat titanesque où s'affrontent
les dieux de l'Olympe. Inédit, illustré.*

Dallas :
1 - Dallas (1324★★★★)
par Lee Raintree
*Dallas, l'histoire de la famille Ewing,
au Texas, célèbre au petit écran.*
2 - Les maîtres de Dallas
(1387★★★★)
par Burt Hirschfeld
Qui a tiré sur JR, et pourquoi ?
3 - Les Femmes de Dallas
(1465★★★★)
Par Burt Hirschfeld
*Kristin veut s'emparer de la fortune de
JR.*

Conan le barbare (1449★★★)
par Sprague de Camp
L'épopée sauvage de Conan le Commerien, face aux adorateurs du serpent.

Dans les grands fonds (833★★★)
Par Peter Benchley
*Pourquoi veut-on empêcher David et
Gail de visiter une épave sombrée en
1943 ?*

Les Dents de la mer - 2e partie
(963★★★)
par Hank Searls
*Le mâle tué, sa gigantesque femelle
vient rôder à Amity.*

Des gens comme les autres
(909★★★)
par Judith Guest

Achevé d'imprimer sur les presses de l'imprimerie Brodard et Taupin
7, Bd Romain-Rolland, Montrouge. Usine de La Flèche,
le 11 juillet 1983
6732-5 Dépôt Légal juillet 1983. ISBN : 2 - 277 - 21499 - X
Imprimé en France

Editions J'ai Lu
31, rue de Tournon, 75006 Paris
diffusion France et étranger : Flammarion

1499
★ ★ ★